G000141837

ILS ONT MARCHÉ SUR LA TÊTE

Pierre Bellemare mène une carrière d'homme de radio, de télévision, d'écrivain… et d'acteur. Tous ses livres sont de grands succès de librairie.

Grand voyageur et grand reporter depuis trente ans, Jérôme Equer a collaboré avec Pierre Bellemare sur plusieurs ouvrages.

Paru dans Le Livre de Poche :

P. Bellemare
L'ANNÉE CRIMINELLE (3 vol.)
C'EST ARRIVÉ UN JOUR, 2
SUSPENS (2 VOL.)

P. Bellemare et J. Antoine
LES DOSSIERS INCROYABLES
HISTOIRES VRAIES (3 vol.)
LES NOUVEAUX DOSSIERS INCROYABLES

P. Bellemare, J. Antoine et M.-T. Cuny
DOSSIERS SECRETS

P. Bellemare et J.-M. Épinoux
ILS ONT VU L'AU-DELÀ

P. Bellemare et J. Equer
COMPLOTS
SUR LE FIL DU RASOIR

P. Bellemare et G. Frank
SANS LAISSER D'ADRESSE
26 DOSSIERS QUI DÉFIENT LA RAISON

P. Bellemare et J.-F. Nahmias
CRIMES DANS LA SOIE
DESTINS SUR ORDONNANCE
L'ENFANT CRIMINEL
ILS ONT OSÉ !
JE ME VENGERAI
KIDNAPPINGS
MORT OU VIF
QUAND LA JUSTICE PERD LA TÊTE
SURVIVRONT-ILS ?
LA TERRIBLE VÉRITÉ
LES TUEURS DIABOLIQUES

P. Bellemare, J.-M. Épinoux et J.-F. Nahmias
L'EMPREINTE DE LA BÊTE
LES GÉNIES DE L'ARNAQUE

P. Bellemare, M.-T. Cuny et J.-M. Épinoux
LES AMANTS DIABOLIQUES

P. Bellemare, M.-T. Cuny, J.-M. Épinoux et J.-F. Nahmias
INSTANT CRUCIAL
INSTINCT MORTEL (2 vol.)
ISSUE FATALE

P. Bellemare, J.-F. Nahmias, F. Ferrand et T. de Villers
JOURNÉES D'ENFER

P. Bellemare, J.-M. Épinoux et R. Morand
POSSESSION

P. Bellemare, J.-M. Épinoux, F. Ferrand, J.-F. Nahmias et T. de Villers
LE CARREFOUR DES ANGOISSES

P. Bellemare, M.-T. Cuny, J.-P. Cuny et J.-P. Rouland
C'EST ARRIVÉ UN JOUR, I

P. Bellemare, G. Franck et M. Suchet
PAR TOUS LES MOYENS

PIERRE BELLEMARE
Jérôme Equer

Ils ont marché sur la tête

450 faits divers inouïs, impayables et désopilants

ALBIN MICHEL

ISBN : 978-2-253-16737-2 – 1re publication LGF

Avant-propos

J'ai eu la chance de connaître Francis Blanche et de travailler avec lui. Pour son plaisir, il a provoqué des faits divers dignes de figurer dans ce recueil de la loufoquerie humaine.

Nous sommes aux Champs-Élysées à l'époque où les voitures se garaient sur une contre-allée. Entre deux grosses voitures américaines, une modeste 4 CV Renault a réussi à trouver une place. Arrive le conducteur de la voiture située derrière la 4 CV. Il met son huit cylindres en route, engage une vitesse et donne un violent coup d'accélérateur. Ce faisant, il défonce l'arrière de la malheureuse petite voiture. Satisfait, le conducteur descend et se dirige vers l'américaine située devant la 4 CV. Il monte, met le moteur en route, passe la marche arrière et défonce l'avant de la petite Renault. Puis les deux grosses voitures s'acharnent alternativement sur la petite. Les passants, d'abord interloqués, interviennent pour que cesse le massacre. Rien à faire, le chauffeur continue son œuvre de destruction massive.

On appelle la police qui bientôt arrive toutes sirènes hurlantes. Les agents interpellent le conducteur des grosses américaines : « Vous n'avez pas honte de détruire ainsi une voiture qui a le droit, comme vous, d'être garée ici ? Que faites-vous du respect du bien d'autrui ? » Le conducteur, qui n'est autre que Francis Blanche, déclare : « Messieurs, cette 4 CV m'appartient et j'ai le droit d'en faire ce que je veux. Si ça m'amuse de la détruire entièrement et d'appeler une dépanneuse pour la transporter dans une casse..., qui peut m'en empêcher ? » Les policiers, estomaqués, demandent les papiers du véhicule qui est bien la propriété de Francis Blanche, et ce dernier les regarde partir en rigolant puis en tirant la langue aux passants qui avaient appelé la police.

Cher lecteur, après cette petite mise en bouche, dégustez les 450 histoires vraies d'un monde qui, de plus en plus souvent, marche sur la tête.

P. B.

Génie britannique

La conduite automobile à gauche, le gigot à la menthe et l'humour aigre-doux caractérisent, entre autres choses, le génie de nos amis britanniques. Ces trois histoires en donnent un léger aperçu.

On sait que pour célébrer le moindre événement, un Écossais digne de ce nom s'attife d'une jupette et épaule sa cornemuse. Or kilts et instruments font entrer dans leur confection traditionnelle des pièces en loutre et en blaireau, deux espèces protégées par la législation européenne. Pour ne pas contrevenir à cette directive et risquer six mois de prison, les Écossais ont obtenu de Bruxelles une dérogation exceptionnelle. Ils devront dorénavant faire leurs emplettes de peaux d'animaux dans un centre d'élevage agréé et conserver la preuve de leurs achats.

Plus de cinq millions de caméras de surveillance contrôlent les rues britanniques. À tel point qu'à Londres, trente-deux d'entre elles sont installées dans un rayon de 200 m autour de la maison qu'occupait George Orwell, l'auteur de *1984,* ce roman qui annonçait, dès 1948, une société sous haute surveillance. On apprend aujourd'hui que le ministère de l'Intérieur vient de débloquer un budget de 750 000 € pour doter vingt zones urbaines sensibles de caméras parlantes.

Ainsi, lorsque le personnel de contrôle apercevra quelqu'un jeter un emballage, il pourra le réprimander à distance par haut-parleur.

Enfin, pour les sujets de Sa Gracieuse Majesté les plus contemplatifs, des producteurs de cheddar ont créé un site Internet qui permet d'assister en temps réel à l'affinage d'un de leurs fromages. Ayant braqué une webcam sur une meule, ils offrent gratuitement au public, pendant un an, le fascinant spectacle de sa lente maturation. Quatre-vingt-cinq mille visiteurs s'en sont déjà virtuellement régalés !

Le mari infidèle « plumé » par un témoin

La scène se déroule dans un tribunal de Buenos Aires, en Argentine. Accusé d'adultère par son épouse, Carlos Gomez Garcia comparaît devant un juge des affaires matrimoniales. Un témoin à charge se tient à la barre pour répondre aux questions du procureur.

— Avez-vous assisté à des scènes compromettantes ? lui demande ce dernier.

— « Non, Carlos, pas ici, ta femme pourrait nous surprendre, roucoule le témoin. Emmène-moi à l'hôtel. »

— Très bien, avez-vous autre chose à ajouter ?

Le témoin conte alors par le menu les exploits amoureux et extraconjugaux de Gomez Garcia et donne même le nom de ses maîtresses, quand le juge lui montre des photos de jeunes femmes affriolantes.

En dépit des efforts de l'avocat de la défense pour discréditer la déposition, le juge prononce le divorce et condamne le mari fautif à verser à son épouse bafouée une lourde indemnité. Cette dernière, satisfaite, se précipite à la barre pour complimenter affectueusement le témoin. Emportée par son élan, elle lui grattouille le menton, le perche sur son épaule, et quitte majestueusement le tribunal. Bozo, le témoin délateur, n'est autre qu'un magnifique perroquet d'Amazonie !

Une semblable mésaventure avait déjà frappé Franz Ficker, un Allemand infidèle dénoncé par Hugo, le perroquet de la famille.

— Je ne comprenais pas pourquoi, dès que je rentrais à la maison, Hugo ne cessait de répéter « Uta, ah, ma chère Uta ! » a raconté Emma Ficker. Jusqu'à ce que je découvre deux billets d'avion pour un week-end en amoureux à Paris. L'un au nom de Franz, l'autre au nom d'une certaine Uta. J'ai produit devant un tribunal les billets et un enregistrement d'Hugo, et j'ai obtenu le divorce.

Icare congelé

Bien que les innombrables récits de guerres et de catastrophes nous aient habitués à revoir à la hausse les limites de la résistance humaine, l'exploit involontaire réalisé par Ewa Wisniak, une parapentiste d'Alice Springs, laisse pantois.

Faisant fi des bulletins météorologiques qui annoncent une tempête imminente sur le centre de l'Australie, l'intrépide Mlle Wisniak prend place à bord de son engin. À peine a-t-elle décollé qu'un violent courant ascendant la propulse à une altitude vertigineuse. S'arc-boutant sur les commandes, usant de toute sa science de pilote expérimentée, la malheureuse est pourtant incapable de contrer la force irrésistible qui l'attire vers le ciel. Quelques minutes plus tard, son altimètre indique 9 000 mètres, soit une altitude supérieure à celle du sommet de l'Everest, et la température ambiante a chuté à moins 40 °C. Privée de 70 % de son oxygène, le corps et le visage recouverts de glace, la parapentiste sombre dans le coma pendant une quinzaine de minutes.

Recouvrant enfin ses esprits, elle tente une ultime manœuvre, et parvient miraculeusement à regagner la terre ferme. « Je pouvais entendre les éclairs éclater tout autour de moi, a raconté plus tard la jeune femme sur un lit d'hôpital. Il faisait sombre. Tout était gelé et je savais que je ne pouvais rien faire d'autre qu'espérer. Ensuite, quand j'ai compris que j'étais sauvée, ne sachant qui remercier, j'ai dit merci aux anges. »

Interrogée pour savoir si elle désirait figurer dans le livre Guinness des records, Ewa Wisniak a décliné l'offre : « Je n'ai accompli aucun exploit, j'ai plutôt commis une imprudence impardonnable et ne suis vraiment pas un exemple à suivre », a encore déclaré la survivante avec modestie.

So british !

Dépositaires d'une longue et glorieuse tradition démocratique, nos voisins d'outre-Manche peuvent se montrer très chatouilleux lorsqu'ils estiment que les lois promulguées par le Parlement vont à l'encontre de la morale et de leur liberté. Deux exemples très *british* illustrent ce point de vue.

Pour protester contre le mauvais traitement infligé selon lui à un renard tué par un groupe de chasseurs incluant l'époux de la souveraine, le prince Philip, un artiste de performances, Mark McGowan, a mangé un corgi, un chien de la race préférée de Sa Majesté. L'événement s'est déroulé en direct sur une station de radio londonienne. Le chien, mort en élevage, était pour la circonstance accommodé avec des pommes vertes et des oignons : « C'est vraiment dégueulasse, a commenté l'artiste. Pire encore que le cygne que j'ai récemment ingurgité pour protester contre la monarchie et les classes supérieures. » Rappelons que par le passé McGowan avait poussé une cacahuète avec son nez, de chez lui jusqu'à la résidence du Premier ministre, pour dénoncer sa politique des transports !

Depuis le 1er juillet 2007, il est interdit de fumer dans les lieux ouverts au public en Angleterre. Jugeant cette loi discriminatoire, Bob Beech, le patron du *Wellington Arms*, un pub de Southampton, a décidé de transformer son établissement en « ambassade royale de Redonda », du nom d'une minuscule île inhabitée des Caraïbes. Se faisant nommer ambassadeur par un ami, résidant sur l'île voisine d'Antigua, et sacré pour la circonstance « roi de Redonda », Beech a ouvert dans son pub un agréable coin fumeur. Lorsque la police est venue lui infliger une amende pour non-respect de la loi antitabac, Son Excellence s'en est indigné en ces termes : « Dehors, manants, je suis protégé par l'immunité diplomatique. »

Une pêche d'enfer

Comme chaque année, Germaine a méticuleusement préparé son réveillon de fin d'année. Le 31 décembre, elle regagne son appartement, dans la banlieue de Nantes, les bras chargés de victuailles appétissantes. Elle ne s'inquiète pas outre mesure quand l'ascenseur dans lequel elle a pris place se bloque entre deux étages. Pourtant, au bout de quelques minutes, force lui est de constater que l'alarme de l'appareil n'est reliée à aucun central, et qu'en cette période de fêtes les voisins ont déserté l'immeuble. Loin de céder à la panique, Germaine organise sa survie en s'attaquant à ses provisions avec bonne humeur. Après avoir avalé une banane et du chocolat, elle s'offre quelques marrons glacés. Les heures passent. La recluse célèbre le passage de la nouvelle année en grignotant des crevettes. Elle dégusterait bien un verre de vin, mais elle a sacrifié sa bouteille de chablis pour briser une vitre et aérer son étroite prison. Afin de passer la nuit le mieux possible, elle utilise son manteau en guise de couverture et les sacs en plastique de ses courses comme pots de chambre.

Le lendemain soir, alors que Germaine s'attaque joyeusement à sa tranche de foie gras, une voisine, inquiète de ne pas la trouver chez elle, alerte les secours. Gendarmes et pompiers la libèrent enfin après quarante-huit heures de confinement.

— J'ai une pêche d'enfer, un réveillon comme celui-là ne s'oublie pas ! s'est exclamée l'arrière-grand-mère, âgée de 86 ans !

Boire ou marcher, il faut choisir

Un soir de janvier 2004, des policiers patrouillent dans les rues de la ville d'Antibes. Lorsqu'ils croisent un piéton titubant, leur sang ne fait qu'un tour. Bien sûr, l'intempérant zigzague au milieu du trottoir et fredonne une chanson salace, mais est-ce suffisant pour le verbaliser ? Un peu plus loin, quand l'inconnu s'attarde autour d'une voiture mal garée, les policiers comprennent que c'est la sienne et lui ordonnent sur-le-champ de la déplacer. L'homme s'empresse naïvement d'obéir. Mais à peine a-t-il commencé à manœuvrer que les agents lui dressent procès-verbal pour « conduite en état d'ivresse ».

Le lendemain, dégrisé et furieux, l'automobiliste porte plainte contre la maréchaussée. Le tribunal correctionnel de Grasse lui donne raison et condamne les policiers retors à six mois de prison avec sursis pour « complicité de conduite en état alcoolique par instruction et abus d'autorité ». Puis, pour faire bonne mesure, le juge inflige au buveur une amende de 800 €, assortie de cinq mois de suspension de permis.

Moralité : à Antibes, boire ou marcher, il faut choisir !

Première classe pour une sans-papiers

Incontestablement, cette petite chatte américaine a le goût des voyages ! Les employés d'une entreprise d'étiquettes adhésives de Nancy l'ont découverte avec stupeur dans un container en provenance des États-Unis. Privé d'eau et de nourriture, le félin a survécu trois semaines à sa traversée transatlantique. Il porte autour du cou un médaillon, sur lequel sont gravés son nom – « Emily » – et le numéro de téléphone de son vétérinaire, qui réside dans l'État du Wisconsin. Aussitôt prévenu, ce dernier transmet la bonne nouvelle à la famille de la fugueuse, qui se dit « ahurie et folle de joie ».

Mais la loi française stipule que « tout animal rentrant clandestinement dans le pays doit être euthanasié ». Les sauveteurs d'Emily plaident avec succès la clémence auprès de la Direction des services sanitaires et parviennent à obtenir sa grâce, à la condition qu'elle soit dûment vaccinée et mise en quarantaine.

Passé cette nouvelle période de réclusion, la compagnie Continental Airlines a offert à l'aventurière un billet de première classe pour regagner dignement ses pénates américains ! Avec croquettes et lait à discrétion. De quoi lui faire oublier les conditions calamiteuses de son escapade !

Chèque en bois

Excédé par la hausse brutale de sa taxe d'habitation, un habitant de Lodève, dans l'Hérault, a décidé de s'acquitter de la somme de 1 983 €, mais de la manière « la plus vache possible ».

Sachant que « la loi autorise la réalisation de chèques sur n'importe quel support dans la mesure où les mentions obligatoires y figurent », il a confectionné le sien dans une feuille de contreplaqué, sous la forme d'une vache pie aux yeux bleus, qui tire la langue, et qui peut être agrémentée d'une cloche et d'une boîte à meuh. L'effigie bovine mesure 1,80 m de haut sur 3,15 m de large et pèse 38 kg.

Le contribuable a ensuite signé sur le flanc de la bête et l'a transportée avec du fourrage dans une bétaillère pour la remettre à l'hôtel des impôts. « Le receveur a pris ma démarche avec humour, a déclaré le farceur. Tout en affirmant être embêté par ce mode de paiement, car il devait ensuite l'acheminer à la Banque de France de Montpellier. »

Le ministère des Finances fera-il encore son beurre lorsque nos concitoyens, fatigués d'être pris pour des vaches à lait, lui adresseront tous des chèques en bois ?

Le cabinet se met à nu

Rendue furieuse par une opération qui n'avait pas réussi à magnifier sa chétive poitrine, Sirilok, une Thaïlandaise de 40 ans, décide de porter plainte contre la clinique de chirurgie esthétique qui a pratiqué l'intervention. Quand, pour étayer son argumentation, son avocat lui conseille de réunir le témoignage d'autres patients, la femme se souvient avoir côtoyé un ministre venu se faire allonger le pénis dans le même établissement. Elle le contacte pour obtenir sa déposition. Comme ce dernier refuse poliment mais fermement de se rendre au tribunal, la plaignante le menace de dévoiler publiquement son identité. Craignant un scandale, Thaksin Shinawatra, le chef du gouvernement thaïlandais, demande alors à sa ministre de la Santé d'« examiner les sexes de tous les membres mâles de son cabinet pour découvrir le nom du tricheur ». Cette dernière, outrée, a préféré s'en laver les mains.

— Cette mission n'entre pas dans mes attributions ministérielles, s'est-elle récriée. Je vous propose plutôt de faire échographier les ministres pour identifier ceux dont le sexe présente une opacité suspecte.

Dieu reconnaîtra ses saints

En 1952, Anna Santaniello, une fervente catholique italienne de 41 ans, se rend en pèlerinage à Lourdes en fauteuil roulant, dans l'espoir de guérir de la maladie de Bouillaud dont elle est affectée. Cette infection invalidante provoque d'atroces douleurs articulaires, des fièvres, des faiblesses cardiaques et des taches cutanées. Lorsque, après avoir imploré la Vierge, Anna sort de la sainte grotte sur ses deux jambes et en pleine forme, elle crie au miracle et fait la promesse de consacrer aux autres les années qui lui restent à vivre pour remercier le Créateur de sa miséricorde.

Dix ans plus tard, les vingt membres du Comité médical international de Lourdes n'ont qualifié sa guérison que d'« extraordinaire ». Cette demi-mesure ne satisfaisant pas notre Italienne, en quête de reconnaissance officielle, elle s'est inscrite sur la liste des 7 000 « miraculés » en attente d'une certification.

En 2005, après un demi-siècle d'expertises et de contre-examens, elle a enfin obtenu gain de cause, le Sanctuaire reconnaissant que sa guérison était due à une intervention divine. Il était temps ! La miraculée avait atteint l'âge canonique de 94 ans !

Douche froide pour les tricheurs !

Robert et Viki Warren, des agriculteurs du Tennessee, doivent faire face à de sérieux problèmes de trésorerie, leur récolte de tomates ne leur assurant plus que des revenus modestes.

— Si une averse de grêle ravageait nos champs, nous recevrions une généreuse indemnité du gouvernement et nous serions sauvés, se dit Robert.

Dès lors, les Warren implorent le ciel pour qu'une calamité naturelle renfloue leurs caisses. Mais, durant des semaines, aucun nuage ne se profile à l'horizon. Alors Robert se rend dans la ville voisine et achète 500 kg de glaçons. Il demande ensuite à ses ouvriers, ahuris, de les utiliser pour bombarder ses plants de tomates. Puis il appelle un agent du ministère de l'Agriculture pour qu'il vienne constater le carnage, dû selon lui à un orage de grêle. Le stratagème fonctionne si bien que les Warren n'hésitent pas à renouveler l'opération chaque année, étendant les dommages à leurs autres cultures.

Sept ans plus tard, le ministère s'étonne enfin que les époux Warren soient les seuls agriculteurs de la région à être touchés par le fléau à répétition. Le pot aux roses est découvert. Les Warren sont condamnés à rembourser les indemnités et à payer une forte amende. La facture s'élève à 16 millions de dollars. Incapables de s'en acquitter, les tricheurs sont expédiés derrière les barreaux.

Qui sème des grêlons récolte la prison !

Sauvée par des lions !

Version revue et corrigée du *Lion*, le célèbre roman de Joseph Kessel, cette histoire authentique s'est déroulée à Kefa, en Éthiopie. Un jour, une fillette de 12 ans se fait enlever dans son village par un groupe d'hommes, qui a l'intention de la marier de force à un chef tribal. La jeune captive est retenue une semaine dans une case où elle subit menaces et brutalités. Une nuit, veille de la cérémonie nuptiale, trois lions adultes surgissent de la savane et encerclent la paillote de la détenue. Terrorisés, les ravisseurs s'enfuient à toutes jambes. Les lions montent la garde en rugissant et s'éclipsent dès l'arrivée de la police, quelques heures plus tard.

— C'est un miracle, les lions sont venus délivrer la fillette ! s'est exclamé avec émotion le sergent Wondimu Wedajo.

— Les pleurs de la petite devaient ressembler aux gémissements d'un lionceau. C'est ce qui a attiré les adultes, a rectifié plus prosaïquement Stuart Williams, un expert de la faune sauvage.

Quand l'homme est un loup pour l'homme, peut-il ne compter que sur les lions ?

Autodéfense

Pour ceux qui douteraient encore du bien-fondé de la théorie de l'évolution, imaginée par Darwin au XIXe siècle, la mutation génétique des éléphants chinois achèvera de les en convaincre. En effet, gardes-chasse et zoologues observent que, depuis une quinzaine d'années, les défenses des pachydermes de ce pays ont tendance à s'atrophier. Comme si les éléphants cherchaient à se rendre moins attrayants aux yeux des braconniers en quête de leur ivoire ! Ainsi, le pouvoir du gène responsable du surdéveloppement de leurs incisives inférieures est-il en train de s'affaiblir. Au point qu'aujourd'hui, 5 à 10 % des éléphants chinois troquent contre des chicots leurs belles et convoitées défenses d'autrefois. Et les éléphantes ne s'y trompent pas puisqu'elles préfèrent spontanément s'accoupler à des mâles partiellement édentés, afin d'offrir à leurs petits de meilleures chances de survie.

Des éléphants sans défenses pour échapper aux trafiquants ! Assistera-t-on prochainement à d'autres mutations d'espèces animales menacées d'extinction ? Pour accélérer le processus, les militants de Greenpeace aspergent déjà les bébés phoques de teinture, inoffensive mais indélébile. Quelle élégante oserait se pavaner avec un manteau en fourrure blanche constellée de taches, qui imitent le sang à la perfection ?

Faute avouée à moitié pardonnée

Douglas Kelly, un Louisianais de 39 ans, se précipite dans un poste de police de Slidell afin de porter plainte pour agression.

— J'ai été enlevé par un individu armé, balbutie la victime, totalement bouleversée. Je m'étais arrêté dans une station-service pour acheter de la nourriture pour mon chien, quand un braqueur m'a subtilisé mon portefeuille, m'a jeté dans le coffre de sa voiture, et m'a abandonné en pleine nature.

Les policiers enregistrent la déposition et procèdent à une enquête de routine. Ils ne tardent pas à s'apercevoir que la station-service en question ne vend pas d'aliments pour animaux et que la suite du récit de Kelly est une pure invention. Ils le convoquent aussitôt au commissariat.

— Pourquoi nous avez-vous menti ?

Penaud, l'affabulateur passe aux aveux :

— En vérité, je me suis enivré et j'ai dépensé 500 dollars dans un bar d'effeuilleuses. Ma fiancée est enceinte de six mois, je ne voulais pas prendre le risque de la contrarier.

Aux 500 dollars, dilapidés dans le club de strip-tease, la police a ajouté une amende d'un montant équivalent pour « fausses déclarations ».

Après avoir accouché de la vérité, on ne sait si Douglas a réussi à se faire pardonner ses fredaines ?

Il y a des pilotes dans l'avion, mais dans quel état ?

On sait que depuis les attentats perpétrés à New York contre les tours jumelles, l'aviation civile américaine impose aux passagers qui se rendent aux États-Unis des mesures de sécurité draconiennes. Mais sait-on, en revanche, que le danger objectif de perdre la vie en survolant le territoire américain vient sans doute davantage des pilotes que des terroristes ?

C'est du moins ce qu'a constaté avec effroi le procureur fédéral de San Francisco, au terme d'une enquête menée en 2002 et portant sur les dossiers médicaux des 40 000 titulaires d'une licence de pilotage en Californie. Outre les quarante commandants de bord non qualifiés et donc interdits de vol, nombre d'entre eux avaient soigneusement dissimulé des condamnations criminelles. Et des centaines d'autres avaient tout bonnement négligé de mentionner aux autorités qu'ils étaient affectés d'insuffisance cardiaque, de paranoïa aiguë, de schizophrénie ou de dépression. Les pilotes alcooliques ou toxicomanes, trop nombreux, n'ont pas été comptabilisés par le procureur !

Cadeaux de Noël à l'Élysée

Un beau jour de 1979, alors que Noël approche, le directeur d'une célèbre bijouterie parisienne reçoit un appel téléphonique du secrétaire particulier du président de la République.

— Le président souhaite offrir quelques bijoux à son entourage. Pourriez-vous faire déposer cet après-midi, à la conciergerie du palais de l'Élysée, une rivière de diamants, un collier avec sept rangs de perles fines et des boucles d'oreilles en émeraude ?

Le bijoutier donne son accord et, quelques heures plus tard, son directeur commercial dépose aux gardes républicains une mallette contenant une douzaine d'écrins. Une heure s'écoule lorsqu'un autre homme, élégamment vêtu et décoré de la Légion d'honneur, se présente à son tour à l'entrée du palais présidentiel.

— Je suis le propriétaire de la bijouterie, affirme ce dernier en présentant une pièce d'identité. Le secrétaire du président m'a fait savoir qu'il n'avait pas le temps de faire son choix. Je viens donc récupérer mon bien. Je le rapporterai plus tard.

Le concierge remet la mallette à l'homme, qui s'engouffre dans une voiture de maître et disparaît. Cent mètres plus loin, la berline est interceptée par la police et le bijoutier se retrouve avec… des bracelets en acier autour des poignets !

Explication : l'appel de l'Élysée était faux, comme était fausse la carte d'identité du faux bijoutier, en réalité un escroc téméraire. Malheureusement pour les auteurs de cette arnaque inédite, le bijoutier, méfiant, avait pris la précaution de vérifier la provenance de l'appel, puis de faire livrer des écrins vides. Avant de prévenir la police !

Laissé pour mort,
il quitte le cimetière à vélo !

Le comportement de certains automobilistes appartient aux mystères insondables qui agitent l'âme humaine. Ainsi, quand Saïd, un chauffard iranien, renverse un inconnu dans un faubourg désert de Téhéran, il ne se préoccupe pas de savoir s'il a ou non occis sa victime. Il la charge, sanguinolente, dans le coffre de sa voiture et se dirige… à tombeau ouvert au cimetière des Martyrs. Soucieux de respecter les préceptes du Coran, qui recommandent l'inhumation rapide des défunts, Saïd y dépose le malheureux et rentre chez lui.

Tiré du coma par une meute de chiens errants, qui lèchent le sang de son visage, l'accidenté retrouve ses esprits et réclame de l'aide en titubant entre les tombes. Le gardien du cimetière surgit sur son vélo. Peu habitué à la résurrection spectaculaire de ses pensionnaires, il abandonne sa bécane et s'enfuit à toutes jambes. Le miraculé s'en empare et se rue au service des urgences de l'hôpital le plus proche pour se faire soigner.

Lorsque Saïd apprend la nouvelle à la radio, il se rend aussitôt au poste de police.

— C'est moi qui ai déposé le blessé devant le cimetière. J'ai respecté la loi musulmane et Dieu l'a épargné, déclare-t-il, enthousiaste, à l'officier qui prend sa déposition, en lissant sa moustache avec perplexité.

Poulet, mode d'emploi

En plus de fournir de passionnants conseils diététiques pour améliorer l'élevage des gallinacés, la revue *Feathers*, « Plumes », organe de la Fédération de l'industrie volaillère de Californie, nous conte l'histoire suivante, riche d'enseignements sur l'usage que font certains ingénieurs des technologies avancées.

Pour tester la résistance des cockpits en cas de collision en vol avec des oiseaux sauvages, la FAA, l'administration aéronautique américaine, a conçu un canon capable de catapulter des poulets morts à plusieurs centaines de kilomètres/heure.

Intéressée par le procédé, la Société nationale des chemins de fer belges a emprunté le canon lanceur de poulets pour vérifier à son tour la solidité des pare-brise de la locomotive du train à grande vitesse qu'elle développe. L'essai s'est révélé catastrophique. Tel un missile sol-sol, le poulet a pulvérisé la vitre, défoncé la console d'instruments de bord, traversé le siège du machiniste, avant d'aller s'encastrer dans le panneau arrière de la cabine. Les Belges, un peu surpris, ont demandé des explications à la FAA. Après un examen approfondi du déroulement de l'expérience, cette dernière a rendu son verdict : « Il faut impérativement décongeler le poulet avant le test crash ! »

Einstein l'avait bien dit

Peter Wells, un Américain de 22 ans passionné de vitesse, imagine un jour doter sa vieille Chevrolet d'une fusée à combustible solide, une de celles dont se servent les militaires pour faire décoller leurs jets sur des terrains d'aviation trop courts. En expertisant les débris de la voiture, incrustés dans une falaise, la police scientifique est parvenue à reconstituer la scène. Une fois la charge mise à feu, le bolide a rapidement atteint la vitesse de 800 km/heure. Wells, qui a dû éprouver une force gravitationnelle équivalente à celles qu'endurent les pilotes de chasse, a écrasé les freins jusqu'à les faire fondre, vraisemblablement dans le but d'abréger l'expérience, la jugeant d'ores et déjà concluante. Des traces de roussi et de caoutchouc, laissées sur la route, en attestent. La guimbarde, transformée en fusée incontrôlable, aurait ensuite franchi 4 km en ligne droite en une poignée de secondes avant de s'élever dans les airs, de franchir une distance additionnelle de un kilomètre, et de percuter de plein fouet une falaise, à une hauteur de 40 mètres. Dans le cratère noirci, la police a retrouvé des fragments d'os, de dents et de cheveux, ainsi qu'un morceau du volant.

Ainsi, en sacrifiant héroïquement sa vie, Peter Wells a démontré avec succès la pensée d'Einstein selon laquelle « seules deux choses sont infinies :

l'Univers et la bêtise humaine ». Et le savant ajoutait : « Et encore, je ne suis pas sûr pour l'Univers ! »

Le pacte des tocards

Norbert Debray, 43 ans, désespéré et sans emploi, demande à Vincent Trioulet, son meilleur ami, de l'aider à mourir. Peu enthousiasmé par cette proposition, Trioulet hésite. Pour le convaincre, Debray agrémente sa proposition de la somme de 6 000 €. Comme ce n'est pas encore suffisant, il écrit une lettre dans laquelle il annonce clairement son intention de se donner la mort. Pour conclure l'affaire, les deux amis s'accordent un excellent dîner dans le meilleur restaurant de Bourg-en-Bresse. Debray règle par chèque les 300 € de l'addition et les deux hommes disparaissent dans la nuit.

Deux jours plus tard, la police retrouve le corps sans vie de Norbert. Le malheureux tient contre son cœur la lettre où il dit s'être suicidé. Deux détails insolites intriguent cependant les enquêteurs. D'une part, Debray s'est tiré une balle à l'arrière de la tête avec un fusil de chasse. D'autre part, le talon d'un chèque de 6 000 €, retrouvé dans l'une de ses poches, mentionne : « Vincent, pour me tuer. » Trioulet est arrêté et inculpé d'homicide. Peu avant son incarcération, il reçoit un avis de sa banque lui signalant que le chèque de 6 000 € qu'il avait déposé est sans provision.

Comment, dans ces conditions, faire confiance aux amis ?

Tests comparatifs

On prétend que seule une insatiable curiosité a tiré nos ancêtres hors de leurs cavernes pour nous permettre de profiter aujourd'hui des innombrables inventions qui embellissent la vie. Cette histoire, qui a pour cadre l'ouest des États-Unis, démontre amplement le bien-fondé de cette théorie.

Ainsi, dans le Nevada, deux jeunes audacieux ont-ils cherché à comparer les qualités de leur matériel de sport, à l'occasion d'un saut à l'élastique depuis un promontoire haut de 25 mètres.

Tandis que Warren Barcia se contente prudemment d'utiliser une corde élastique et un harnais traditionnel, Eric Carmichael se sert, pour réaliser son exploit, de tentacules de poulpes reliés entre eux et fixés à ses jambes avec du ruban adhésif. Les deux jeunes gens périssent simultanément.

Le porte-parole de la police a sobrement analysé les causes de la tragédie : « Dans le premier cas, les tentacules de poulpes n'ont pas résisté au poids du sauteur. Dans le second, Barcia s'est servi d'une corde dont la longueur était supérieure à la distance comprise entre la terre et le sommet du promontoire. Avant de sauter à l'élastique, a ajouté le policier, il convient de vérifier avec soin son matériel. »

Un mousse au menu des naufragés

En 1837, Edgar Allan Poe publia son unique roman, *Les Aventures d'Arthur Gordon Pym*, dans lequel il décrit comment quatre marins naufragés tirent à la courte paille pour savoir lequel d'entre eux sera mangé par les autres. Dans l'œuvre de Poe, l'infortuné s'appelle Richard Parker.

Près d'un demi-siècle plus tard, en 1884, le navire anglais *La Mignonnette* coule dans l'Atlantique. À nouveau, comme dans le roman, seuls quatre marins survivent au naufrage grâce à deux caisses de navets et à une tortue de mer, qu'ils sont parvenus à capturer sur leur îlot désert. Leurs vivres épuisés, les rescapés dévorent le mousse à belles dents. Le garçon, âgé de 17 ans, s'appelle lui aussi… Richard Parker !

Cette extraordinaire coïncidence contribua grandement au retentissement du procès qui suivit l'arrestation des matelots anthropophages. D'abord condamnés à mort, ils virent leur peine commuée en six mois d'emprisonnement par grâce royale.

Rappelons qu'en 1816, les naufragés de *La Méduse* ne furent pas poursuivis pour cannibalisme par les tribunaux français.

Une infidèle très impatiente

Il semblerait que Zora, une jeune mariée croate, ait battu le record mondial de vitesse de l'infidélité conjugale. En effet, alors que la noce battait son plein, Zora, toute de dentelles et de blanc vêtue, a été surprise par un invité dans les toilettes de la salle de bal, en compagnie du témoin de son mari. Prise en flagrant délit adultérin à peine sortie de l'église, la mariée, en état de choc, n'est pas parvenue à contrôler un violent spasme musculaire qui l'a paralysée dans une position sans équivoque. Tandis que la noce goguenarde défilait devant les toilettes pour assister au spectacle, la belle-mère de la mariée, compatissante, a demandé l'aide des pompiers. Le couple étroitement enlacé a été transporté sur un brancard jusqu'à l'hôpital. L'injection d'une solide dose de Valium a permis aux amants de retrouver rapidement autonomie et dignité.

L'incident n'a pas pour autant assombri les festivités. Le mari cocufié a même encouragé ses hôtes à redoubler de bonne humeur. Pour célébrer l'annonce de son divorce en grande pompe !

Amour virtuel, vengeance réelle

Un ménage à trois, qui durait depuis presque un an, a connu une fin tragique lorsqu'un homme de Calgary, au Canada, fou de rage et de jalousie, a tué son rival à coups de batte de base-ball. Cette histoire, apparemment banale, devient extraordinaire lorsque l'on saura que les protagonistes ne s'étaient jamais rencontrés avant le drame !

En janvier 1998, Mélanie, une aguichante coiffeuse, fait l'acquisition d'un ordinateur et d'un abonnement à Internet. Elle rencontre François sur un forum de discussions, et, bientôt, d'amicales, leurs relations virtuelles deviennent torrides. Pour pimenter leurs rendez-vous, les jeunes gens s'équipent ensuite de webcams, leur permettant de donner libre cours à leurs fantasmes, de visu et en temps réel. Mais la lune de miel par ordinateurs interposés s'interrompt brusquement. François part en voyage d'affaires à l'étranger. Lorsqu'il revient trois semaines plus tard, il s'aperçoit que le comportement de sa cyber dulcinée a changé. Elle susurre maintenant le prénom d'un autre homme lors de ses transports amoureux. S'estimant bafoué, François parvient à localiser son rival, au terme d'une longue et minutieuse enquête. Nous connaissons la suite…

Harcelée par les médias canadiens, Mélanie a déménagé aux États-Unis avec un nouveau fiancé. Bien réel celui-là !

Double imposture

En 1974, le choc pétrolier oblige les constructeurs automobiles à repenser leurs futurs modèles en termes d'économie de carburant. Tandis que les ingénieurs des grandes firmes américaines se penchent activement sur la question, Loretta Walbergson, une solide mère de famille, présente sur un plateau de télévision le fruit de ses recherches. Son prototype se nomme la Tyler. Blanc, aérodynamique, doté de trois roues et d'un toit escamotable, l'engin a fière allure et permet de réduire la facture d'essence de 75 %. Mais, pour mener à bien la fabrication en série de sa voiture révolutionnaire, Loretta a un urgent besoin d'argent. Dès la diffusion de l'émission, les chèques des téléspectateurs affluent au siège social de la société de l'inventrice.

Six mois plus tard, la pulpeuse Mme Walbergson semble plus préoccupée de collecter des fonds que de lancer sa production. Les actionnaires s'impatientent. Les banquiers s'inquiètent. Un mandat est délivré par un juge pour expertiser le prototype. Stupeur : la Tyler n'est qu'un assemblage de ferrailles et de bouts de ficelles, hâtivement bricolé autour du moteur d'une tondeuse à gazon ! L'usurpatrice est arrêtée et mise sous les verrous pour « escroquerie et abus de confiance ». Seconde surprise : saturée d'hormones et de prothèses, Loretta Walbergson est un père de famille, qui se nomme en réalité Denis Bergson, bien connu des services de police !

Coefficients d'intelligence : zéro

Deux faits divers récents jettent un éclairage intéressant sur le coefficient d'intelligence de certains délinquants américains. Jugez-en plutôt ! Dans la banlieue de New York, un jeune homme armé d'un fusil de chasse fait irruption dans une épicerie de quartier. Après s'être fait remettre la recette de la journée, il aperçoit une bouteille de whisky, trônant derrière la caisse.

— Passe-moi le scotch, demande-t-il à l'employé.

— Impossible, fait l'autre, vous êtes trop jeune, la vente d'alcool est interdite aux moins de 21 ans. Montrez-moi vos papiers d'identité.

Pris de court, le braqueur s'exécute spontanément. Le caissier note mentalement son nom et son adresse, lui donne la bouteille, et appelle la police dès la fin du hold-up. Le jeune homme est arrêté deux heures plus tard.

À San Francisco, un autre malfrat de piètre envergure envisage de dévaliser une succursale de la Bank of America. Il entre dans l'établissement et écrit maladroitement sur un formulaire : « Ceci est un hold-up ! Donnez-moi tout l'argent ! » Puis, il attend sagement son tour pour s'approcher du guichet. Comme le temps passe et qu'il s'impatiente, le braqueur décide de traverser la rue pour tenter sa chance à la Wells Fargo Bank. Quand il présente sa note à l'employée, cette dernière lui répond avec un étonnant sang-froid.

— Je ne peux pas accéder à votre demande, car elle a été écrite sur le formulaire d'une banque concurrente. Retournez à la Bank of America ou utilisez nos bordereaux.

L'homme hésite quelques secondes et s'éloigne, perplexe. Le temps pour la guichetière d'alerter la police !

Un caniche dans la ville

Se souvient-on de « Tout va très bien, Mme la marquise », la célèbre chanson interprétée dans les années 1930 par Ray Ventura et les Collégiens ? Cette œuvre illustre sur le mode humoristique la théorie des catastrophes en série.

Ainsi, un jour d'octobre 1988, la famille Montoya s'absente quelques heures, laissant seul Cachi, son caniche, dans l'appartement qu'elle possède au treizième étage d'un immeuble, dans un quartier huppé de Buenos Aires. Pour une raison qui nous échappe, Cachi, mû par une curiosité irrépressible, se dirige vers le balcon, se penche à l'extérieur, et tombe dans la rue. Sa chute se termine sur la tête de Marta Espina, 75 ans, qui est tuée sur le coup. Le drame attire aussitôt une foule de badauds. Pour s'approcher au plus près de la scène, Edith Sola, 46 ans, n'hésite pas à traverser la rue au milieu de la circulation. Elle est heurtée de plein fouet par un autobus qui l'envoie *ad patres*. Terriblement choqué, un vieillard s'écroule, victime d'un arrêt cardiaque. Bien qu'il succombe dans l'ambulance qui le transporte à l'hôpital, le chauffeur, brûlant les feux rouges, percute un camion. Il meurt à son tour dans l'accident et un des brancardiers est sévèrement blessé.

Interrogé par la presse sur les causes de cette hécatombe, M. Montoya, bouleversé, s'est contenté de déclarer : « Si j'avais su ce qui allait arriver, j'aurais fermé la porte-fenêtre du salon, avant de laisser Cachi seul dans l'appartement ! »

Une aussi longue absence

Après un demi-siècle de vie heureuse, Reinhard Mahn, un Allemand de 75 ans, perd brusquement son épouse, victime d'une attaque cérébrale. Dépressif, désemparé, le veuf décide de s'installer dans une maison de retraite. À peine a-t-il pris possession de sa chambrette qu'un rêve obsédant vient hanter ses nuits. Gisela, son amour de jeunesse, la première femme de sa vie, lui apparaît en songe avec insistance. Reinhard n'y prête pas attention. Jusqu'au jour où il découvre par le plus grand hasard que Gisela est, elle aussi, hébergée dans la maison de retraite. Après cinquante-cinq ans passés sans s'être revus, les ex-tourtereaux se retrouvent avec chaleur et partagent de délicieuses journées à échanger des confidences. Gisela avoue n'avoir jamais cessé de l'aimer. Puis, mise en confiance, elle finit par révéler qu'ils ont eu une fille ensemble et qu'ils sont aujourd'hui grands-parents. Sachant Reinhard marié, la jeune fille n'avait pas eu le courage de lui dire la vérité.

Six mois plus tard, le couple se passe la bague au doigt, quitte l'établissement, et emménage à Berlin dans un coquet appartement.

Dans une actualité souvent maussade, certaines histoires mettent du baume au cœur. Comme des contes de fées !

Mauvaise influence

Jarred Carrasco, un lycéen chilien de 14 ans, est convoqué dans le bureau du proviseur pour s'expliquer sur ses piètres résultats en maths. Tandis qu'il patiente dans l'antichambre, il téléphone sur son portable à l'animateur de *Mala Influencia*, l'émission de radio la plus populaire du pays, pour demander conseil.

— Que dois-je faire ? demande le gamin, terrifié.

— Va voir ton dirlo, et avant qu'il ne dise un mot, hurle à tue-tête que ton prof de maths est un nul, conseille le présentateur.

Jarred suit à la lettre la recommandation, sans provoquer la moindre surprise de la part du proviseur.

— Tu aimes cette émission, *Mala Influencia* ? demande ce dernier au garçon. Nous aussi, ajoute-t-il. D'ailleurs, elle passe en ce moment sur la sono du lycée. Nous avons donc tous entendu les conseils que tu as reçus. Maintenant, tu es renvoyé définitivement.

Le gamin quitte le lycée, penaud, et rappelle l'animateur de l'émission pour lui faire part de ses malheurs. Dès le lendemain, *Mala Influencia* lance sur ses ondes avec succès une grande campagne pour trouver au lycéen influençable un nouvel établissement !

Salut l'artiste !

Certains artistes n'en finissent pas de faire leurs adieux à la scène. À peine ont-ils annoncé leur retraite qu'ils réapparaissent pour un ultime concert. Le chanteur ivoirien Deza XXL n'a pas dérogé à cette sympathique tradition. Mais dans des conditions pour le moins inattendues ! En 2005, après son décès, dû à un accident cardio-vasculaire, ses amis lui ont organisé un ultime spectacle. Revêtu d'un somptueux costume blanc, des lunettes de soleil posées devant les yeux, un micro et une guitare en main, le cadavre du chanteur, trônant fièrement dans un fauteuil, a tenu la scène jusqu'au petit matin, tandis que ses chansons les plus célèbres étaient diffusées à plein volume dans la salle bondée.

Au dire de certains, la soirée a connu un franc succès et s'est prolongée jusqu'à la mise en terre de l'artiste, une fois achevé son dernier tour de chant. Seule note discordante : un journaliste d'Abidjan s'est dit scandalisé par « ce spectacle macabre et impressionnant » et a dû quitter précipitamment le music-hall, pris de malaise.

La fonction crée l'organe

— Pouvez-vous réchauffer ceci dans votre four à micro-ondes ? demande Claudia Sherman en donnant à la caissière d'une épicerie de Pittsburgh, aux États-Unis, un objet enveloppé dans des serviettes en papier. C'est une question de vie ou de mort !

Cette dernière s'exécute, mais, méfiante, ouvre le paquet à l'abri des regards. Quand elle découvre que l'emballage contient un pénis tranché, elle téléphone sans hésiter à la police. Arguant que la porte du four s'est bloquée, l'employée parvient à retenir la jeune femme dans le magasin, le temps de permettre aux forces de l'ordre de se rendre sur les lieux. Les policiers arrêtent Claudia et l'emmènent au poste. Après inspection, l'organe mutilé est un gadget de sex-shop.

Explication : Claudia s'était portée candidate à un emploi, mais le recruteur avait exigé d'elle un test d'urine pour déceler une éventuelle toxicomanie. De peur que l'analyse ne soit positive, Claudia avait demandé à son petit ami de lui procurer un pénis artificiel rempli de son urine.

— Pour qu'on ne puisse pas déceler la supercherie, il fallait que l'urine soit à la température du corps, a plaidé l'usurpatrice. C'est pourquoi j'ai voulu faire réchauffer le contenu du faux pénis avant de subir le test !

Une vocation déçue

Si l'on croit à la réincarnation, Roland Lefebvre serait sans doute l'avatar de Zorro ou d'un… chien policier. Sa propension à s'en prendre aux voleurs, en contrecarrant leurs projets, semble, du moins, accréditer cette thèse. Jugez-en plutôt ! En juillet 1998, Roland attend un avion à Roissy quand il surprend un groupe de chapardeurs rôdant autour des bagages d'un passager. Il les met en fuite et se voit offrir, en guise de récompense, une coupe de champagne. Quelques mois plus tard, il neutralise un voleur à la tire. La femme, qui grâce à lui a sauvé son sac à main, le remercie chaleureusement.

En juin 2000, notre redresseur de torts assiste à un casse chez un bijoutier. N'écoutant que son courage, il prend en chasse le voleur qui s'enfuit sur un scooter. Alors qu'il est sur le point de le rejoindre, l'homme abandonne son deux-roues et s'engouffre dans une voiture. Roland ouvre la portière et s'empare de la mallette contenant les bijoux. Le malfrat se lance à sa poursuite, le rattrape, lui administre un coup de poing en plein visage, récupère la mallette, et remonte en voiture. Estourbi, Roland revient à la charge. Il profite d'un embouteillage pour reconquérir le bien précieux, qu'il rapporte, intact, à son propriétaire. Bien que la valeur des bijoux dépasse 800 000 €, la compagnie d'assurances n'octroie au courageux qu'un modeste chèque de…

1 200 €. Après cette déconvenue, Roland Lefebvre s'est juré de mettre un terme à sa vocation de justicier.

Âme à vendre sur Internet

De la voiture neuve au vieux meuble usager, des médicaments prohibés aux animaux exotiques, tout est à vendre sur Internet. Mais ce que Nick Frost vient de proposer sur la Toile est sans conteste « l'objet » le plus insolite jamais proposé. Cet étudiant de Chicago a en effet mis son… âme aux enchères ! Se revendiquant athée, il a promis en échange de son bien le plus précieux d'assister à des services religieux, quelle qu'en soit l'obédience. Prix fixé : 10 dollars l'office. Marché conclu : un pasteur évangéliste de Seattle a acquis l'âme du garçon pour 500 dollars. Contre cette somme, le vendeur s'est engagé par écrit à assister au culte cinquante dimanches consécutifs. Il n'a pas pour autant spécifié s'il se convertirait au christianisme au terme du marché. Ni même s'il prêterait attention à la teneur des sermons ou à la symbolique des liturgies, le contrat ne portant que sur une obligation de présence.

Le pasteur s'est-il fait gruger ? Lorsqu'on vous dit que les achats ne sont pas totalement sécurisés sur Internet !

Assoiffé d’art moderne !

En été 2005, un festival d’art réunit à Devon, dans le sud de l’Angleterre, des œuvres d’art contemporain. Alors que la chaleur est caniculaire, les visiteurs se pressent devant tableaux et installations d’avant-garde. À la fin de la journée, un scandale éclate. La sculpture de l’artiste américain Wayne Hill, intitulée *Arme de destruction massive*, a été profanée. Une enquête est ouverte pour comprendre comment un tel acte de vandalisme a pu se produire. D’autant que la valeur de l’œuvre est estimée à 63 000 €. Au terme d’une rapide enquête, l’inspecteur de Scotland Yard, dépêché sur les lieux, rend son verdict :

— Il s’agit d’un accident. Je ne pense pas que l’iconoclaste ait eu l’intention de nuire volontairement.

Explication : l’œuvre en question, qui trônait sur un piédestal dans une salle du musée, était constituée d’une bouteille en plastique remplie d’eau provenant de l’Antarctique. Hautement symbolique, cette composition, certes minimaliste, était censée exprimer les dangers du réchauffement de la planète. Assoiffé et distrait, un visiteur avait dû confondre le chef-d’œuvre de Wayne Hill avec une… bouteille d’eau !

Un défi dur à avaler !

Deux hommes légèrement éméchés sont accoudés au comptoir d'un pub de Londres. Le premier, Arthur Richardson, agite la clé de contact de sa voiture devant sa bouche.

— Je te parie une choppe de bière que j'avale ma clé.

— Pari tenu.

Suit un moment de confusion au cours duquel Richardson feint des tours de passe-passe. Sans doute trop compliqué pour être totalement maîtrisé, son numéro de prestidigitation s'achève par un hoquet sinistre. La clé a bel et bien disparu dans son gosier. Affolé, le blagueur se précipite chez un médecin qui lui fait passer une radiographie de l'estomac. L'objet y est parfaitement visible.

— Ne vous inquiétez pas, dit le médecin. Les risques d'occlusion intestinale sont minimes. Votre clé vous sera rendue dans quelques jours par les voies naturelles.

— Mais j'ai besoin de ma voiture maintenant, s'insurge l'autre.

Seule solution : apporter la radio à un serrurier pour qu'il fabrique une clé à l'identique. Et, en effet, une demi-heure plus tard, la voiture démarrait.

Depuis cet incident, Arthur s'abstient, semble-t-il, de lancer à tout-va des paris stupides.

Sauvés par une vieille croûte

Albert Trevino, un Californien de 74 ans, et Dolores, son épouse, vivent depuis des décennies dans une bicoque en bois, dangereusement perchée à flanc de colline. Durant l'été, des pluies diluviennes s'abattent sur la région, provoquant d'importants glissements de terrain qui menacent la maison. Le couple est évacué précipitamment. Il ne sauve que quelques documents administratifs et le tableau préféré de la mère d'Albert, une vieille croûte achetée dans une brocante dans les années 70. Une heure plus tard, le chalet est emporté par une coulée de boue et la compagnie d'assurances refuse de débourser le moindre cent. Bientôt réduits à la misère, les Trevino trouvent refuge dans une caravane déglinguée, abandonnée sur le bord d'une route.

Quelques mois plus tard, une assistante sociale remarque que le tableau est signé d'un certain Joseph Kleitsch, un peintre connu du début du XXe siècle. Albert le fait expertiser. L'œuvre, intitulée *Ombres du soir à Capistrano,* est effectivement d'une grande valeur. Vendue aux enchères, elle est achetée par un galeriste pour la somme rondelette de 700 000 €. Les Trevino vivent aujourd'hui heureux dans une solide maison bâtie en pierre de taille. Construite de plain-pied et sur un terrain plat !

Le journaliste se met à nu

Bob McKenzie, journaliste au quotidien britannique *Daily Express* et spécialiste de la formule 1, avait eu l'imprudence, en 2004, de terminer un article en prenant un pari : « Si une McLaren remporte un grand prix cette année, je m'engage à faire le tour du circuit de Silverstone entièrement nu. »

Quelques semaines plus tard, la monoplace de Kimi Räikkönen gagne le Grand Prix de Belgique. Ron Dennis, le patron de l'écurie victorieuse, exige aussitôt du journaliste qu'il respecte son engagement. C'est ainsi que les 100 000 spectateurs du Grand Prix de Grande-Bretagne ont eu la surprise de voir trottiner sur la piste un solide gaillard nu comme un ver. Le corps peint en argent et noir – les couleurs des bolides MacLaren –, son intimité dissimulée par un *sporran*, la bourse traditionnelle écossaise, McKenzie a accompli son exploit en trente-six minutes, soulevant l'enthousiasme du public.

— J'espérais que les commissaires de course m'arrêteraient pour exhibitionnisme et m'épargneraient cette humiliante prestation, a déclaré le journaliste. Mais ils ont cru que je participais à une action caritative, et certains m'ont même donné de l'argent pour m'encourager.

Le veuvage ou le fouet ?

L'Arabie saoudite est le seul pays au monde dans lequel il est interdit aux femmes de conduire un véhicule. Cet archaïsme a bien failli envoyer *ad patres* Salem Abû Ammâr, un commerçant prospère.

Ayant quitté Riyad à bord de sa voiture, en compagnie d'Aicha, son épouse, Salem se dirige vers Dammam. Au bout d'une vingtaine de kilomètres, pris d'un malaise cardiaque, il se gare en catastrophe sur le bas-côté et perd connaissance. Paniquée, Aicha se précipite à l'extérieur dans l'espoir d'alerter les automobilistes. Mais les minutes s'écoulent et la route reste désespérément déserte. Dès lors, une alternative s'offre à la jeune femme. Soit assister impuissante à la mort de son mari, soit enfreindre la charia et s'exposer au fouet des imams, en prenant le volant pour transporter l'agonisant jusqu'à l'hôpital le plus proche. Aicha n'hésite pas. En essayant de retrouver maladroitement les gestes qu'accomplissait son époux, elle parvient non sans mal à regagner Riyad, sans oser toutefois passer la troisième vitesse.

Une heure plus tard, Salem Abû Ammâr est déclaré hors de danger, mais le moteur de la voiture a, lui, rendu l'âme. Estimant que l'infraction à la loi musulmane était motivée par une raison vitale, les imams, indulgents, ont absous la contrevenante !

Un arbitre très fair-play

Andy Wain, un placide routier britannique, consacre tous ses week-ends à son unique passion : arbitrer des matchs de football amateur. L'impartialité et la sagesse de ses décisions lui ont attiré, depuis deux décennies, la sympathie des joueurs et du public. Pourtant, lorsqu'il pénètre sur le terrain, un samedi du mois de mai, tout va mal. Son beau-père est mort la veille du match, sa femme vient de lui apprendre qu'elle a un cancer, et son meilleur ami a succombé le matin même à une crise cardiaque. C'est pourquoi, après un quart d'heure de jeu, les nerfs en pelote, Andy ne supporte pas qu'un gardien de but conteste bruyamment le penalty qu'il vient d'accorder à l'équipe adverse. Excédé, Wain jette à terre son sifflet. Il le piétine rageusement et marche vers le joueur rebelle, le poing levé.

— Alors que j'allais frapper le gardien, je me suis brusquement rendu compte de ce que j'allais faire, a raconté l'arbitre au journal *The Sun*. Mon comportement était inacceptable. J'ai alors tiré un carton rouge de la poche de ma chemise et je l'ai brandi devant mon visage, m'expulsant moi-même du terrain pour faute grave.

Souhaitons que les hooligans anglais imitent un jour le fair-play de l'arbitre !

Endormie entre ciel et terre !

Bill Davenport déambule, la nuit, dans les rues de Londres lorsqu'il aperçoit avec incrédulité une petite forme humaine qui marche sur le bras d'une grue de chantier, à 40 mètres au-dessus du sol. Sans l'ombre d'une hésitation, il appelle la police. Après avoir établi un périmètre de sécurité, les forces de l'ordre dépêchent un agent pour grimper sur la grue. L'équilibriste est une adolescente profondément endormie. S'apercevant qu'un téléphone portable dépasse d'une de ses poches, le policier s'en empare délicatement et consulte le carnet d'adresses. Il trouve le numéro des parents de la somnambule et leur explique la situation.

— Je vais placer l'appareil près de l'oreille de votre fille. Parlez-lui, réveillez-la en douceur comme vous le faites chaque matin.

L'opération se déroule à merveille. La jeune fille reprend conscience, et elle est évacuée sans dommage sur la terre ferme.

— Cette affaire n'est pas surprenante, a commenté un médecin, expert des troubles du sommeil. Une personne sur dix connaîtra un épisode de somnambulisme au cours de sa vie. J'ai même eu des patients qui ont conduit leur voiture ou sont montés à cheval tout en dormant. L'un d'entre eux a même essayé de piloter un hélicoptère !

N'est-il pas rassurant d'imaginer que nous avons tous, un jour ou l'autre, accompli les actes dont nous sommes peut-être les moins fiers en état… somnambulique ?

Quand Paul Newman improvise

À l'Actor's Studio, le célèbre cours d'art dramatique de New York, Lee Strasberg, le directeur, propose à ses élèves un exercice d'improvisation collective.

— Voilà, leur dit-il, imaginez que vous êtes des GI, engagés dans la bataille du Pacifique, pendant la Seconde Guerre mondiale. Vous êtes encerclés par des Japonais, prêts à vous massacrer. Un dernier avion va décoller et il ne reste qu'une place de disponible à bord. Celui d'entre vous qui l'obtiendra aura la vie sauve, les autres périront dans d'atroces souffrances. Je suis l'officier chargé de vous départager. Donnez-moi l'argument qui saura me convaincre.

— Cette place me revient parce que mes parents sont mourants et qu'ils me réclament, propose un premier garçon.

— Je suis physicien, déclare un autre, le président des États-Unis exige mon retour pour tester la bombe atomique qui mettra fin à la guerre.

C'est au tour d'une fille de tenter sa chance.

— Je suis infirmière, enceinte de triplés. Le général MacArthur est le père des enfants.

À chaque argument, Lee Strasberg secoue la tête négativement. Alors, Paul Newman se dresse et hurle à travers la pièce :

— Laissez-moi passer !

Ses camarades protestent énergiquement.

— Et pourquoi donc ?

Newman écarte les bras comme si l'évidence crevait les yeux.

— Car je suis le pilote et cet avion ne décollera pas sans moi !

Chèque en blanc pour un dealer

Carlo Camillo, un dealer, a fui New York et vit heureux et caché au Nouveau-Mexique, hors de portée de la juridiction de la police new-yorkaise. Un matin, il trouve une lettre dans son courrier. Il l'ouvre et apprend qu'un chèque de 500 dollars est à sa disposition au bureau des fonds non réclamés de Brooklyn. Sans hésiter, il saute dans un bus, traverse le pays sans encombre et se présente au service mentionné dans la lettre. Une employée lui remet un chèque sur lequel il peut lire : « Allez directement en prison, ne passez pas par la case départ, ne recevez pas 500 dollars. »

À la sortie du bureau, Carlo entend les menottes claquer sur ses poignets. Seule consolation : 260 fuyards, naïfs et cupides, sont tombés dans le panneau avant lui.

Plus dure sera la chute

On ne dira jamais assez combien les conseils d'administration peuvent accroître le stress de certains hommes d'affaires et, le cas échéant, précipiter leur chute. Ainsi, lorsqu'au terme d'une épuisante réunion, Mohamad Rejab aperçoit un chien dans le hall de l'hôtel de Kuala Lumpur où il réside, son sang ne fait qu'un tour. Constatant avec fureur que le canidé se met ostensiblement en travers de sa route, le businessman surmené lui assène un formidable coup de pied dans l'arrière-train. Une femme qui assiste à la scène, maîtresse de l'animal et épouse de l'hôtelier de surcroît, pousse un hurlement d'indignation.

Aussitôt alerté, son mari s'empare d'un sabre de samouraï et pourchasse l'homme d'affaires dans les étages. Parvenu au quatrième, Mohamad, pris au piège, ouvre une fenêtre et se jette dans le vide. Il succombe à ses blessures avant d'atteindre l'hôpital.

Moralité : évitez d'assister à un conseil d'administration à Kuala Lumpur, ou, si vous ne pouvez y échapper, faites un large détour si vous croisez un chien !

La « croûte » et le clochard

Comme l'affirme sans doute avec raison son ami Jean-Pierre Bloch, Johnny Hallyday a toujours eu « un rapport dématérialisé à l'argent ». À preuve, cette histoire authentique. En 1963, Johnny et Mick Jagger partagent une folle nuit dans les boîtes de Londres. Au matin, un ivrogne qui se prétend peintre s'accroche à leur table. Il n'a de cesse de vouloir entraîner les chanteurs visiter son atelier sur les bords de la Tamise.

Incapables de se soustraire à la sangsue, Jagger et Hallyday finissent par céder et se retrouvent dans un taudis indescriptible d'où émergent quelques toiles étranges. Le vagabond finit par offrir une de ses œuvres à Johnny, qui s'en soulage aussitôt dans une poubelle sur le chemin de son hôtel.

Vingt ans plus tard, descendant les Champs-Élysées, Johnny remarque une affiche qui annonce une exposition au Grand Palais. La reproduction qui figure sur l'affiche ressemble à s'y méprendre à la peinture du clochard londonien. Renseignements pris, l'ivrogne était Francis Bacon et le tableau offert valait 3 bons millions de dollars !

Mesure pour mesure

Le 23 septembre 1999, après neuf mois de voyage et 670 millions de kilomètres parcourus, la sonde américaine *Climate Orbiter* entre dans la phase la plus délicate de sa mission : se mettre en orbite autour de la planète Mars afin d'étudier la météo et les climats. À la stupeur des ingénieurs de la NASA, la sonde passe à 60 km de son objectif au lieu des 170 km prévus. Alors qu'il devait être freiné par les hautes couches de l'atmosphère, l'engin, trop ralenti, s'écrase sur la surface de la planète rouge.

Après une semaine d'enquête, les experts rendent timidement leur verdict. Les deux équipes chargées de la navigation utilisaient, sans s'en être mutuellement informées, des systèmes de mesure différents. Celle du

Colorado se servait du système anglais, en pieds et en pouces. La seconde, basée en Californie, se référait au système métrique. Une erreur indigne d'un collégien distrait ! Elle aura coûté trois ans de travail aux techniciens de la NASA et 125 millions de dollars aux contribuables américains !

Des fins de mois faciles

Curieusement, Susan Makador, une mère célibataire de 40 ans résidant à New York, attend les fins de mois avec impatience. Tous les trente jours, elle trouve en effet dans son courrier un avis de crédit qui gonfle son capital de 39 000 dollars. Une manne miraculeuse qui a transformé en conte de fées l'existence de cette modeste serveuse. Après avoir payé ses dettes, inscrit son fils à l'université, Susan s'est offert une laverie automatique avec le reste des 700 000 dollars tombés du ciel en un an et demi. Explication : le numéro du compte bancaire de Mme Makador ne diffère que d'un chiffre de celui de l'Organisation des Nations unies, à laquelle étaient destinés les virements.

Lorsque les comptables de l'ONU s'aperçoivent enfin de l'erreur d'aiguillage, ils font geler le compte de l'usurpatrice qui, persuadée d'avoir gagné le gros lot d'une loterie internationale, clame son innocence et sa bonne foi. Une bataille d'avocats s'engage pour savoir si l'organisme international peut encore légalement récupérer ses fonds au-delà de quatre-vingt-dix jours.

Quand le football rend fou

Comment expliquer l'engouement mondial que suscite le football, cette discipline pratiquée par « 22 manchots hystériques se disputant la possession d'un ballon » ? Quelques initiatives individuelles, rendant ce sport plus sympathique, fournissent peut-être des éléments de réponse.

Très fier de son équipe nationale et souhaitant la voir briller lors de la Coupe d'Asie, l'émir du Qatar se rend à Hanoi où doivent se dérouler les épreuves. Sachant qu'il ne peut compter sur le soutien de ses compatriotes qui renâclent à se déplacer, il recrute 2 000 étudiants vietnamiens, leur fournit des maillots aux couleurs de son pays, et les prie, contre monnaie sonnante et trébuchante, d'exprimer un « enthousiasme spontané » à chaque fois que les attaquants qataris menaceront le but adverse. La formation de l'émir ayant été éliminée dès le premier tour de la compétition, il semblerait que cette idée brillante n'ait pas donné ample satisfaction.

Un autre exemple non moins piquant nous vient du Brésil, Regina de Oliveira, l'une des rares femmes arbitres, dirige un match qui oppose la Santacruzense, l'équipe locale, à celle de Sorocaba. Quand la marque atteint 1 à 0 en faveur de Sorocaba, le public manifeste bruyamment son inquiétude. Alors qu'il ne reste plus qu'une minute à jouer avant la fin du match, un ballon frôle enfin le but de Sorocaba, mais sort des limites du terrain. Un ramasseur, placé derrière les filets, se précipite, ramène le ballon sur le terrain, dribble le gardien, et marque le but de l'égalisation. But aussitôt accordé par l'arbitre en dépit des protestations indignées de l'équipe flouée. « En voyant les images, filmées par un spectateur, je me rends compte que je m'étais laissé influencer par le juge de touche », a simplement déclaré Régina, en offrant sa démission à la fédération brésilienne de football.

Une tasse de thé corsée

Brillant agent démissionnaire du KGB, devenu FSB à la fin des années 90, Alexandre Litvinenko décide de dénoncer publiquement, à travers une série de livres à succès, corruption et manipulations qui gangrènent les services secrets russes, mettant ainsi directement en cause son ancien directeur, le colonel Vladimir Poutine. Selon lui, cherchant un prétexte pour déclencher une seconde guerre en Tchétchénie, le FSB n'aurait pas hésité à commanditer un attentat à la bombe, provoquant, à Moscou, en 1999, la mort de plus de 300 personnes.

Menacé de mort après ces révélations, Litvinenko se réfugie en Grande-Bretagne où il obtient l'asile politique. Il n'en poursuit pas moins ses diatribes frénétiques contre Poutine, devenu président de la République.

Un soir, dans un club de Londres, Litvinenko prend

le thé avec Andreï Lougovoï, un ancien du FSB reconverti dans le business. Le lendemain, il est terrassé par des douleurs intestinales, hospitalisé d'urgence, et rend l'âme trois semaines plus tard, après avoir enduré d'atroces souffrances. Des examens toxicologiques révèlent qu'il a absorbé une dose massive de polonium 210 équivalente à celle qu'il aurait reçue s'il s'était trouvé à deux reprises dans l'épicentre de la centrale de Tchernobyl au moment de la catastrophe.

Vladimir Poutine nie toute participation de ses services au meurtre, mais refuse de livrer à la justice britannique Lougovoï, qui a prudemment regagné Moscou. Et pour se disculper, l'ambassadeur russe invite, à Londres, dans sa résidence privée Marina Litvinenko, la veuve de la victime. « L'ambassadeur m'a offert un thé que j'ai prudemment refusé, a raconté Marina dans un livre de souvenirs. Il a insisté, sans même se rendre compte de l'ironie de la situation. »

Le gîte et le couvert

Après avoir purgé onze ans de prison à Cardiff pour un crime qu'il n'avait pas commis, Michael O'Brien a été remis en liberté avec la somme d'un million d'€ à titre de compensation. Estimant cette indemnité insuffisante, O'Brien a fait appel de la décision.

La réponse ne s'est pas fait attendre. Michael a aussitôt reçu une facture de 59 000 € pour ses frais d'emprisonnement, logement et nourriture compris.

Car, si les criminels sont hébergés et nourris gratuitement par l'administration pénitentiaire, les innocents, qui n'ont rien à faire en prison, doivent légalement s'acquitter de leurs dépenses !

La bride sur le cou

Un comptable vient d'être arrêté dans la capitale chilienne pour avoir involontairement donné la mort à sa petite amie, en lui faisant l'amour. José Rocco est, en effet, accusé d'avoir étranglé sa maîtresse de 27 ans, Nancy Guzman, alors qu'il lui infligeait une strangulation érotique censée augmenter son plaisir.

Lorsqu'il a pris conscience que l'expérience tournait mal, José a immédiatement tenté de réanimer sa partenaire en provoquant un choc électrique à l'aide d'un sèche-cheveux. L'autopsie a révélé que, même si la malheureuse avait survécu au garrot, elle serait morte électrocutée.

Consterné par les conséquences de ses actes, Rocco s'en est expliqué à la police : « Mlle Guzman était insatiable. Je ne savais plus comment la satisfaire. Nous aurions dû rompre depuis longtemps, mais Nancy m'avait accordé une dernière chance. »

Un train pas comme les autres

Un wagon-prison a été inauguré en Inde pour incarcérer sur-le-champ les voyageurs qui ne paient pas leurs titres de transport. La prison roulante, qui comporte quatre compartiments transformés en cellules, dessert chaque jour les stations d'une grande ligne menant de l'Assam à Calcutta. Les passagers qui resquillent sont ainsi directement emprisonnés et conduits jusqu'au terminus, la gare centrale de Calcutta. Dès le lendemain, ils passent devant le tribunal. Selon la distance parcourue frauduleusement, les coupables sont mis à l'amende ou parfois même emprisonnés.

Depuis le lancement de ces wagons-prisons, la compagnie indienne des chemins de fer a vendu, pour une période équivalente, 40 millions de billets supplémentaires.

Le porte-parole de la SNCF n'a pas commenté cette expérience, capable pourtant d'alléger de 200 millions d'€ le déficit chronique de l'entreprise.

Nouvelles technologies

Quatre femmes, âgées de 19 à 45 ans, vivant en Algarve, dans le sud du Portugal, ont porté plainte après qu'un mystérieux appel téléphonique les a incitées à se rendre sur leur balcon, la poitrine dévêtue, afin de se soumettre à une mammographie par satellite.

Un homme, se prétendant chercheur auprès du ministère de la Santé, les avait en effet informées qu'elles bénéficiaient d'une nouvelle méthode gratuite de dépistage des cancers du sein. Une femme, passionnée par l'expérience, s'était même présentée entièrement nue sur sa terrasse.

Les patientes ont subodoré une supercherie lorsque, toujours par téléphone, le mystérieux chercheur leur a demandé de prendre des attitudes incompatibles avec la bienséance et l'investigation satellitaire.

La police s'interroge sur le nombre des femmes bernées qui n'ont pas osé porter plainte.

Charmante soirée !

Après avoir dîné dans un restaurant d'Oslo, Trond Hansen, 57 ans, rentre chez lui en voiture en compagnie de ses deux jeunes enfants. En chemin, ses passagers se disputant violemment, leur père, pour tenter de détourner leur attention, décide d'aboyer sans discontinuer.

Un témoin, qui croit qu'un vrai chien s'en prend aux enfants, alerte la police qui intercepte aussitôt le véhicule. Accusé de troubler l'ordre public, de terroriser ses enfants et de conduire en état d'ivresse, Hansen est emprisonné pour la nuit et ses fils confiés aux services sociaux.

Devant le tribunal, la Cour ne retient aucune charge contre l'inculpé, qui perçoit en outre 536 € d'indemnités pour arrestation abusive. Il a été prouvé en effet que le discours confus de l'automobiliste était dû à une fausse dent branlante et non à un excès de boisson. Quant à ses aboiements jugés intempestifs, rien ne les interdit dans le code civil norvégien, les citoyens pouvant s'exprimer librement dans la langue de leur choix.

Le crime ne paie plus

Un individu d'une trentaine d'années s'est présenté, arme au poing, dans une agence postale du centre-ville de Bordeaux et a exigé 15 000 € du guichetier. Lequel a refusé au prétexte qu'il ne possédait pas cette somme.

Déconcerté par cette réaction inattendue, le braqueur a aussitôt revu à la baisse ses prétentions.

— 8 000 € feront l'affaire, a-t-il essayé de négocier. Allez, faites un petit effort !

Le guichetier s'est montré inflexible.

— Vous n'aurez rien. Ma caisse est vide.

À la stupeur du postier, le gangster, qui était client de l'agence, a sorti… son propre chéquier et a demandé poliment qu'on lui remette une somme modeste, à ponctionner sur son CCP.

C'est le plus naturellement du monde que l'employé a exigé une pièce d'identité. Et, c'est sans la moindre hésitation que le braqueur conciliant s'est exécuté.

La police a cueilli le timoré une heure plus tard. Bénéficiera-t-il de l'indulgence du tribunal ? Son dernier geste témoigne d'un désir sincère de rédemption et plaide en sa faveur. Son caractère laxiste et casanier, par contre, devrait sérieusement le desservir.

Tombée du ciel

La police de Miami est perplexe : d'où provient l'inconnue dont le corps s'est mortellement écrasé au pied d'un building de vingt étages ?

Après avoir pratiqué une autopsie minutieuse sur le corps de la victime et effectué une série de tests de résistance des os et des tissus, les médecins légistes concluent avec certitude que la malheureuse a chuté d'une altitude bien supérieure à celle du toit de l'immeuble.

L'hypothèse retenue par les enquêteurs laissant penser que la jeune femme serait tombée ou aurait été expulsée d'un avion en vol, le FBI a interrogé les propriétaires et les pilotes de tous les appareils privés de Floride. Sans succès.

Des canards très serviables

Les Chinois, c'est bien connu, possèdent un sens pratique que beaucoup leur envient. Ainsi, dans le nord-ouest du pays, le ministère de l'Agriculture a-t-il mobilisé une armée de 4 000 canards affamés pour lutter contre une invasion de sauterelles.

Après s'être repus des insectes pendant deux ou trois mois, les canards, dont la chair était devenue grasse et savoureuse, ont été capturés et vendus aux enchères aux restaurateurs à l'entour.

— Les canards ont été très coopératifs, s'est réjoui Xia Hongwei, un haut fonctionnaire. Non seulement ils nous ont débarrassés des sauterelles, mais, en plus, ils ont entièrement financé l'opération !

Dans la gueule du chat

Jason, un Dublinois de 18 ans, grand amateur de bière et de nuits blanches, regagne le domicile familial vers 3 heures du matin.

Soucieux d'agir avec discrétion et ses repères spatiaux sans doute légèrement perturbés, le jeune fêtard tente de s'introduire par la chatière de la porte d'entrée. Après avoir passé la tête, un bras, puis deux à travers l'étroite ouverture, Jason se retrouve coincé, incapable d'avancer ou de reculer. Malgré le froid extrême et les protestations véhémentes du chat, détenu, lui aussi, prisonnier à l'extérieur de l'appartement, le jeune homme s'endort paisiblement.

Au matin, les policiers alertés par les voisins doivent scier un cercle dans la porte pour libérer le noctambule. Souffrants d'hypothermie, Jason et son chat sont respectivement conduits à l'hôpital et dans une clinique vétérinaire.

Un plat qui se mange froid

Sur la route de La Mecque, un chauffeur d'autocar écrase malencontreusement un babouin. Un accident regrettable que les grands singes en deuil ne pardonnent pas. La vengeance étant un plat qui se mange froid, ils entassent des pierres pendant trois jours puis attendent patiemment le retour du véhicule coupable, embusqués derrière des rochers.

Quelques jours plus tard, dès que l'autocar incriminé s'approche, le babouin de guet pousse un cri strident. À son signal, ses congénères puisent dans leur stock de projectiles et se livrent à une lapidation en règle.

Tandis que les vitres volent en éclats et que les pierres tambourinent sur les tôles de tous côtés, c'est en zigzaguant au milieu de la route que le conducteur réussit à s'échapper. Et à sauver de justesse ses passagers terrorisés.

Famille nombreuse

À l'instant où Peter Barney, motard de la police britannique, aperçoit un vieux break Mercedes doubler une file de camions en zigzaguant, son sang ne fait qu'un tour. Il enfourche son engin et prend en chasse le chauffard.

Parvenu à la hauteur du véhicule, Barney constate avec stupeur que le conducteur est invisible tant les vitres sont recouvertes par une épaisse buée. Après avoir signalé sa présence en cognant sur la glace avec son poing ganté, le policier constate qu'une main féminine nettoie timidement un coin de la vitre opaque et qu'un petit visage flou se fend bientôt d'un gracieux sourire. Sans se laisser fléchir, le motard intime l'ordre à la conductrice de se ranger sur le bas-côté.

Une fois le break immobilisé et les portières grandes ouvertes pour laisser s'échapper le nuage de vapeur, Peter Barney découvre qu'un cocker est confortablement assoupi sur les genoux de sa maîtresse, que quatre chiens, de races, tailles et d'humeur variées, occupent le siège passager et que vingt-deux autres canidés, tous passablement agacés par l'interruption du voyage, sont entassés pêle-mêle sur la banquette arrière.

Sans se départir de son charmant sourire, Barbara Byrne explique tranquillement au policier : « J'emmenais mes compagnons en promenade au bord de la mer. À Londres, quand mes vingt-sept chiens ne sortent pas régulièrement de mon petit studio, ils deviennent vite insupportables. »

Verdict : un an de retrait du permis de conduire et 300 € d'amende.

L'arme était presque parfaite

Quatre surveillants de la maison d'arrêt de Cherbourg se sentent bien seuls lorsque deux détenus,

Thierry Trébutien et René Parant, les braquent à la fin de la promenade. Résister ? Le colt de calibre 11.43 les en dissuade. N'ayant d'autre choix que d'obtempérer, les gardiens se laissent enfermer dans les cellules d'isolement et attendent l'arrivée des secours.

Comment auraient-ils pu deviner que l'arme de poing, digne de figurer un jour dans un musée, avait été patiemment et secrètement fabriquée depuis des mois avec du savon, du papier d'aluminium et du cirage ?

Piège pour un sosie

Un homme, qui se faisait passer impunément depuis deux ans pour Robert De Niro, va passer devant le tribunal pour usurpation d'identité.

Joseph Manuella n'hésitait pas, en effet, à se servir de son étonnante ressemblance avec l'acteur pour signer des autographes, séduire des femmes et oublier de payer ses notes de restaurant. Il possédait même une carte de crédit au nom de la superstar.

L'avocat de De Niro, Tom Harvey, a organisé un kidnapping en règle pour livrer l'imposteur à la police. Il a prétexté un engagement pour doubler De Niro dans un film. La limousine venue chercher Manuella l'a directement conduit, portes verrouillées, au poste de police le plus proche.

Achète-moi un agneau

On prétend que les Japonaises, consommatrices frénétiques, cèdent aveuglément aux caprices de la mode. Ainsi, quand posséder un caniche nain est devenu « tendance », les Tokyoïtes branchées se sont-elles ruées sur les chenils. La demande excédant l'offre, elles se sont vite rabattues sur un site Internet qui, moyennant 2 000 €, proposait de leur livrer une boule de poils estampillée « caniche ».

C'est Maiko Kawakami, une vedette de cinéma invitée à un talk-show télévisé, qui a levé le lièvre : « Je suis triste et inquiète, a pleurniché la star. Mon nouveau caniche refuse d'aboyer et de se nourrir de croquettes. »

Quand Maiko a montré à l'antenne une photo de son compagnon récalcitrant, des appels ont engorgé le standard téléphonique du studio : « Votre caniche est un agneau », ont alors affirmé des téléspectateurs.

Diagnostic aussitôt confirmé par un zoologiste attaché au zoo de Tokyo. Comme des centaines d'autres Japonaises crédules, Maiko avait été abusée par l'offre trompeuse d'un internaute indélicat. L'explication est venue du zoologiste : « Les moutons sont quasiment inexistants dans notre pays, c'est pourquoi vous n'avez pas su faire la distinction entre agneau et caniche. »

Quand la liste des victimes s'est allongée, la police a ouvert une enquête et retrouvé sans difficulté l'astucieux arnaqueur. Opérant de Sapporo, il importait des ovins australiens et britanniques, qu'il revendait pour des caniches nains cinquante fois plus cher. S'il est maintenant établi que les plus snobs des Japonaises sont des moutons de Panurge, on attend avec impatience de voir se transformer les sushis bars traditionnels en méchouis bars branchés !

Le fantôme de Kinshasa

Dans l'espoir d'apaiser les esprits et de mettre un terme aux rivalités tribales qui ensanglantent son pays depuis des décennies, Antoine Gizenga, le Premier ministre du Congo, décide de former un nouveau gouvernement, en y faisant entrer des hommes nouveaux. Pour ce faire, il demande à Honorius Kisimba, le leader de l'Unafec, un parti politique proche de la coalition au pouvoir, de lui soumettre les noms de deux candidats pour occuper le poste de ministre du Commerce. Kisimba s'exécute et Gizenga choisit un certain André Kasongo Ilunga, dont personne n'a entendu parler. Intrigués, les journalistes de Kinshasa enquêtent pour en savoir davantage sur l'inconnu. Ils apprennent par bribes que le nouveau ministre, à peine âgé de 35 ans, n'aurait pour tout bagage qu'un obscur diplôme de droit. Autre élément non moins mystérieux : depuis sa nomination, André Kasongo Ilunga ne s'est toujours pas présenté à son ministère pour y prendre ses fonctions.

Un mois plus tard, un porte-parole de l'Unafec annonce que « le ministre du Commerce a démissionné pour des raisons confidentielles ». La presse se déchaîne et se lance avec une ardeur redoublée sur la piste du ministre fantôme. Honorius Kisimba est bientôt contraint de s'expliquer. « Pour être sûr que le Premier ministre choisisse mon favori, j'ai inventé de toutes pièces un second postulant, dénué de crédibilité. J'espérais qu'il serait écarté d'office. Mon stratagème a échoué, je présente donc ma démission à la tête de mon parti. »

En politicien aguerri, Antoine Gizenga avait pressenti le piège. Et l'avait aussitôt déjoué, en nommant délibérément ministre le candidat factice !

La voix de son maître

Jane Littelwood, une Londonienne inquiète, appelle son mari sur son téléphone portable.

— Où es-tu, chéri ? Ma mère vient d'arriver et nous t'attendons pour passer à table.

— Chez le dentiste. J'ai eu une rage de dents. Ne m'attendez pas pour le dîner, je rentrerai dès que possible.

L'homme interrompt brusquement la communication.

La semaine suivante, la scène se répète. Cette fois la voix de Littelwood est couverte par le fracas d'un orage.

— Jane, je suis coincé sur un chantier, à 100 km de Londres. La voiture s'est embourbée. Je vais chercher un hôtel dans le coin pour y passer la nuit.

Un mois plus tard, elle compose une nouvelle fois le numéro du portable de son mari. Lorsqu'il décroche, elle est accueillie par une fanfare et des cris de joie.

— Je ne vais pas pouvoir te parler longtemps, murmure son mari à l'autre bout du fil. Mon patron m'a obligé à l'accompagner au cirque avec ses enfants.

Doute objectif ou intuition féminine, Jane subtilise un jour le mobile et l'ausculte méthodiquement. Elle consulte le menu, enfonce des touches, et découvre que l'appareil est doté d'un répertoire d'ambiances sonores, parmi lesquelles elle identifie une fraise de dentiste, un bruit d'orage, une ambiance de cirque...

Explication : pour justifier ses absences, le mari volage avait fait l'acquisition – pour 14,95 € – du logiciel *SoundCover*, capable de mixer automatiquement à la voix des pistes audio tournant en boucle.

— Les bruits de fond font totalement illusion, s'était vanté le créateur du logiciel. Sans préciser si la garantie couvrait aussi les frais de divorce !

Déductions pyramidales

Après des siècles de conjectures fumeuses et d'hypothèses fantaisistes, un homme a-t-il enfin réussi à percer le mystère de la construction de la pyramide de Kheops ?

C'est en regardant une émission télévisée, en 1999, qu'Henri Houdin, un ingénieur des arts et métiers, contracte le virus de l'égyptologie qu'il transmet à Jean-Pierre, son fils architecte. Ce dernier, féru d'informatique et spécialiste de l'imagerie en 3D, sacrifie à sa nouvelle passion, allant jusqu'à vendre son appartement pour financer plans et calculs.

Sachant que les ingénieurs de Pharaon ignoraient l'usage de la roue et de la poulie, les Houdin imaginent l'emploi de deux rampes en spirale pour hisser les énormes pierres jusqu'au sommet de la pyramide. L'une à l'extérieur, l'autre à l'intérieur du bâtiment. « Les 4 000 ouvriers, employés à la construction, ont érigé les deux tiers du volume *via* la rampe extérieure », suppute Jean-Pierre Houdin. « Après quatorze ans d'efforts, une fois parvenus à une altitude de 43 m, ils ont bâti la chambre du roi et ont utilisé ensuite, pendant six années supplémentaires, la rampe intérieure, mise en place dès le début des travaux. » Le principe de cette double rampe hélicoïdale permettait astucieusement de hisser et d'ajuster les blocs jusqu'au sommet de la pyramide, tout en consolidant au fur et à mesure les parois intérieures.

« Oui, c'est une bonne théorie ! » s'est contenté de déclarer Zahi Hawass, le directeur des antiquités égyptiennes, en admirant le clone virtuel de l'édifice, réalisé sur ordinateur en trois dimensions et au centimètre près par Jean-Pierre Houdin.

Quand on saura que Hawass dénigre toutes les hypothèses relatives à la construction des pyramides, traitant leurs auteurs de « pyramidiots », on comprendra que son commentaire, bien que laconique, ait valeur de satisfecit.

Sous le regard des hyènes

Outre la maîtrise de la cuisson des spaghettis, de la drague des filles sur les plages de Rimini, et du design des belles voitures, nos amis transalpins ont élevé les trafics en tout genre au niveau d'œuvres d'art.

Ainsi apprend-on que, n'ayant aucune existence légale, 13 % des travailleurs italiens ne paient pas d'impôts, et que l'économie parallèle ampute de 16 % les ressources de la République !

Pour mettre un frein au travail au noir généralisé, et inciter les citoyens à faire montre de conscience civique, le ministère des Finances a lancé une virulente campagne contre la fraude fiscale. C'était sans compter sur « Le Iene » (Les hyènes), les enquêteurs d'un célèbre programme télévisé qui se fait fort de pointer les dysfonctionnements qui paralysent les services publics. Ainsi, muni d'une fausse carte d'identité et d'une caméra cachée, un journaliste de l'émission s'est-il rendu dans la boutique dans laquelle les fonctionnaires du ministère concerné effectuent leurs achats, bénéficiant de tarifs préférentiels.

Après avoir fait pour 216 € d'emplettes parfaitement inutiles, le reporter a constaté l'absence de caisse enregistreuse dans le magasin, comme de la délivrance de reçu justifiant ses dépenses. Pratique paraît-il courante en Italie pour faire obstacle aux inspecteurs du fisc.

Une fois le reportage diffusé à travers le pays, le

ministre des Finances, devenu l'objet de la risée publique, « a pris acte des allégations contre sa boutique », assurant les contribuables qu'« il prendra les mesures nécessaires pour mettre fin à de telles pratiques ».

Fais ce que je dis, mais n'imite pas ce que je fais !

Une épreuve brûlante

Paul Slocombe, 43 ans, professeur de mathématiques au Marlborough College, dans le Wiltshire, au Royaume-Uni, surveille une épreuve du baccalauréat lorsqu'une chape d'ennui s'abat sur ses épaules. Deux heures le séparent encore de la fin de l'examen et du déjeuner. Paul a néanmoins le loisir de jauger sournoisement la poignée de jolies lycéennes qui s'escriment à résoudre problèmes et équations. Il scrute leurs charmants minois et bientôt une idée folle enflamme son cerveau fatigué. Sans hésiter, il tire de son sac son ordinateur portable et le branche machinalement sur la prise qui traîne sur son bureau. Il actionne ensuite le lecteur de DVD incorporé et se renverse sur le dossier de son siège. L'effet est radical. L'ennui s'envole comme par magie dès l'apparition des premières images.

Absorbé par le spectacle, Paul Slocombe ne remarque pas qu'une stupeur muette s'empare peu à peu des élèves. Il n'entend pas davantage un murmure lourd de réprobation enfler autour de lui. Seul le cri suraigu d'une lycéenne parvient à l'extraire de sa béatitude.

Ce n'est que lorsque le proviseur du collège surgit dans la pièce et arrache le fil de l'ordinateur que le professeur comprend, enfin, qu'en reliant distraitement sa machine au câble du vidéo-projecteur placé derrière lui il a fait profiter, sur écran géant, les adolescents du film pornographique dont il s'est délecté.

En recevant blâme et lettre de licenciement, il comprendra plus tard qu'à travers le système de vidéo interne, 700 élèves supplémentaires garderont un souvenir brûlant de leur examen.

Laissez parler les petits papiers

Depuis qu'elle a rénové la gamme de ses produits hygiéniques, la très respectable chaîne suisse de supermarchés Migros a enregistré de la part de sa clientèle musulmane une avalanche de plaintes. Des consommateurs furieux, criant au blasphème, ont restitué aux caissières leurs rouleaux de papier hygiénique.

Promptement alertés, les directeurs des magasins ont examiné à la loupe les produits incriminés pour savoir quelle pouvait être la cause d'une telle indignation. Ne trouvant rien de suspect, ils ont demandé aux plaignants de s'expliquer. En déroulant les rouleaux, quelques consommateurs ont cru pouvoir lire en transparence et en arabe le mot « Allah ». Après enquête, la direction du groupe a fini par percer le mystère : les symboles des différents signes du zodiaque étaient imprimés en filigrane sur le papier hygiénique. Or, le symbole du signe de la Vierge – trois traits verticaux –, observé à l'envers, ressemble à la graphie stylisée du nom de Dieu en langue arabe.

Fort de cette constatation, Migros a aussitôt retiré les 16 200 rouleaux mis en vente dans ses magasins et a présenté ses excuses aux organisations islamiques de la Confédération helvétique.

Coup de tête

Recroquevillé dans la cellule d'une prison de Toulouse, Roger Garcia rumine le plan d'évasion qu'il a minutieusement échafaudé. S'il se déroule comme prévu, il abrégera de vingt-sept ans la durée de sa peine.

Le détenu, qui a scié le bois autour de la serrure de sa porte, prévoit de se glisser la nuit venue hors de sa cellule, de bondir sur le gardien, de s'emparer de ses clés et de s'enfuir. Mais un fâcheux contretemps perturbe son projet : la serrure expirante tombe aux pieds du surveillant qui fait sa ronde. Furieux de sa maladresse, Roger le bouscule, dégringole deux étages, sort du bâtiment, escalade les quatre mètres du mur d'enceinte, enjambe le barbelé sous le tir nourri des sentinelles qui le ratent, s'attaque à la seconde enceinte, haute de six mètres, et s'évanouit dans la nature.

Navré de l'incivilité de son client, son avocat, Me Pierre Le Bonjour, a déclaré le lendemain à la police : « Garcia a toujours eu mauvais caractère. Quand il a vu que son évasion allait échouer, il a quitté la prison sans réfléchir. »

Retour à l'envoyeur

Pour échapper aux camps de rééducation, Richard Van Pham, un Vietnamien, a fui son pays pour se réfugier aux États-Unis. Depuis 1976, il vit heureux à bord de son voilier de 7 m, à Long Beach, en Californie. Au début de l'année, il part naviguer le long de la côte, mais une tempête brise son mât et sa radio tombe en panne.

Au prix d'efforts surhumains, Van Pham parvient à survivre en récoltant l'eau de pluie et en pêchant. Après six mois d'errance, à bout de forces, il aperçoit enfin ce qu'il prend pour les infrastructures d'un garde-côte. En désespoir de cause, il met le feu à son voilier pour signaler sa présence. Puis s'évanouit sous l'effet conjugué de la fatigue et de l'émotion.

Quand il reprend connaissance, Van Pham constate avec effroi que le navire qui l'a recueilli à son bord est un patrouilleur de la marine vietnamienne. Et qu'il fait route vers le pays qu'il a quitté à ses risques et périls vingt-six ans plus tôt !

Un souvenir impérissable

La plupart des couples considèrent que le jour de leur mariage est le plus heureux de leur vie. Du moins celui qui a laissé dans leur mémoire le souvenir le plus impérissable. L'expérience vécue par Joanne Harvey et Michael Snowdon, de jeunes Londoniens, est, elle, bien différente.

Quittant leur domicile pour se rendre à l'église, le couple constate que leur fillette, âgée de 9 mois, respire difficilement. Il se précipite à l'hôpital pour la faire soigner. Sortant du service des urgences, il retrouve sa Jaguar les quatre pneus crevés. Les candidats au mariage louent alors une Rolls-Royce en catastrophe, mais, à mi-parcours, le chauffeur est victime d'un malaise. On le remplace et on arrive à l'église où le curé, qui s'est trompé d'heure, est introuvable. Quand il réapparaît deux heures plus tard, Michael, à bout de nerfs, fait une crise d'angoisse. La cérémonie a finalement lieu en présence d'un médecin, qui contrôle en permanence le pouls du marié.

En début de soirée, quand les nouveaux époux arrivent à l'hôtel, ils trouvent la suite nuptiale occupée par un autre couple. Philosophes, ils décident de héler un taxi, de rentrer chez eux, de se confectionner une soupe instantanée et d'attendre patiemment devant la télévision que s'achève enfin cette magnifique journée !

Un S.O.S. « assaisonné »

L'aventure, qui s'est déroulée en Afrique du Sud, devrait faire réfléchir tous ceux qui ont exclu le ketchup de leur alimentation. Bien que les qualités gustatives et diététiques de cette sauce tomate soient en effet discutables, trente et une personnes lui doivent aujourd'hui la vie !

Surpris par d'impressionnantes chutes de neige, un groupe de randonneurs se trouve coincé au col de Sani, à 2 874 m d'altitude, par une température de 30 °C au-dessous de zéro. Si les infortunés ne sont pas rapidement secourus, ils périront de froid et d'épuisement.

Ayant détecté le bourdonnement lointain d'un avion de reconnaissance, Alain Champkings, le guide, fouille furieusement dans les sacs de provisions. Il s'empare d'une bouteille de ketchup et trace sur la neige immaculée un H géant pour *help !* (au secours !). Grâce à cette inscription, le lieutenant Steven Lownie, des forces aériennes sud-africaines, repère les alpinistes et donne leur position à un hélicoptère qui les récupère sains et saufs.

On frémit à l'idée qu'au ketchup les randonneurs aient préféré emporter de la sauce mayonnaise !

Des agents très spéciaux

L'ouverture des archives des services secrets britanniques a révélé qu'au cours de la Seconde Guerre mondiale, des dépouilles de rats, remplies d'explosifs, étaient couramment utilisées pour des opérations de sabotage contre des usines de munitions en Europe occupée.

Les cadavres de rats n'éveillant pas les soupçons,

les vigiles provoquaient eux-mêmes la destruction de l'usine en les incinérant. Devenus suspicieux, les Allemands en vinrent à confondre, parfois sans réel discernement, rongeurs et agents britanniques.

Emportée par son élan

Jouissant d'une journée de liberté, Vivienne Hudson quitte Londres au volant de son Austin Mini, franchit la Manche et débarque du ferry à Calais. Ayant raté l'embranchement du supermarché où elle comptait faire provision d'alcool et de cigarettes, elle tente en vain de rebrousser chemin. Mais, habituée à circuler à gauche, la conductrice néglige de regarder les panneaux, qui, naturellement, sont placés à droite sur les autoroutes françaises.

Emportée par son élan, elle traverse la France du nord au sud, se lance dans l'ascension des Pyrénées, dépasse Barcelone et Valence, et parvient enfin à Malaga. Sa voiture n'étant pas amphibie, Vivienne renonce à franchir le détroit de Gibraltar.

Alerté par téléphone, son mari vient la rejoindre en avion pour la reconduire à bon port en Angleterre.

— Heureusement que j'avais à bord de l'eau et du matériel de camping !, s'est réjouie l'aventurière sur la route du retour, confortablement installée sur le siège passager.

Trop gourmand pour rester libre

Nigel May, cambrioleur anglais, exerce son art dans un appartement londonien lorsque, affamé, il tombe sur une barre chocolatée. Il en croque la moitié et abandonne l'autre pour achever confortablement son larcin. Grâce à la salive retrouvée sur la friandise, l'empreinte ADN du voleur est rapidement identifiée. Une fois arrêté, comme son casier judiciaire compte déjà quarante-sept condamnations, il écope d'une peine de cinq mois de prison.

Conclusion : entre vol et gourmandise, il faut choisir.

Le stress du perroquet

À Miami, un homme a échappé à une lourde amende en prouvant à la police que son perroquet avait dévoré son disque de stationnement à l'intérieur de son véhicule. Pour prouver sa bonne foi, John Lomax s'est précipité au commissariat, sa contravention de 100 dollars d'une main, Jack, son gourmand volatile, de l'autre. Amusé par l'expérience, un policier a posé un vieux disque en carton à proximité du perroquet qui l'a rageusement mis en pièces et dévoré. Le chef de la police a déclaré : « Convaincu par la performance de Jack et de l'honnêteté de son propriétaire, j'ai fait annuler la contravention. »

Pour expliquer le comportement de son capricieux compagnon, John Lomax a pour sa part avancé une hypothèse : « Âgé de 35 ans, Jack est stressé par la fuite du temps. Il s'attaque indifféremment aux montres, pendules et réveils. Je pense qu'il a dû inclure les disques de stationnement sur sa liste des objets à détruire. »

Une rapine bien encombrante

La police du Texas mène actuellement une enquête concernant le vol de Sweety, une girafe haute de près de cinq mètres. Les premiers indices laissent penser qu'un groupe d'individus s'est introduit dans le parc zoologique, a endormi l'animal avec des somnifères et l'a chargé dans un camion, avant de prendre la fuite en direction du Mexique.

Le directeur du parc, Howard Girault, a expliqué que Sweety, douce et obéissante, avait sans doute cédé à ses ravisseurs sans opposer de résistance. Bien qu'il ait promis une récompense de 30 000 dollars à ceux qui l'aideraient à dénicher l'animal, Girault n'a pas caché son pessimisme. « Ma girafe pèse près de 500 kg. Au Mexique, dans les bidonvilles proches de la frontière, la viande peut atteindre de belles sommes au marché noir. Si nous ne retrouvons pas Sweety rapidement, je crains qu'elle ne termine sa carrière en chili con carne. »

Cambrioleurs distraits

La police d'Indianapolis est dubitative après le cambriolage survenu dans une officine vétérinaire de la ville. En effet, après inventaire, le stock d'un seul produit, l'Oxytocin, a été subtilisé. Les enquêteurs se demandent si les voleurs ne se sont pas mépris, le nom de ce médicament pouvant être facilement confondu avec un autre, l'OxyContin, destiné, lui, à combattre les douleurs violentes et qui, dilué dans de l'eau, peut s'injecter en lieu et place de l'héroïne.

— Je ne m'explique pas le choix des voleurs, puisque l'Oxytocin provoque la lactation pendant le travail d'accouchement, a indiqué le vétérinaire.

Un camion cannibale

Bien que roulant à 3 km/h, peint en jaune fluorescent, muni d'un gyrophare et d'un bruyant moteur de 100 chevaux, un camion brosse a avalé une passante dans la ville de Charleston.

Anne Callahan, 83 ans, mère de quatre enfants et grand-mère de douze petits-enfants, sortait d'un supermarché et regagnait sa voiture lorsque la machine l'a heurtée et aussitôt ingérée. Tandis que les pompiers, intervenus en urgence, démontaient les brosses pour accéder au corps sans vie de la malheureuse, le chauffeur de l'engin, en état de choc, a avoué son impuissance : « J'ai reçu une formation spéciale pour utiliser la nettoyeuse sur la voie publique. Pendant quatre mois, j'ai simulé tous les accidents possibles et imaginables, mais le stage ne prévoyait rien pour éviter que ma machine ne s'attaque aux grands-mères », a-t-il confessé, en remettant sa démission aux services municipaux.

Faites ce que je dis, pas ce que je fais

À Ohrid, dans le sud-ouest de la Macédoine, un séminaire réunit pendant trois jours une centaine de délégués appartenant notamment aux principaux clubs de football du pays.

Au cours du dîner de clôture, des discussions enflammées dégénèrent en bagarre générale. Des coups de feu sont même échangés, et la police doit procéder à une trentaine d'interpellations. Par bonheur, on ne déplore ni mort ni blessé.

Un incident au demeurant fort regrettable, puisque le séminaire avait pour thème : « Stop à la violence dans la pratique des sports populaires ! »

Le chauffard amoureux

Célibataire aigri, Carlo Cabiale a orchestré en dix ans pas moins de 500 accidents de la circulation, dans la recherche désespérée de trouver enfin une petite amie, battant ainsi le record italien d'accidents de la route toutes catégories.

Avant d'être arrêté et mis en examen pour fraude, dommage à la propriété et harcèlement, ce chômeur turinois de 40 ans profitait d'une erreur ou d'une imprudence des conductrices – toujours des femmes âgées de 20 à 40 ans – pour heurter délibérément leur véhicule et leur proposer un règlement à l'amiable. En possession des coordonnées de ses victimes, notre Casanova se livrait ensuite à un harcèlement téléphonique en règle, qu'il doublait par sécurité d'un envoi massif de lettres d'amour et d'invitations.

Les plaintes s'accumulant, la police a ouvert une enquête et découvert, en perquisitionnant chez Cabiale, un dossier de 2 159 photos de véhicules endommagés et un copieux carnet d'adresses.

Condamné à une peine de six mois de prison, le chauffard multirécidiviste n'a pas protesté.

— Ma méthode ne valait rien, a-t-il admis avec modestie. En prison, je vais avoir le temps de réfléchir à une stratégie plus efficace.

Coup de filet anti-câlins

Un coup de filet « anti-câlins » a été mené dans un cinéma de Kuala Lumpur, la capitale de la Malaisie. Les vingt-huit jeunes interpellés, âgés de 20 à 25 ans, ont été accusés d'infractions au code islamique sur la « khalwat » (proximité) et relâchés après avoir reçu un sévère avertissement.

Fadzil Hanafi, chef du département des Affaires religieuses, a justifié son intervention dans un communiqué : « Bien sûr, les jeunes regardaient un film d'action, mais ils n'avaient aucune raison de retirer leurs vêtements et de se serrer les uns contre les autres dans le fond de la salle », a-t-il déclaré à la presse.

Brève rencontre

Institution fragile par excellence, le mariage peut s'avérer éphémère si les conjoints découvrent trop tard leur incompatibilité d'humeur. La mésaventure survenue à Scott McKie, 23 ans, et à Victoria Anderson, de quinze ans son aînée, bat néanmoins tous les records.

La cérémonie se déroule à Manchester. Quand le prêtre pose à Scott la question rituelle « Jurez-vous fidélité à votre épouse ? », ce dernier se pince nerveusement les lèvres et murmure un oui peu convaincant.

Une demi-heure plus tard, lors du cocktail qui suit l'échange des anneaux, Victoria, jalouse et déjà passablement éméchée, réitère la question du prêtre : « Me seras-tu fidèle ? » Pour donner, cette fois, plus de force à sa requête, elle lui assène de violents coups de cendrier sur le sommet du crâne. Furieux, Scott s'empare d'un portemanteau en guise de javelot et pourchasse la jalouse à travers le salon. S'ensuit une bagarre générale entre les deux familles. La police intervient, sépare les belligérants, et place séparément les jeunes mariés en cellules de dégrisement. Sans se consulter et d'un commun accord, M. et Mme McKie demandent le divorce. Leur union n'aura duré que quatre-vingt-dix minutes !

Noces d'or, d'argent ou de papier, il est d'usage d'associer un matériau à la longévité d'un mariage. Peut-on dans ce cas parler de « noces bulle de savon » ?

Un chien sur écoute

Désespérée d'avoir égaré le téléphone portable qu'elle comptait offrir à une amie, Rachel Murray, une Londonienne de 27 ans, a eu l'idée de composer le numéro de l'appareil et la surprise de l'entendre sonner… à l'intérieur du ventre de Charlie, le molosse de la maison.

— J'ai d'abord cru que le chien était couché sur le téléphone, a déclaré Rachel à un reporter venu l'interviewer. J'avais déposé mon cadeau au pied du sapin comme il se doit, mais Charlie a dû avoir un petit creux au cours de la nuit. Il a massacré l'emballage pour gober le portable.

Le vétérinaire consulté a recommandé de laisser la nature agir. Le téléphone a ainsi été récupéré vingt-quatre heures plus tard. En parfait état de fonctionnement.

La vérité tombée du ciel

Roberto Falcone, un garagiste de Trieste de 59 ans, entretient une liaison extraconjugale avec Monica, une jeunesse de 25 ans sa cadette. Lassé de leurs rendez-vous furtifs dans les hôtels proches de la gare, notre don Juan vieillissant décide d'offrir à sa maîtresse un week-end de rêve au bord de la mer. Pour justifier son absence auprès de son épouse, il prétexte un déplacement professionnel auquel il lui est impossible de se soustraire.

Le piètre stratagème fonctionne néanmoins et le lendemain le couple adultérin se prélasse sur une plage, quand un hélicoptère surgit à l'horizon, survolant la côte à basse altitude. Sans doute encore grisés par une nuit fiévreuse, les amants adressent de grands signes exubérants en direction du ciel. Répondant à leur appel, le pilote de l'hélicoptère passe et repasse plusieurs fois au-dessus de leurs têtes.

À cet instant précis, confortablement installé devant son téléviseur grand écran, Marcello Bonatti assiste à une retransmission du Tour d'Italie. Quelle n'est pas sa stupeur de découvrir soudain de magnifiques vues aériennes montrant le sourire épanoui de son beau-frère et celui non moins guilleret d'une inconnue en âge d'être sa fille, lascivement allongée sur une plage à ses côtés.

Tandis que le commentateur sportif déclare que « pendant que les cyclistes pédalent sous la canicule, des vacanciers prennent du bon temps », Bonatti téléphone à sa sœur pour l'informer que le Giro vient de franchir une nouvelle étape dont, de toute évidence, elle ne sortira pas vainqueur !

Les trois secrets du parchemin

Avant que les Chinois n'inventent le papier, vers l'an 100, les peuples lettrés de l'Antiquité consignaient leurs écrits sur les supports les plus variés : plaquettes de terre cuite, tablettes de cire et de buis, feuilles de papyrus ou peaux d'agneaux soigneusement tannées et cousues entre elles d'un seul côté. Cette technique donna naissance au livre moderne. Seul inconvénient : le coût élevé de fabrication de chaque ouvrage. C'est pourquoi, pour renouveler le contenu de leur bibliothèque, les lecteurs n'hésitaient pas à confier à des moines copistes le soin de gratter et de blanchir les peaux avec du jus de citron, pour les recouvrir ensuite d'un nouveau texte, le parchemin se transformant en palimpseste.

En analysant un livre de prières chrétien du Moyen Âge, des scientifiques du Rochester Institute of Technology ont eu l'heureuse surprise de découvrir un traité jusqu'alors inconnu du mathématicien Archimède, caché sous le texte sacré. Puis ils ont ressuscité, enfoui plus loin encore dans l'épaisseur de la peau, un manuscrit d'Hypéride, un homme politique grec de l'Antiquité. Poursuivant leur investigation, ils ont ensuite mis au jour un texte fondamental d'Aristote, que l'on ne connaissait jusqu'à présent que par une traduction latine très incomplète. « Dans un seul livre, nous avons trouvé trois textes inédits qui sont au cœur des connaissances occidentales », s'est extasié le chef du projet.

Nos descendants seront-ils déçus quand ils découvriront, dans les siècles à venir, que nos livres ne contenaient qu'un seul texte, d'un intérêt parfois médiocre ? Gageons toutefois qu'ils s'épargneront cette déconvenue puisque le papier acide que les éditeurs utilisent aujourd'hui les aura réduits en poussière depuis belle lurette !

Un ténébreux naufrage

En octobre 2005, cinq hommes embarquent sur une barcasse de 9 m de long sur 3 de large et quittent le port de San Blas, sur la côte pacifique du Mexique. Leur campagne de pêche ne devant pas se prolonger au-delà de deux ou trois jours, ils n'emportent qu'une faible quantité d'eau et de vivres. 283 jours plus tard, le thonier taïwanais repère au large des îles Marshall l'embarcation à la dérive et recueille trois marins survivants. Comment les naufragés se sont-ils retrouvés à 8 000 km de leur port d'attache, après avoir survécu neuf mois à des tempêtes, sans eau et sans nourriture ?

Lucio, Jesus et Salvador, les rescapés, affirment s'être nourris de poissons crus, de mouettes et de canards, buvant leur sang, récoltant l'eau de pluie, se protégeant des morsures du soleil avec des lambeaux de couverture, et puissant leur courage dans la lecture de la Bible. Deux de leurs compagnons, dont le patron du bateau, n'ont pas survécu à ce régime, et selon eux leurs dépouilles ont été jetées par-dessus bord.

Ce récit intrigue les policiers. D'autant que les miraculés ne présentent pas les stigmates des épreuves physiques qu'ils prétendent avoir endurées.

— Les mouettes et les canards ne s'aventurent pas en haute mer, notent les spécialistes. Les hommes les plus vigoureux auraient-ils tué les plus faibles pour les dévorer ? La zone de pêche étant une plaque tournante du trafic de drogue vers les États-Unis, une vedette de narcotrafiquants les aurait-elle approvisionnés, après avoir récupéré de la marchandise illicite ?

Des producteurs hollywoodiens ont contacté les miraculés pour consacrer un film à leur aventure. Découvrira-t-on à cette occasion ce qui s'est réellement passé à bord du bateau fantôme ?

Un carnage évité de justesse

Glyn Bowden transporte à bord de son car cinquante-cinq touristes gallois pour les emmener à Viana Marina, une station balnéaire située sur la Riviera italienne. Dès le lendemain de leur installation, les Gallois constatent qu'une tension inhabituelle règne au bord de la piscine de l'hôtel. En effet, faisant fi des conventions internationales tacites qui régissent l'occupation des chaises longues sur les lieux de vacances, des Allemands se levant dès potron-minet drapent les transats d'une serviette de bain, et marquent ainsi leur territoire. Victimes de cette perfidie, les Gallois en sont réduits à s'installer inconfortablement sur des chaises en plastique pour assister, à l'écart, au bain de soleil des Teutons conquérants.

Ils s'en plaignent à Bowden qui, le matin suivant, ramasse les serviettes et les jette dans la piscine sans autre forme de procès. La tension monte d'un cran et se transforme en crise ouverte lorsque, le lendemain, les touristes allemands réitèrent leur stratagème, se levant plus tôt encore pour s'approprier les précieuses chaises longues. Décidé à rendre coup pour coup, Bowden collecte à nouveau les serviettes sous les menaces et les quolibets de ses ennemis, massés sur les balcons de leurs chambres, et va les brûler sur la plage.

Bien consciente que cette escalade de violence menace la paix de la péninsule, la police italienne met aux arrêts le chauffeur justicier. Cependant, soucieux de maintenir la cohésion des peuples européens, l'hôtelier renonce à porter plainte, et propose aux belligérants de ratifier un accord territorial, au terme duquel il est convenu que la moitié des chaises longues sera réservée aux Allemands et l'autre moitié aux Gallois.

La survie de l'Union européenne l'a échappé belle !

Mariages funèbres

En Chine, une croyance persistante affirme qu'il ne suffit pas d'honorer la mémoire des défunts, encore faut-il subvenir à leurs besoins dans l'au-delà. C'est pourquoi il n'est pas rare que les familles brûlent en offrande de faux billets de banque, des voitures et des maisons en papier, et qu'elles déposent sur la tombe du disparu les mets dont il raffolait de son vivant. Dans certaines provinces, ces attentions ne s'arrêtent pas là. Lorsque les parents perdent un fils célibataire, ils s'enquièrent de trouver le cadavre d'une femme jeune susceptible de jouer le rôle de son épouse *post-mortem*. Cette coutume est à l'origine de la constitution de réseaux mafieux, qui se chargent de fournir aux familles des filles célibataires récemment décédées. Un certain Song Tiantang a eu l'idée de se spécialiser dans ce petit commerce. S'approvisionnant dans les cimetières, il fournit des épouses fantômes aux familles en détresse, moyennant 300 à 400 €. Arrêté, condamné à purger une peine de deux ans de prison, notre homme, à peine libéré, décide de peaufiner sa technique. Pourquoi s'embarrasser à déterrer des cadavres, se dit-il, alors qu'il suffit d'envoyer ad patres des femmes bien vivantes qui correspondent aux critères exigés par les familles ? Aussitôt dit, aussitôt fait, six malheureuses se retrouvent bientôt mariées à des inconnus, allongées à leurs côtés, six pieds sous terre.

Arrêté une nouvelle fois et condamné à mort, Song répond aux questions d'un journaliste.

— Comment avez-vous eu cette idée diabolique ? demande ce dernier.

— Les cadavres « secs » sont bon marché, réplique sans s'émouvoir le tueur en série. Les « frais » se vendent beaucoup plus cher et j'avais des dettes à rembourser à l'époque.

Monet et Degas, peintres abstraits ?

Claude Monet, le père de l'impressionnisme, et Edgar Degas se sont-ils tardivement convertis à la peinture abstraite ?

« Certes, non, affirme, péremptoire, Michael Marmor, professeur d'ophtalmologie au Centre médical de l'université de Stanford, aux États-Unis. Après avoir magnifiquement contribué à moderniser la peinture de leur temps, Monet et Degas n'avaient nullement l'intention de se rallier aux pionniers de l'art non figuratif. Souffrant l'un et l'autre de maladies des yeux à un âge avancé, leur touche s'était tout simplement épaissie jusqu'à devenir proche de l'abstraction. »

Selon le professeur, qui a recréé par ordinateur, grâce à un système de filtres, les images que captaient les deux peintres vers la fin de leur vie, la vision de Monet était altérée par une cataracte des deux yeux, et celle de Degas par une dégénérescence du nerf optique. Vers 1880, ce dernier, dès lors incapable de distinguer détails, couleurs et contrastes, peignait de manière de plus en plus fruste. Quant à Monet qui voyait flou, il surchargeait involontairement ses toiles de couleurs jaunes et sombres, qui débordaient largement le dessin initial. « Les contemporains des deux artistes avaient bien observé que leurs œuvres avaient perdu en finesse, et que certaines formes étaient devenues à peine reconnaissables, mais ils n'avaient pas attribué cette étrange évolution à leur handicap », a conclu Marmor dans une revue spécialisée, *Les Archives de l'ophtalmologie.*

Notons toutefois que Degas et Monet, devenus malades et maladroits, avaient encouragé à leur insu les jeunes peintres du début du XXe siècle à persévérer dans l'art abstrait. En dépit du tollé que soulevait encore à l'époque cette nouvelle expression.

Sur un air de violon

Menuisier de son état et passionné de comédies musicales, Divesh Borse, un Indien de 44 ans, achève de confectionner des présentoirs dans une bijouterie de Bombay quand il découvre, cachée dans le fond d'un vase, une bourse contenant des diamants d'une valeur de 800 000 €. Un temps animé par des sentiments contradictoires : signaler la présence du magot à son propriétaire ou l'empocher sans plus de formalité, Borse cède aux démons et doit bientôt répondre devant des policiers d'un larcin qu'il jure ne pas avoir commis. Faute de preuve permettant de le confondre, il est laissé en liberté.

Trois semaines plus tard, il se rend dans le plus célèbre dancing de la ville et invite l'orchestre à jouer pour lui un succès de Bollywood dont il raffole. Les musiciens s'exécutent avec d'autant plus d'entrain que le voleur a assorti sa demande d'une confortable liasse de grosses coupures. Tandis que les danseuses se déhanchent en cadence et que les consommateurs s'agacent, l'orchestre serine le même air jusqu'au bout de la nuit.

Le lendemain et les jours suivants, la scène se reproduit à l'identique. Moyennant de généreux pourboires, Borse exige que sa rengaine fétiche soit interprétée sans discontinuer. C'est trop. Cette fois les clients de l'établissement protestent bruyamment, menaçant même de ligoter les musiciens sur leurs chaises s'ils persistent à ne pas varier leur répertoire. Pour amadouer les contestataires, Borse passe alors de table en table, distribuant aux uns et aux autres des billets de 1 000 roupies. Cette largesse digne de celle d'un maharajah intrigue le gérant du dancing qui alerte la police. On imagine aisément la suite. Mais sait-on qu'ayant pris soin d'acheter disque et lecteur sitôt son vol commis, Borse écoute encore en boucle sa chanson préférée ? Dans la cellule de la prison où il croupit désormais.

Nettoyage à sec

Procéduriers, les Américains n'hésitent pas à porter plainte pour une vétille et à réclamer des dommages et intérêts souvent disproportionnés par rapport aux préjudices subis.

À Washington, Soo et Jin Chun, d'honnêtes teinturiers d'origine chinoise, viennent d'en faire la navrante expérience. Leur existence paisible bascule le jour où ils acceptent innocemment de nettoyer à sec le vieux pantalon de Roy Pearson. Ils ignorent que leur client est non seulement un célibataire maniaque et irascible, mais qu'il est aussi, comble d'infortune, juge à la Cour suprême.

Après avoir prodigué au falzar fédéral tous les soins qu'il mérite, les Chun l'égarent dans le stock, il est vrai pagailleux, des vêtements dont ils ont la charge. Incapables de le retrouver en dépit d'une recherche méticuleuse, ils proposent à Pearson de le lui rembourser sur la base de la valeur des pantalons neufs, taille 46, mélange laine et acrylique. Le juge ne l'entend pas de cette oreille et menace d'engager une action en justice. Ils proposent alors à leur client de lui verser une indemnité forfaitaire de 4 600 dollars, soit environ cent fois la valeur de l'article perdu. Refus du juge qui réclame désormais 500 000 dollars de « préjudice moral », auxquels vient s'ajouter une astreinte de 1 500 dollars par jour tant que la pièce de sa garde-robe ne lui sera pas restituée, plus des frais de justice considérables.

Durant le procès, les Chun ont beau démontrer qu'un futal usagé ne vaut pas une Rolls Royce, ils sont condamnés, le plaignant s'étant fait représenter par un avocat spécialisé dans la protection des consommateurs. Commentaire des teinturiers, proprement lessivés : « Nous voulions croire en la justice de notre pays d'accueil. C'est raté. Nous bouclons nos valises et rentrons en Chine. Bien sûr, chez nous les fonctionnaires sont corrompus, mais ils abusent de leurs concitoyens avec modération ! »

Voleurs de nuages

Nombre de futurologues affirment que la possession d'eau douce sera un enjeu géopolitique majeur du siècle. Sans attendre que cette prédiction se concrétise, des paysans de la province espagnole de Soria ont décidé d'ores et déjà de fourbir leurs armes contre les voleurs d'eau.

— Quand la météo annonce un orage, on voit aussitôt apparaître des avions. Ils arrivent par le nord, poussent les nuages vers l'Aragon, et s'évanouissent comme des fantômes, affirme avec colère José Jiménez, un agriculteur d'Olvega, une localité touchée par la sécheresse.

Regroupés en association de défense, les habitants de plus de 230 villages de la province de Soria ont porté plainte plus de deux cents fois « pour détournement de ressources » auprès du Sénat, du Congrès et de la *Guardia civil*. Sans succès. Le gouvernement d'Aragon affirme : « Selon la météo, 94 % des nuages d'orage qui se forment dans la province se déplacent vers le nord, poussés naturellement par les courants de haute altitude. »

Las de devoir se battre contre des moulins à vent, les paysans qui s'estiment spoliés se sont cotisés pour acquérir deux mini-avions espions pour la somme de

36 000 € l'unité. Équipés d'une caméra vidéo sophistiquée, les drones ont pour mission de recueillir la preuve que leurs voisins ensemencent les masses nuageuses avec de l'iodure d'argent afin d'usurper la pluie qui leur était destinée.

Depuis que les avions espions patrouillent, il semblerait que la chasse ennemie ait ajourné ses incursions. Sans pour autant que des effets bénéfiques se soient manifestés, la pluie choisissant toujours de fertiliser l'Aragon.

— Nous allons maintenant acheter de vrais avions, s'insurge encore Jiménez. Et nous verrons bien qui gagnera la bataille du ciel !

Affaire à suivre !

Une prime appétissante

On sait que le football professionnel brasse des sommes faramineuses dont on peut s'indigner. Entre primes de rachats, transferts de joueurs, salaires princiers et contrats publicitaires, des millions d'euros s'échangent sur les pelouses des stades. Seule consolation : l'inflation en vigueur dans les grands clubs européens n'a pas encore contaminé tout le milieu sportif.

Ainsi Slavo Vilovitch, le président du FC Zagora, qui évolue en troisième division du championnat de football de Croatie, doit-il accomplir des prouesses pour offrir chaque année à ses joueurs chaussures et maillots neufs, seuls accessoires capables de les distinguer des amateurs maladroits qui se bousculent chaque week-end sur l'herbe râpée du stade municipal.

Un jour, Ivica Supe, un défenseur du club, se présente à l'entraînement et constate que le terrain est déjà occupé par un troupeau de moutons. Chacun est en droit, bien sûr, de s'entraîner à sa guise, mais à sa connaissance l'équipe ovine n'a pas réservé le stade en bonne et due forme.

— Qu'est-ce qu'ils font là ? demande le joueur au président, avec agacement.

— Compte les bêtes, répond Vilovitch.

— Il y a en seize, pourquoi ? Les remplaçants seraient-ils rentrés eux aussi sur le terrain ?

— Ces seize moutons sont à toi. C'est la prime que t'offre notre sponsor : un mouton pour chaque but que tu as marqué cette saison.

« Nous ne sommes qu'un tout petit club, s'est justifié Vilovitch devant la presse locale. Je voulais récompenser notre meilleur élément et m'assurer de sa fidélité. Et le seul sponsor que j'ai pu trouver est éleveur de moutons ! »

Patrimoine génétique

Il y a quelques années, le séquençage de l'ADN révélait que l'*Homo sapiens* ne possédait dans son patrimoine génétique que 13 000 gènes de plus que celui de la mouche à vinaigre. Outre que cette information réjouissante replace la condition humaine dans une perspective moins narcissique, elle stimule du même coup notre questionnement sur le monde animal. Une découverte scientifique et un fait divers peuvent, dans ce domaine, nous donner à réfléchir.

En décembre 2006, une équipe de chercheurs américains a reconstitué en images de synthèse le *Dunkleostus*, un poisson qui peuplait les océans voici quatre cents millions d'années. Aussi long qu'un wagon de chemin de fer, il possédait une double rangée de dents acérées, capables de se refermer en un cinquantième de seconde et d'exercer, au moment de la morsure, une pression de 5,5 t par cm². Si nous avions été les contemporains de ce monstre marin, qui ravale le requin blanc des *Dents de la mer* au rang de vulgaire poisson rouge, il y a fort à parier que la profession de maître nageur n'aurait pas attiré grand monde.

De prédatrices, nos amies les bêtes peuvent se transformer à l'occasion en médecins urgentistes. Ainsi, en 2007, Debbie Parkhurst, une Américaine de 47 ans, croque une pomme dans son jardin en compagnie de Tobby, son golden retriever âgé de 2 ans. Debbie avale de travers et s'étrangle. Tandis que la peau de son visage se cyanose à vue d'œil, son chien se jette sur elle, la renverse dans l'herbe, et lui saute frénétiquement sur la poitrine, pratiquant ainsi sans la moindre fausse note la « manœuvre de Heimlich », une technique bien connue des sauveteurs du SAMU pour venir en aide à quelqu'un qui s'étouffe.

Le Don Quichotte a trop d'enfants

Face à aux disparités insupportables qui divisent la planète entre pays riches et pauvres, associations tiers-mondistes et individus isolés se mobilisent pour rééquilibrer la distribution des ressources. Parmi ces don Quichotte, Jürgen Hass, un Allemand de 57 ans, est celui qui a expérimenté la méthode la plus originale.

Accusé de fraude fiscale, cet ancien assureur écope d'une amende de 100 000 € et se retrouve, à 38 ans, en préretraite forcée. Vivotant avec 1 000 € de pension, il s'installe au Paraguay. Bien décidé à se venger de l'administration qui l'a ruiné, tout en participant au développement de son pays d'accueil, il découvre une faille dans la loi allemande sur la filiation. Cette loi permet, en effet, à n'importe quel homme de reconnaître un enfant pourvu que la mère soit d'accord et qu'aucun autre homme n'en revendique la paternité. Aussi en moins de vingt ans, Hass a-t-il adopté en toute légalité plus de 300 enfants, tous issus de milieux défavorisés. Chacun d'entre eux bénéficiant dès lors des prestations sociales allemandes, qui permettent de subvenir, au Paraguay, aux dépenses d'une famille de huit personnes.

— Je cesserai les adoptions le jour où ma famille comptera 1 000 enfants, s'est vanté le justicier.

L'hebdomadaire *Der Spiegel* ayant relayé la menace et l'affaire faisant grand bruit de l'autre côté de l'Atlantique, l'ambassade d'Allemagne a interdit à

Hass l'accès à ses locaux et refuse désormais de lui délivrer passeports et certificats de paternité. Hass a porté plainte devant le tribunal administratif de Berlin, et a de bonnes chances d'obtenir gain de cause. À moins que d'ici là le Bundestag ne vote une loi pour lutter contre « les abus du droit de la filiation » !

Justice expéditive

Depuis que Miguel Grima a été élu maire de Fago, en Espagne, une pluie d'interdictions et de pénalités s'est abattue sur ses administrés. Et aucun d'entre eux n'est à l'abri des foudres de l'édile. Ainsi la circulation des vaches dans les rues du village est-elle maintenant limitée aux jours impairs, les contrevenants se voyant infliger une amende de 50 € par tête de bétail en infraction. Les impôts locaux du propriétaire du bar tabac ont, d'autre part, doublé, au prétexte que ce dernier avait eu l'audace d'installer quelques tables sur le trottoir, devant son établissement. Quant au couple désireux de créer une maison d'hôtes, il a été radié derechef des listes électorales. Explication : le maire possède l'unique auberge du village et craint la concurrence. Les jeunes ne sont pas épargnés par cette déferlante de sanctions. Le pot d'échappement mal réglé d'une mobylette ou le short jugé indécent d'une collégienne se transforment, aux yeux de Grima, en délits passibles d'une lourde contravention.

L'enfer a pris fin le jour où le maire tyrannique a été retrouvé dans un chemin vicinal, la poitrine criblée de plombs de chevrotine. En enquêtant, la police criminelle a découvert que les trente-sept habitants de Fago étaient tous des suspects potentiels, ayant été victimes, à des degrés divers, des brimades infligées par le maire. Tous détenteurs d'une arme de chasse correspondant au calibre de celle utilisée pour tuer Grima, les adultes se sont dénoncés collectivement.

— Nous avons supprimé notre maire parce qu'il nous pourrissait la vie, ont-ils déclaré aux policiers. Mettez-nous en prison et brûlez le village !

Les méthodes employées jadis par la sainte Inquisition étant passées de mode, la police hésite pour l'instant à torturer un à un les habitants de Fago afin d'obtenir le nom du coupable !

Une virtuose du piratage

Véritable légende vivante, Joyce Hatto fut considérée durant les vingt dernières années de sa vie comme la plus talentueuse pianiste de Grande-Bretagne, bien qu'aucun de ses fans n'ait eu la chance de l'applaudir en concert, car prétendument atteinte d'un cancer la virtuose avait estimé « inconvenant de se montrer en public ».

Après son décès, survenu en 2006, les critiques musicaux lui ont rendu hommage. Avant de s'interroger sur son étrange carrière. Comment, en effet, la modeste instrumentiste des années 1950-1960 avait-elle pu se transformer en interprète de génie, alors qu'au dire de son mari sa maladie la clouait au lit ?

Plus perspicace que ses confrères, Andrew Rose glissa un jour un CD de Joyce Hatto dans son ordinateur et l'écouta attentivement. Quelle ne fut pas sa surprise de découvrir que le logiciel iTunes qu'il utilisait identifia bien l'étude de Liszt comme indiquée sur la pochette, mais interprétée par un autre pianiste. Répétant l'expérience avec d'autres enregistrements et obtenant les mêmes résultats, Rose demanda à un spécialiste en analyse acoustique d'étudier trois disques de la virtuose. Les CD n'étaient qu'un mixage d'enregistrements anciens, interprétés par des pianistes de renom décédés. Ainsi par exemple les douze *Études transcendantales* de Liszt étaient-elles identiques à celles de la version donnée par le pianiste hongrois Laszlo Simon.

Et, pour enfoncer le clou, Rose a demandé au veuf de la virtuose « comment sa femme avait-elle pu enregistrer une centaine de disques dans le studio construit dans son jardin, une pièce à peine capable d'accueillir un quatuor, alors que la musique qui était censée y avoir été enregistrée était celle d'un orchestre symphonique ? ».

Le cœur sur le tapis

Lorsque Jack Barlich, un Californien âgé d'une soixantaine d'années, empoche le pot de 25 000 dollars au *MGM Grand*, un casino de Las Vegas, son cœur s'affole et cesse de battre. L'alerte est donnée par le système de télésurveillance et une équipe de secouristes surgit avec un défibrillateur portable. Au bout de cinq électrochocs, son cœur repart.

— Je remercie le ciel d'être joueur ! s'est exclamé Barlich. Si je ne m'étais pas trouvé dans un casino, je serais certainement mort.

— Aux États-Unis, l'endroit le plus sûr pour faire un arrêt cardiaque est un casino, confirme Bryan Bledsoe, médecin urgentiste à l'université George Washington.

En neuf ans, les vigiles des établissements de jeu ont, en effet, réanimé 1 800 joueurs et employés, soit 53 % des victimes d'un infarctus de myocarde, alors que le taux moyen de survie aux États-Unis est inférieur à 10 %.

Les employés des casinos maîtrisent si bien le maniement des défibrillateurs qu'ils déclinent généralement l'aide des clients médecins.

— Le radiologue ou l'obstétricien n'ont pas l'expérience de nos vigiles, constate David Slaterry, le médecin qui coordonne le programme de défibrillation des vingt-trois casinos de Las Vegas. Nos résultats sont équivalents voire meilleurs que ceux enregistrés dans les hôpitaux.

S'appuyant sur ces statistiques, l'Association cardiaque américaine vient de se prononcer en faveur de l'utilisation étendue des défibrillateurs par des non-professionnels. Une décision amèrement contestée par David Robertson, membre du conseil d'administration de la Coalition nationale contre le jeu légalisé.

— Les casinos ne sauvent leurs joueurs que pour qu'ils puissent y retourner et perdre encore plus d'argent ! a-t-il bougonné.

Stakhanov « au charbon »

Dans les années 1930, obéissant à la maxime « puisqu'ils font semblant de nous payer, faisons semblant de travailler », l'*Homo sovieticus* renâcle à la tâche et met sérieusement en péril la réussite du nouveau plan quinquennal. Pour exhorter les masses laborieuses à redoubler d'ardeur – du moins celles qui ont encore échappé aux goulags sibériens –, Staline crée de toutes pièces un conte de fées moderne : le stakhanovisme. Le miracle est annoncé à la une de la *Pravda* en date du 1er septembre 1935. À Irmino, dans le Donbass, dans la nuit du 30 au 31 août, le mineur Alexeï Stakhanov a pulvérisé le record de productivité en abattant à lui seul 105 tonnes de charbon en six heures, alors que la norme en vigueur ne dépasse pas 7 tonnes. La nouvelle ahurissante se propage comme un coup de grisou à travers les médias soviétiques. Couvert de gloire et de médailles, Stakhanov, devenu héros national, est élu au Soviet suprême et son portrait souriant accueille bientôt les ouvriers dans leurs usines et les enfants dans leurs écoles.

On ignore si l'exploit du surhomme d'Irmino a eu la moindre influence sur la production industrielle et agricole de l'Union soviétique à la veille de la Grande Guerre patriotique. Il est avéré, en revanche, que la légende a fait long feu dans les manuels scolaires soviétiques jusqu'en 1989, et qu'elle était encore évoquée comme un fait réel, en France, dans les pages de

L'Humanité, dix ans plus tard. Avant que les archives du Parti ne soient rendues publiques et que l'on découvre la supercherie. En 1935, Staline avait ordonné qu'une équipe de quinze mineurs se mette au travail dans le plus grand secret. Une fois les 105 tonnes de minerai extraites de la mine, ce qui représentait une performance très ordinaire, quatorze ouvriers s'éclipsèrent discrètement, laissant Stakhanov et son indignité seuls devant leur tas de charbon !

L'Histoire se fabrique les héros qu'elle mérite !

Les bourdes du Pentagone

Avec un budget annuel de 645 milliards de dollars, l'armée américaine est la plus puissante et la plus dépensière du monde. Ce qui ne l'empêche pas le cas échéant de se couvrir de ridicule.

Ainsi, en 2006, le QG de la défense spatiale, basé dans le Colorado, a testé une nouvelle fréquence radio destinée aux communications prioritaires en cas de menace terroriste. Conséquence de cette expérience ultra-secrète : des milliers de résidents de Colorado Springs, la ville la plus proche du centre de recherche, ont vu leurs portes de garage télécommandées paralysées. Face à l'avalanche des protestations, l'US Air Force a dû avouer être à l'origine de cette épidémie de pannes, tout en rappelant que sa fréquence confidentielle, par ailleurs déjà utilisée à travers tout le pays, était l'exclusivité des militaires. « J'ignorais que ma porte de garage était classée secret défense », a commenté perfidement une habitante de la zone sinistrée.

Autre exemple, moins souriant celui-là, des défaillances du Pentagone. En 2007, à la veille du Nouvel An, des officiers recruteurs réalisent un mailing à l'aide des puissants ordinateurs du ministère de la Défense. Cinq mille lettres sont envoyées à des officiers qui ont récemment quitté l'armée pour les inciter à reprendre du service. Parmi les destinataires, 75 ont été tués en Afghanistan et en Irak, et 200 ont été blessés au combat. Face au tollé des familles des victimes, un général s'est courageusement défaussé de ses responsabilités en accusant l'ordinateur d'avoir « perdu la tête ». Et en promettant qu'un officier se rendra chez les destinataires des lettres envoyées par erreur pour présenter des excuses officielles.

Amour filial

Nombre d'Africains tentent de gagner l'Europe dans le but d'assurer leur survie et celle de leurs familles. Bravant les obstacles, certains y parviennent. Beaucoup paient au prix fort leur témérité. Et contre toute attente, une poignée d'autres réussissent à troquer une existence misérable contre une situation privilégiée. C'est le cas de Sidonie Nguena, une ravissante Camerounaise de 18 ans.

Au terme d'un parcours tortueux dont le détail ne nous est pas parvenu, Sidonie s'installe en Suisse où elle ne tarde pas à faire la connaissance d'un fils de famille. Ce dernier l'épouse et la comble de cadeaux. Avant de s'apercevoir que sa belle dévoyée thésaurise sur un compte bancaire ce que lui procurent ses déambulations galantes sur les bords du lac de Genève. Une fois le divorce prononcé, Sidonie poursuit avec entrain ses activités. Sans oublier pour autant son vieux papa resté au village. En 2006, elle lui expédie une Mercedes et un Toyota 4 x 4 flambant neufs, le tout assorti d'un virement de 10 000 € pour lui permettre de régler ses frais de carburant. M. Nguena se rend au port de Douala pour procéder aux formalités douanières, accompagné en grande pompe de toute sa famille. Quand enfin il se glisse au volant de la berline, laissant à son fils aîné le soin de piloter le tout-terrain, une douleur fulgurante lui broie la poitrine. Il s'effondre, terrassé par une crise cardiaque.

Moralité : s'il est louable d'honorer ses parents et de tenir ses promesses, il peut être dangereux de le faire avec ostentation !

La revanche des cancres

Si, après vous avoir dégoûté à vie des mathématiques, la célèbre « relation de Chasles » hante encore vos souvenirs de collégien, cette histoire devrait pouvoir vous offrir une vengeance tardive à moindres frais.

Sachez donc que Michel Chasles, éminent mathématicien du XIXe siècle, était aussi un insatiable collectionneur de documents autographes. En 1861, Chasles fait la connaissance d'un certain Vrain-Lucas qui s'autoproclame expert et marchand d'archives historiques. Dans un premier temps, ce dernier se défait d'un paquet de lettres d'Alexandre le Grand adressées à Aristote. Enthousiasmé, Chasles en réclame davantage. Une correspondance inédite entre Pascal et Newton change alors de mains. Quelques mois plus tard, Chasles s'approprie au prix fort des documents de plus en plus exceptionnels : correspondance entre Antoine et Cléopâtre, Jésus et Marie-Madeleine, Pythagore et Sapho.

Quand il acquiert enfin un billet rageur de Caïn expédié à Abel, puis une note de Lazare, griffonnée sur un bout de papier au lendemain de sa résurrection, en collectionneur comblé, le mathématicien cède à la tentation de montrer ses trésors à un collègue de l'Académie des sciences. Ce dernier parcourt les lettres d'un regard amusé et déclare : « J'ignorais que Jésus, Caïn, et Antoine s'exprimaient en aussi bon français, alors que notre langue et le papier n'existaient pas il y a 2 000 ans. »

Dépité de s'être fait gruger aussi naïvement, Michel Chasles porta plainte contre le faussaire et obtint sa condamnation et le remboursement de ses investissements. Mais il n'osa plus se montrer en public, sachant que sa seule présence déclenchait immanquablement railleries et quolibets.

Le chaînon manquant

Au début du XXe siècle, communauté scientifique et grand public se passionnent pour la préhistoire, notamment pour la recherche du chaînon manquant, cette créature hybride mi-homme mi-singe qui authentifierait la théorie évolutionniste de Darwin.

Le 18 décembre 1912, la nouvelle tant attendue éclate enfin : un crâne humain doté d'une mâchoire prognathe vient d'être exhumé par 24 m de fond à Piltdown, dans le Sussex, en Angleterre. Tandis que le trophée est exposé à la Société géologique de Londres et qu'il attire savants et curieux venus du monde entier, Charles Dawson, avoué de notaire, et sir Arthur Woodward, conservateur au British Museum, les découvreurs des ossements, créent une entreprise qui, pour la somme de 10 livres et 7 shillings, vend à tour de bras des moulages en plâtre du crâne fossilisé.

Il faudra attendre 42 ans pour que la supercherie – l'une des plus extraordinaires de l'histoire des sciences – soit révélée. En 1953, un examen aux rayons X prouve sans ambiguïté que le crâne de l'homme de Piltdown appartient à un jeune orang-outang, auquel les faussaires ont adjoint une mandibule de gorille dont les molaires ont été limées et colorées au permanganate de potassium, afin d'imiter les effets de la fossilisation.

Dawson et Woodward n'étant jamais passés aux aveux, on accuse Pierre Teilhard de Chardin, un jeune jésuite français qui séjournait à l'époque dans la région, d'être l'instigateur de l'imposture. À moins qu'un certain sir Arthur Conan Doyle, futur inventeur de Sherlock Holmes, ne soit à l'origine de la farce. Puisque, en 1913, il vivait lui aussi dans un village proche de Piltdown ? Élémentaire, mon cher Watson !

Treize à table

Depuis des dizaines d'années, un chat noir s'invite à la table de l'un des plus anciens et prestigieux hôtels de Londres. Sa mission : conjurer la malédiction des dîners à treize. Baptisé Kaspar, ce chat d'environ 90 cm de haut, taillé dans du bois de platane, joue le rôle de quatorzième convive lorsqu'un repas doit réunir treize personnes à une même table, dans le salon Pinaflore de l'hôtel Savoy. Pour l'occasion, Kaspar quitte l'étagère sur laquelle il trône d'ordinaire et s'assied à table, dans le quatorzième fauteuil, avec une serviette blanche autour du cou et un jeu complet d'argenterie et de couverts en porcelaine. Et, à l'égal de ses commensaux, il a droit à tous les plats, vins et desserts compris.

L'histoire commence en 1898 : Joël Woolf, un habitué du Savoy, donne un dîner pour célébrer son départ pour l'Afrique du Sud. Quatorze invités sont prévus, mais l'un d'eux se décommande au dernier moment. Woolf raille alors la superstition qui veut que le premier des treize à quitter la table doive bientôt mourir. Il sera assassiné dans son bureau de Johannesburg quelques semaines plus tard.

Attristée par cette nouvelle et inquiète de ses répercussions sur sa clientèle, la direction de l'hôtel décide qu'un membre de son personnel prendra systématiquement la place du quatorzième, toutes les fois qu'un repas réunira treize personnes. Cette initiative, peu appréciée des riches clients du Savoy, sera vite abandonnée. Ce n'est que vers le milieu des années 1920 qu'un sommelier aura l'idée de faire sculpter un chat noir, animal considéré comme porte-bonheur en Grande-Bretagne, pour éloigner la malédiction.

Bien qu'ayant vu défiler sous ses babines stoïques, pendant quatre-vingts ans, un florilège de la gastronomie anglaise, Kaspar peut s'enorgueillir d'être parvenu, malgré ce handicap, à remplir sa mission sans défaillance.

Dites-le avec des fleurs

Une douzaine de malfrats, condamnés à des travaux d'intérêt général dans une petite ville du Yorkshire, au nord de l'Angleterre, se sont vengés de l'Administration, en plantant des jonquilles, artistiquement disposées sur le parterre de l'hôtel de ville.

En effet, quand les fleurs ont éclos, les habitants de la commune ont eu la surprise de lire l'injonction suivante, inscrite en magnifiques lettres jaunes, « *Fuck you !* » (Allez vous faire foutre !).

Depuis, chaque week-end, la foule se presse dans les rues de la ville, impatiente de découvrir les autres messages des mauvais garçons. « Cela ne donne pas de notre ville une image très positive, a analysé Alan McCue, l'adjoint au maire. Car beaucoup d'autres parterres vont éclore un peu partout et nous nous attendons au pire. »

Sauvée par une série télé

C'est une extraordinaire course contre la montre qui a été gagnée en Écosse pour sauver Jane, une femme de 25 ans hospitalisée en attente d'une greffe de foie.

L'avion léger qui transportait l'organe s'est, en effet, abîmé en mer, à proximité de la côte, heureusement dans une zone peu profonde. Aussitôt alertée, une équipe de la Royal Navy a exploré l'épave. « La carlingue était entièrement fracassée, a raconté plus tard l'un des plongeurs. Nous ne savions pas où chercher le conteneur renfermant le foie du donneur. Par chance, je suis un fidèle spectateur de la série télévisée *Urgences*. Quand j'ai reconnu le caisson médical, coincé sous le siège du pilote, je n'ai pas hésité à le remonter à la surface. C'est ce qui a sauvé Jane ! »

Leçon d'anatomie

Mariés depuis deux ans et toujours sans enfant, Françoise et Vincent, âgés tous deux d'une quarantaine d'années, consultent un gynécologue pour remédier à leur stérilité.

Violée à l'âge de 12 ans par un cousin, Françoise refuse de se déshabiller devant un inconnu, et Vincent approuve ce choix. Six mois passent avant que Françoise consente enfin à se faire examiner. Ne constatant rien d'anormal dans son anatomie, le spécialiste soumet son époux à un spermogramme pour analyser la quantité et la qualité de son sperme. Les résultats sont étonnants : rien de physiologique ne s'oppose à la venue d'un enfant.

Plusieurs mois s'écoulent, et voilà à nouveau Françoise en consultation chez son médecin. Souffrant de démangeaisons purulentes au niveau du nombril, elle s'en explique avec embarras.

— Ces rougeurs surgissent après avoir fait l'amour avec mon mari.

Le médecin est alors confronté à ce qu'il n'aurait jamais soupçonné possible en trente ans de carrière : Vincent et Françoise font l'amour par le nombril depuis trois ans !

— Ce cas exceptionnel s'explique par une volonté inconsciente de rejeter la sexualité, considérée par le couple comme un acte condamnable et répugnant, a expliqué le praticien.

Vincent et Françoise ont dû apprendre à se déculpabiliser avec l'aide d'un sexologue et d'un psychiatre. Ils sont aujourd'hui parents de deux beaux enfants. Qui contesterait que l'éducation sexuelle, dispensée dès l'école primaire, puisse contribuer grandement au bonheur des couples !

De toutes les couleurs

Qui dira le véritable casse-tête auquel se trouvent parfois confrontés les assureurs pour estimer avec équité le montant des indemnités à verser à leurs souscripteurs après un sinistre ? Voilà, à titre d'exemple, le compte rendu d'incendie que l'un d'entre eux a reçu récemment : « Lorsque le feu a pris dans ma cuisine, mon mari n'avait pas terminé ses travaux de peinture. Il y avait deux murs blanc sale, un vert propre, et le dernier, moitié sale moitié vert propre. La fumée a noirci le vert propre et l'eau des pompiers a fait des traces jaunes sur le blanc sale et le plafond (de couleur indéterminée). C'est maintenant toute une histoire pour choisir une couleur qui ne jurera pas trop avec le reste. Pouvez-vous en toucher un mot à votre expert ? »

On lui souhaite bien du courage !

Excès de zèle

Roberto et Maria filent le parfait amour depuis quatre ans jusqu'au jour où la jeune femme, excédée par l'immaturité persistante de son compagnon, décide de le quitter sans ménagement. En désespoir de cause, Roberto tente de la reconquérir en faisant livrer dans le restaurant où elle travaille 1 480 roses, chaque fleur symbolisant une journée de vie commune. Pour parachever sa stratégie, le galant choisit ensuite d'offrir en main propre une ultime rose à sa belle. Bien mal lui prend de vouloir accomplir cette ultime phase de sa stratégie à cheval. À peine le canasson a-t-il pénétré dans la cuisine qu'il se cabre, renverse poêles et casseroles, et éjecte son cavalier dans une mare de spaghettis.

— Décidément, Roberto, c'est non, je ne te reprendrai pas, a déclaré Maria, inflexible. Tu as de bonnes idées, mais tu es incapable de les mettre en pratique !

La taupe humaine

Un Anglais de 37 ans, Geoff Smith, a battu le record du monde de durée d'inhumation volontaire après avoir passé 142 jours dans un cercueil de 2,10 m sur 0,70 m, enterré dans le jardin de son pub favori, à Mansfield, dans le centre de l'Angleterre.

Surnommé « la taupe humaine », Smith dispose dans sa boîte exiguë d'un téléphone mobile, d'un téléviseur, de livres et de photos de famille. Il est en outre relié à la surface par un tuyau par lequel il reçoit air, nourriture et boisson. Geoff Smith a averti ceux qui seraient tentés de mettre en cause sa suprématie : son fils de 13 ans s'entraîne d'ores et déjà à passer 200 jours sous terre.

Effet boomerang

Comment découcher quand on est une jeune fille de 20 ans, qu'on vient de rencontrer un garçon sympathique sur un forum Internet, et que l'on habite chez des parents qui se montrent inflexibles sur les horaires ?

Ayant écarté les prétextes usés jusqu'à la corde (réviser le cours de physique quantique chez sa meilleure amie), Alexandra estime que seul un scénario original et totalement inédit peut crédibiliser son alibi. Après avoir passé la nuit avec son amant, la jeune femme téléphone au centre opérationnel de gendarmerie de Moselle pour décrire son enlèvement par « trois individus patibulaires et prêts à tout ».

Impressionnés par le luxe des détails fournis et la voix haletante de leur correspondante, les gendarmes se précipitent à l'adresse indiquée et investissent, arme au poing, la chambre où Alexandra a dit se trouver séquestrée. Le supposé kidnappeur, qui ignore tout du stratagème hasardeux de sa maîtresse, est rapidement mis hors de cause.

Poursuivie pour dénonciation calomnieuse, Alexandra est condamnée à payer une lourde amende, et ses parents la privent de sortie pendant un an. Qui dira encore que l'amour donne des ailes ?

Fatale négligence !

Un citoyen de la ville de Giessen s'est vu gratifié par le quotidien *Der Bild* du titre peu enviable de « gangster le plus bête d'Allemagne ».

Cet individu aux fins de mois vraisemblablement difficiles avait nourri le coupable dessein de cambrioler une agence bancaire. Sans grande expérience criminelle, mais doté d'une solide culture puisée sans doute dans les meilleures séries télévisées, notre homme avait imaginé qu'en dissimulant son visage sous une cagoule, il échapperait à la fois aux caméras de surveillance et aux futures poursuites. La saison ne se prêtant pas à la mise sur le marché de passe-montagnes, le braqueur a dû se contenter d'utiliser un simple sac de toile en guise de cagoule.

À peine entré dans la banque, l'homme s'aperçoit avec stupeur que les ténèbres qui l'enveloppent ne se dissipent pas au fur et à mesure qu'il progresse en titubant. Fatale négligence ! Il a omis de percer des trous dans le sac à la hauteur des yeux. Plutôt que de rebrousser chemin pour se donner le temps de parfaire sa technique, il bouscule la clientèle, s'approche d'un guichet, pointe son arme dans une direction approximative, et ordonne à un caissier imaginaire de lui remettre l'argent du coffre. Indigné de n'obtenir qu'un ricanement de la part de son interlocuteur, le braqueur soulève sa cagoule et réitère son ordre. Le caissier lui réplique tranquillement qu'il lui est impossible d'accéder à sa demande et lui conseille de prendre la fuite pendant qu'il en a encore le temps.

— Le braqueur s'est comporté de bout en bout en amateur, a raconté Gerald Frost, le porte-parole de la police de Giessen. Avant de quitter la banque, il a regardé droit dans la direction de la caméra de surveillance. Nous n'avions plus dès lors qu'à aller le cueillir chez lui et le mettre sous les verrous.

Rien ne sert de tuer, il faut penser à tout

Nat Fraser, un commerçant écossais sans scrupules, pense pouvoir commettre le crime parfait : pendant qu'un tueur à gages assassinera Marilyn, sa femme, contre la somme de 22 500 €, il sera, lui, au travail sous les yeux d'une dizaine de témoins, s'assurant ainsi un alibi incontestable.

La première partie du plan se déroule comme prévu. Fraser cache le cadavre dans son jardin pendant deux semaines, puis il le brûle, réduisant en poudre les os et les dents de l'infortunée à coups de marteau. Pour déjouer davantage la perspicacité des enquêteurs, il laisse entendre que son épouse infidèle a dû s'enfuir avec un amant de passage. À l'appui de cette hypothèse, il fait remarquer que l'alliance et la bague de fiançailles que portait cette dernière avaient été abandonnées dans la salle de bains. Fatal excès de zèle ! En scrutant avec attention la bande vidéo, réalisée le jour de la disparition, les policiers constatent l'absence des bagues dans la maison. Comment ont-elles pu réapparaître sept jours après les faits ? Convaincus de la culpabilité de Fraser, les agents de Scotland Yard poursuivent leur enquête et obtiennent les aveux d'un proche du suspect, l'homme qui précisément avait pris contact avec le tueur à gages.

Condamné à une peine d'emprisonnement à perpétuité, Nat Fraser a tout le loisir d'étudier les enquêtes de l'inspecteur Colombo. Enquêtes dans lesquelles, comme on le sait, les détails apparemment les plus insignifiants finissent par ruiner les plans machiavéliques des assassins.

Une facture en héritage

En 2008, Alice Kurtz, une veuve de 85 ans, domiciliée à Épinal, reçoit d'un opérateur en téléphonie mobile une facture de 2 700 €. Détail troublant : Alice n'a jamais possédé ni utilisé de téléphone portable. La vieille dame appelle à la rescousse Henri, son petit-fils, et porte plainte. La réponse de l'opérateur ne se fait pas attendre. Trois jours plus tard, l'infortunée grand-mère reçoit une nouvelle facture, cette fois de 14 000 €. Elle s'en indigne doublement et réitère aussitôt sa plainte. En vain. Une troisième facture lui parvient, assortie d'une lettre de recouvrement, sommant feu M. Kurtz d'honorer une dette globale de 36 000 € sous peine de poursuites judiciaires.

Au terme d'un interminable harcèlement des services comptables de l'entreprise, Henri finit par découvrir la vérité. Son grand-père avait autrefois possédé un radiotéléphone. Bien que retiré de la circulation vingt ans plus tôt, à la mort de son propriétaire, l'appareil apparaissait toujours sur les fichiers informatiques. L'antique téléphone s'étant mystérieusement transformé en moderne téléphone portable, les frais d'abonnement s'étaient accumulés au fil des décennies !

Faire feu de tout bois

Sylvain Salac a-t-il été dans une vie antérieure un candidat surdoué du concours Lépine, un virtuose du couteau suisse, un scout hors norme ou une réincarnation du célèbre magicien Houdini, le roi de l'évasion ?

Considéré par ses gardiens comme très ingénieux, ce détenu « au profil dangereux » était placé en quartier d'isolement depuis un an dans la maison d'arrêt de Villeneuve-lès-Maguelonne lorsqu'il décida de s'en évader.

Pour écarter les barreaux de la fenêtre de sa cellule, il utilise les barres de son lit comme levier. Puis il construit un grappin de fortune, en utilisant le bois d'une petite table. Il fixe ensuite une corde tressée à partir de ses couvertures, qu'il laisse pendre le long du mur extérieur. La corde étant trop courte, notre roi de la cavale plie son matelas, le glisse par l'ouverture et le laisse tomber dans la cour afin qu'il amortisse sa chute. Une fois à l'air libre, il s'en sert pour franchir sans se blesser les rouleaux de fil de fer barbelé qui tapissent les murs d'enceinte.

La découverte de sa cellule vide alerte les gardiens. Ils interceptent le fugitif alors qu'il achève son parcours du combattant et entrevoit déjà la liberté. Soulagé par le dénouement heureux de cette affaire, le directeur de la prison s'est montré fair-play : « Bravo ! Pour s'évader sans recourir à la violence, Salac a utilisé avec méthode et intelligence toutes les ressources que pouvait lui offrir sa cellule. »

Pompiers pyromanes

Après Yannick Noah mais précédant les infirmières, les pompiers viennent en tête de ceux que les Français plébiscitent et respectent le plus. Leur dévouement, leur courage au feu justifient-ils cette cote d'amour ?

Ainsi, il y a quelques mois, dix jeunes pompiers volontaires de Charente devaient-ils conclure leur semaine d'instruction par un dernier exercice : une progression à travers d'épaisses fumées toxiques provoquées par la mise à feu de matelas imbibés d'essence. Mal leur en a pris. Le feu a rapidement gagné un entrepôt voisin, nécessitant l'intervention d'une cinquantaine de pompiers aguerris accourus des environs.

Une fois le vrai incendie circonscrit, l'officier en charge de la formation a piteusement déclaré à la presse que « ses stagiaires n'avaient jamais imaginé qu'un feu puisse provoquer autant de chaleur et de dégâts en aussi peu de temps ». Peu sensible à cet argument, le propriétaire de l'entrepôt détruit a immédiatement réclamé la somme de 50 000 € de dédommagement.

À corps perdu

Andrew Fischer, un informaticien du Nebraska au chômage, s'ingénie à tirer parti du seul bien que les banques ne lui ont pas saisi après la retentissante faillite de sa start-up : son propre corps. Après avoir renoncé à se lancer dans la carrière aléatoire de gigolo, et ayant ausculté son anatomie sous toutes les coutures, Fischer constate que son large front peut avantageusement se transformer en panneau publicitaire. Quand il formule son offre sur Internet, précisant qu'il refuse tatouage indélébile et réclame pour un produit indécent, il est submergé de propositions. Il choisit finalement d'arborer le logo de *SnoreStop*, un remède contre les ronflements. Contre un bail de location d'un mois renouvelable, Fisher reçoit un joli chèque de 37 375 dollars, taxes locales et TVA incluses. Seule clause prévue au contrat : l'espace publicitaire doit être ostensiblement exposé à la vue du public pendant au moins six heures par jour. Si Fisher marche aujourd'hui la tête haute et dort sur ses deux oreilles, l'histoire ne dit pas s'il fait usage, la nuit, du produit dont il assure la promotion !

Virginia Garrik, une respectable grand-mère new-yorkaise, est prise de malaise, alors qu'elle inflige, dans un bowling de Brooklyn, une cuisante raclée à des camarades de son âge. Transportée à l'hôpital, la vieille dame est admise au service de réanimation. Quand l'infirmière la déshabille, elle constate avec stupeur que « pas de réanimation » est tatoué en grosses lettres sur la poitrine de sa patiente. Aux États-Unis, les citoyens ont le droit de réclamer, en cas de coma prolongé, que les médecins renoncent à les réanimer. Redoutant sans doute de faire l'objet d'un acharnement thérapeutique, Mme Garrick avait pris la précaution d'afficher par écrit ses dernières volontés ! À la fin des années 1960, le cri de rassemblement des féministes n'était-il pas « mon corps m'appartient » ?

Frasques à l'anglaise

En 2006, Cherie Blair, avocate et épouse du Premier ministre britannique de l'époque, s'est vu décerner par la municipalité de Londres l'une des récompenses les plus convoitées du royaume, la *Freedom of the City of London*, une distinction datant de 1237 qui honore des personnalités de la politique, du commerce, de la finance, de la diplomatie et de la culture. Bien que n'ayant œuvré dans aucune de ces disciplines, l'ex-*First Lady* bénéficie toutefois de toutes les prérogatives liées à sa nouvelle qualité. Ainsi peut-elle, par exemple, conduire un troupeau de moutons sur le pont de Londres, sans risquer d'être importunée et verbalisée par la police.

Cherie Blair est également autorisée à se promener dans la City, le quartier des affaires, de la presse et de la finance, armée d'un sabre. Compte tenu de la foule qui congestionne les rues du centre de la capitale anglaise le samedi après-midi, ce privilège peut, nous l'espérons, lui être d'une grande utilité. En effet, l'édit du Moyen Âge ne stipulant pas si le récipiendaire est en droit ou non de faire usage de son arme, Mme Blair pourra faire voler, çà et là, les têtes des piétons qui gêneraient sa progression vers les boutiques de luxe.

Autre avantage non moins négligeable : la *Freedom of the City of London* accorde à ses lauréats le droit de déambuler dans la ville « saouls et débauchés » sans craindre les foudres de la maréchaussée.

Nous attendons donc avec impatience d'observer l'ancienne Première Dame de Grande-Bretagne quitter night-club ou restaurant en état d'ébriété. Puis, titubante et sabre au clair, pousser négligemment devant elle son troupeau de moutons !

Zéro pointé

Qui a dit que nos compatriotes ignoraient tout de la géographie ?

En 1955, en proie à une crise ouverte avec le Maroc, la France est contrainte de déposer Ben Arafa, le sultan fantoche qu'elle a nommé en remplacement du roi Mohammed V, exilé par ses soins à Madagascar. À Aix-les-Bains, puis à Saint-Germain-en-Laye et à La Celle-Saint-Cloud, des pourparlers s'engagent entre les deux parties pour trouver une solution au conflit qui a déjà fait des centaines de victimes, du nord au sud du Protectorat.

Antoine Pinay, le bienfaiteur des petits épargnants et par ailleurs ministre français des Affaires étrangères, négocie âprement le retour du souverain chérifien. Pour sauver la face et rétablir la paix, il consent à des concessions importantes mais se montre inflexible sur un point : il ne signera aucun compromis si le bail emphytéotique assurant à la marine française la libre disposition de la base de Bizerte n'est pas reconduit. Les Marocains tergiversent, font monter les enchères, obtiennent des avantages dont ils n'avaient pas rêvé, puis acceptent finalement cette clause au nom du pragmatisme diplomatique. Les discussions s'achèvent enfin sur un accord. Officiellement le pire a été évité. Mohammed V pourra rentrer au Maroc et, en contrepartie, la France conservera pendant 99 ans sa base militaire de l'autre côté de la Méditerranée.

Pour ne pas froisser la susceptibilité de leur ministre, cancre en géographie, les négociateurs français n'avaient pas osé l'informer que, comme le savent la plupart des écoliers, le port de Bizerte se trouve en Tunisie, à 3 000 km des côtes marocaines. Et qu'à cause de cette bévue, habilement entretenue par les Marocains, ils avaient dû signer un traité désavantageux pour la République.

Grigris et griots

En 1987, un flash spécial de la télévision zaïroise annonce qu'un éminent scientifique zaïrois, le professeur Lurhuma, et un médecin égyptien, le docteur

Shawflik, communiqueront dans la soirée « une nouvelle de nature à bouleverser l'Afrique et le reste du monde ».

Aussi, à 18 heures, diplomates et journalistes s'entassent-ils dans le Centre de conférences internationales lorsque les deux savants se présentent sous le crépitement des flashs. Le professeur Lurhuma prend la parole le premier :

— Nous venons de mettre au point un traitement contre le sida appelé MM1, du nom de nos chefs d'État respectifs, MM. Mobutu et Moubarak. Les résultats des premiers tests nous permettent d'espérer qu'un remède peu onéreux sera rapidement mis sur le marché.

Bien que la nouvelle soit accueillie avec suspicion par la communauté scientifique, des milliers de malades désespérés affluent aussitôt à Kinshasa pour se procurer le remède miracle. Quelques semaines plus tard, tandis qu'un laboratoire belge, qui a procédé à des analyses, annonce que le médicament n'est rien d'autre qu'une décoction d'herbes aromatiques, on retrouve la trace de l'énigmatique professeur Lurhuma. Il coule des jours paisibles dans la luxueuse villa que Mobutu lui a offerte en récompense de sa « géniale » découverte.

Au cours des années suivantes, bravant le ridicule et ne craignant pas de donner de faux espoirs aux malades, d'autres expérimentateurs proclamèrent à leur tour avoir vaincu le virus. Signalons pour mémoire le « missile antisida », une arme concoctée par une équipe de sorciers, d'astrologues et d'anciens militaires, dont les effets se sont limités à vider les comptes en banque d'une centaine de naïfs !

Gais, gais, marions-nous !

Le mariage est-il une institution résolument contre nature ? C'est en tout cas ce que laissent penser les deux histoires suivantes.

En 2006, Emma Knight, une Britannique de 41 ans, s'apprête à convoler lorsque Paul Fox, son fiancé, lui annonce tout de go qu'il a changé d'avis. « Je suis restée prostrée quelques minutes, a raconté la malheureuse. Puis j'ai décidé de maintenir la réception de mariage et de remplacer Paul par Dennis, mon berger allemand bien-aimé. Mes amis ont congratulé le jeune marié, vêtu d'un smoking coupé à ses mesures, puis nous avons filé en voyage de noces à Saint-Malo, où nous avons passé une semaine inoubliable », a aussi confié Emma. Sans donner plus de détails sur son emploi du temps.

Autre exemple non moins édifiant. À Cap Cod, aux États-Unis, Peter et Sabina Crowford, un couple de jeunes Américains, se consument d'amour après s'être passé la bague au doigt. Tandis que Peter s'affaire dans la cuisine pour préparer un substantiel petit déjeuner, Sabina s'agenouille devant lui. L'effet de la gâterie qu'elle lui prodigue ne se fait pas attendre. Pris d'un plaisir intense, l'homme déverse sur le dos de sa femme l'omelette baveuse qu'il est en train de confectionner. Sous la douleur, Sabina serre les dents. Pour la faire lâcher prise, son mari lui assène de violents coups de poêle à frire sur la tête.

Conduit à l'hôpital, le couple doit avouer piteusement aux médecins les circonstances de l'accident. Tandis que Peter est soigné pour une morsure profonde au membre viril, Sabina est, elle, prise en charge pour des brûlures au dos, une pommette fracturée, et un léger traumatisme crânien.

En dépit des dégâts collatéraux, le couple est bien décidé à rester uni. Mais en modérant à l'avenir ses transports amoureux dès potron-minet !

Vagabondage orthographique

Au nombre des prodiges modernes qui embellissent la vie, Internet permet d'acheter à domicile des titres de transport pour n'importe quelle destination. Ainsi, Tobias Gutt, un Berlinois de 21 ans, désireux de rejoindre sa fiancée à Sydney, en Australie, pour passer les fêtes de fin d'année en sa compagnie, se procure-t-il un billet sur la Toile.

Le jeune homme prend place à bord d'un avion qui, *via* Francfort, le dépose à Portland, dans le nord-ouest des États-Unis. Bien qu'intrigué de devoir boucler le tour du monde pour atteindre son but, alors qu'il lui semble qu'il existe un vol Francfort-Singapour-Sydney, Gutt embarque ensuite dans un bimoteur à hélices qui survole bientôt des forêts désolées couvertes de neige. Au terme d'une multitude d'escales plus réfrigérantes les unes que les autres, le voyageur parvient, épuisé, à destination. Stupeur ! L'aérogare ressemble davantage à une cabane de bûcheron qu'à un complexe aéroportuaire digne d'une cité mondialement connue.

— Où sommes-nous ? demande, hébété, le jeune Allemand à une femme de ménage.

— À Sidney, lui répond distraitement cette dernière, en essorant sa serpillière.

— Sydney, Australie ?

— Non, S.I.D.N.E.Y, Montana, 4 800 habitants.

Gutt se rue dans une cabine téléphonique et informe sa fiancée de sa bévue. Une faute d'orthographe, commise en rédigeant sur Internet le nom de sa ville de destination, l'a expédié à 14 000 km de l'Australie.

La famille de l'étourdi se mobilise pour l'achat d'un nouveau billet électronique. Après trois jours d'errance supplémentaires, Tobias rejoint enfin sa bien-aimée. Vous avez dit S.Y.D.N.E.Y ?

Creuser sa tombe avec ses dents

Aux États-Unis, sucres et graisses, ingurgités en excès, sont responsables, on le sait, d'un taux catastrophique de personnes obèses.

Désireux sans doute de combattre le mal par le mal, Joe Walker, un restaurateur de l'Arizona, a nommé son établissement The Heart Attack Grill (le Grill de la crise cardiaque). Au menu de ce temple dédié au cholestérol, on trouve des hamburgers en quatre tailles : « simple pontage », « double pontage », « triple pontage », et, naturellement, le succulent « quadruple pontage » qui subjugue la clientèle avec ses quatre couches de viande rouge, deux de bacon, trois de fromage fondu, sans oublier les oignons et la « sauce gourmet », subtile combinaison de ketchup et de mayonnaise. Walker recommande d'accompagner ses spécialités d'un « électro-cardiogramme plat », autrement dit d'une généreuse portion de frites baignant dans l'huile. Ainsi pour une poignée de dollars, les gastronomes ont-ils l'opportunité de s'approprier 2 500 calories supplémentaires, qui, si leur métabolisme fonctionne correctement, vont aussitôt se loger dans les fessiers et le tour de taille. Si, au terme du festin, certains gourmets ressentent un léger ballonnement, nulle crainte à avoir ! Les jolies serveuses déguisées en infirmières les raccompagneront jusqu'à leur voiture en fauteuil roulant !

Pour restaurer la santé de leurs contemporains, malmenée par des régimes alimentaires hypercaloriques, on serait en droit d'attendre des médecins américains qu'ils rédigent des ordonnances claires et rigoureuses. Or, dans un pays où les pharmaciens préparent encore des médicaments spécifiques pour chaque malade, l'illisibilité des prescriptions entraîne des erreurs médicales, responsables de près de 100 000 décès par an. Du coup, pour réduire l'hécatombe, l'Institut national de médecine organise des séminaires de belle écriture à l'intention des praticiens !

Une peur irrationnelle

Sigmund Freud a émis l'hypothèse que l'espèce humaine demeurerait hantée par le souvenir de peurs immémoriales, qui se transmettraient génétiquement de génération en génération depuis l'ère glaciaire. Selon cette théorie, tout ce qui nous serait inconnu représenterait dans notre inconscient collectif un danger potentiel, et provoquerait un phénomène de rejet.

En 2006, alors que la Hongrie a rejoint l'Union européenne depuis deux ans, l'Institut de sondage Tarkis interroge la population pour savoir quel sentiment elle nourrit à l'égard des Pirèzes. Le résultat est massivement négatif, 59 % des personnes interrogées rejetant farouchement l'entrée de cette minorité ethnique dans le pays. « Nous haïssons les Pirèzes » ou « Nous voulons que les Pirèzes disparaissent de la surface de la Terre » sont les réponses les plus fréquemment formulées.

L'année suivante, un second sondage portant sur le même thème confirme, cette fois avec 68 % d'opinions négatives, que les Hongrois sont plus que jamais opposés à accueillir ce peuple venu d'ailleurs. Assimilant les Pirèzes aux Tziganes, les chômeurs, les personnes n'ayant qu'un faible niveau d'étude et les déçus de la démocratie sont les plus hostiles.

Après avoir largement divulgué et commenté dans la presse les résultats de ce double sondage, l'Institut Tarkis a informé les Hongrois que les Pirèzes n'existaient pas. Et que par conséquent la menace que ce peuple fictif faisait planer sur la population n'était que pur fantasme.

À l'heure où la planète se rêve « village global », espérons que la théorie du père de la psychanalyse sera un jour battue en brèche !

Le bout du rouleau

Chaque pays doit s'accommoder des lacunes de son système administratif et admettre les initiatives parfois malheureuses de ses fonctionnaires. La Suède pas plus qu'un autre État n'est à l'abri des dérapages.

En 1986, Lars Torssen, un employé de police d'Hagfors, une petite ville suédoise, est chargé de renouveler le stock de papier toilette du commissariat. Prenant sa mission par-dessus la jambe, il torche son bon de commande et coche distraitement la case « palettes » au lieu de la case « paquets ». Résultat : une semaine plus tard, un camion semi-remorque déverse sur le trottoir, devant le poste de police, des dizaines de milliers de rouleaux de papier hygiénique. « Affolé, j'ai bien demandé au chauffeur de repartir avec son chargement, a raconté l'écervelé, mais il m'a expliqué que cela coûterait une fortune. Fortune que j'aurais été bien en peine de justifier auprès de mes supérieurs. »

Pour dissuader les sauvageons de la ville de ponctionner les biens du royaume, des employés du commissariat montent la garde jour et nuit devant la montagne de palettes. Pendant ce temps, Torssen s'échine à réquisitionner des dizaines de garages pour y entreposer la précieuse marchandise. « Pendant des années, pour écouler nos stocks, dès que des collègues des villes voisines passaient nous rendre visite, nous bourrions leurs coffres de voitures de rouleaux de papier », a avoué le chef de la police.

Enfin, en janvier 2006, après vingt ans de persévérance, les policiers d'Hagfors ont pu inviter les édiles locaux à lever leur verre d'aquavit pour fêter en grande pompe l'utilisation par le maire de la ville… du dernier rouleau de papier toilette !

Pragmatisme chinois

Une tragédie vient de frapper le zoo du Royal Jidi Ocean World, le parc aquatique de Fushun, en Chine. Deux magnifiques dauphins, les attractions de l'établissement, se sont attaqués à la bordure de leur bassin et ont avalé des débris de plastique. Quand leur état devient alarmant, Chen Lujun, le directeur du parc, convoque d'urgence des vétérinaires. Ces derniers tentent de repêcher les fragments toxiques dans leurs estomacs. En vain. Aucun de leurs instruments n'est assez long pour y parvenir. Si aucune solution n'est rapidement trouvée, les mammifères sont condamnés à mourir dans d'atroces souffrances. Va-t-on devoir pratiquer une intervention chirurgicale ou faire appel au bras articulé d'un robot de l'armée ? Tandis que différentes méthodes hasardeuses sont envisagées, Xi, 10 ans, le fils du directeur, tire son père par la manche : « Pourquoi tu vas ne pas chercher Bao Xishun ? » demande le garçon.

Idée de génie. Bao, un berger du voisinage, l'homme le plus grand du monde, mesure 2,36 m. Une fois les mâchoires des dauphins enveloppées dans des chiffons, le géant introduit un bras, long de plus d'un mètre, dans la gorge des animaux et retire un à un les morceaux de plastique. Quelques heures plus tard, les dauphins cabriolent dans leur piscine pour le bonheur de tous.

Une autre histoire animalière confirme le pragmatisme de nos amis chinois. Désireux d'élargir la variété de ses animaux, le zoo privé de Shenyang a peint des bandes noires sur un poney blanc. Ainsi transformé en « zèbre d'Afrique », l'animal se fait photographier pour quelques yuans avec des enfants sur le dos. « Personne n'est dupe, a déclaré avec humour une mère de famille. Nous savons tous qu'il ne s'agit pas d'un vrai zèbre. Surtout les jours de pluie, quand ses rayures déteignent. Mais quelle importance puisque les enfants sont heureux comme ça ! »

Un étudiant branché

Étudiant en médecine, Georghe Dimitrov, un Bulgare de 21 ans, craint d'échouer à une épreuve de physiologie, décisive pour son passage en quatrième année. Que faire ? Difficile de se confectionner des « antisèches » et de les dissimuler dans ses manches de veste, quand l'examen porte sur le contenu de deux gros manuels bourrés de formules et de termes compliqués ! En désespoir de cause, Georghe subtilise le talkie-walkie miniature de son père, agent des services secrets bulgares, et demande à un ami étudiant de lui communiquer à distance les bonnes réponses.

Or, tandis que le subterfuge fonctionne à merveille et que sous la dictée de son complice Georghe noircit de la copie, le président Bush effectue une visite officielle à Sofia. Les services secrets chargés de sa sécurité sont brusquement mis en alerte lorsqu'ils captent, sur la fréquence de leurs radios, une voix mystérieuse qui débite des séries de chiffres incompréhensibles et des bribes de phrases qui semblent être codées. Persuadés qu'un attentat terroriste est en cours, ils parviennent à localiser la source des appels et, accompagnés de policiers armés et d'agents du FBI, font irruption dans la salle d'examens de la faculté de médecine.

Dimitrov est arrêté sous les yeux ébahis de son père, conduit en prison, et interrogé sans ménagement. Quand il apparaît que le tricheur n'a aucun lien avec un groupe d'extrémistes, il est relâché. Mais condamné à payer une lourde amende pour l'utilisation de matériel militaire sans autorisation, et aussitôt radié de l'université.

Besoin d'un plus petit que soi

Une femme affolée entre en trombe dans un commissariat de police, à Brême, en Allemagne.

— Je viens d'assister à un enlèvement, hurle-t-elle à l'officier de permanence.

— Qu'avez-vous vu exactement ?

— J'ai vu un homme faire monter un jeune enfant dans le coffre de sa Mercedes et l'enfermer à l'intérieur.

— Que s'est-il passé ensuite ?

— Le kidnappeur a pris la fuite vers le nord.

La femme ayant eu le temps de mémoriser le modèle, la couleur, et le numéro de la plaque minéralogique de la voiture, le dispositif anti-rapt est déclenché. Un hélicoptère décolle et des barrages sont mis en place aux portes de la ville. Le quadrillage policier porte ses fruits. Le véhicule suspect est rapidement intercepté et son conducteur capturé par les forces de l'ordre.

— Ouvrez lentement votre coffre, lui ordonne un officier.

Stupeur générale ! Un nain s'extrait péniblement de l'habitacle et s'ébroue en maugréant.

— Qu'est-ce que vous faites ? lance-t-il aux policiers, interloqués. Pourquoi arrêtez-vous les honnêtes travailleurs ?

Renseignement pris, l'homme s'appelle Klaus Muller. Surnommé « Rase bitume » par ses collègues, il est mécanicien automobile dans un garage du centre.

— Que faisiez-vous dans le coffre de cette voiture ? demande encore un inspecteur.

— M. Wolff, que je connais depuis des années, m'a expliqué qu'il entendait un bruit bizarre à l'arrière de sa Mercedes. Sachant que j'avais la taille requise, il m'a demandé de m'installer dans le coffre pour que je puisse l'identifier et effectuer la réparation.

Le prix de la pierre

Si vos tentatives pour acquérir un logement se sont soldées par des échecs tant le prix de l'immobilier a atteint des sommets, sachez qu'un « appartement » de 7 m² a été mis en vente à Chelsea, un quartier de Londres très recherché, pour la bagatelle de 258 000 € ! Cet ancien placard à produits d'entretien de 3,35 m sur 2,13 m est éclairé par un vasistas. « C'est le gourbi le plus déprimant que j'ai jamais vu », a sobrement commenté l'agent immobilier chargé de le faire visiter.

Autre exemple de la flambée du prix de la pierre : la villa construite, en 1947, par le magnat de la presse William Randolph Hearst à Beverly Hills, le quartier ultrachic de Los Angeles. Coût hors frais de notaire : 121 millions d'€. Il est vrai que la bicoque, construite sur 3 hectares arborés, compte vingt-neuf chambres, trois piscines, une salle de cinéma, et que John et Jackie Kennedy y avaient passé leur lune de miel, en 1953.

Si vous envisagez maintenant de revoir vos prétentions à la baisse, pourquoi ne pas orienter vos recherches vers les demeures ayant abrité des scènes de crime ? Quand elles ne sont pas détruites, beaucoup restent inhabitées pendant des années, et leur prix est généralement abordable. Ainsi la maison où la jeune Autrichienne, Natascha Kampusch, avait été séquestrée pendant huit ans et demi n'a-t-elle toujours pas trouvé acquéreur, même à la moitié de sa valeur marchande. Au Kansas, le pavillon Holcomb, rendu célèbre grâce à *De sang-froid*, le roman de Truman Capote, et dans lequel les quatre membres de la famille Clutter avaient été atrocement assassinés, est, lui aussi, toujours disponible. Pour couvrir les frais d'entretien, les héritiers le font visiter au public une fois par semaine, à raison de 5 dollars l'entrée !

Séries policières

En 2002, la gendarmerie d'un village de Champagne reçoit un appel téléphonique.

— Je m'appelle Chantal Carrière, je suis professeur de mathématiques à la retraite, annonce une femme au bout du fil.

— Que puis-je pour vous ?

— J'ai le devoir citoyen de dénoncer mes voisins, les Morand.

— Pour quelle raison ?

— Il y a quelques semaines, ils ont acheté deux jeunes enfants et ils viennent de les assassiner dans leur jardin, poursuit l'informatrice.

Aussitôt mise en alerte, la brigade réveille les Morand et les conduit à la gendarmerie pour les interroger. Ils sont relâchés au petit matin faute de preuve les incriminant. Tandis que Chantal Carrière persiste à affirmer avoir été témoin d'un double meurtre, les Morand portent plainte contre elle pour dénonciation calomnieuse. L'affaire est jugée devant le tribunal de Reims.

— Qu'est-ce qui a pu vous laisser croire que vos voisins étaient des bourreaux d'enfants ? demande le magistrat à la prévenue.

— Je jure de dire la vérité, déclare la femme. D'ailleurs, quand les Morand ont tué les enfants, n'ai-je pas immédiatement alerté le commissaire Moulin, qui s'est rendu sur les lieux, en compagnie des commissaires Maigret et Navarro ?

Dans la salle d'audience, public et avocats se mordent les lèvres pour ne pas rire. Surtout lorsque l'ancien professeur de mathématiques déclare, en pointant un doigt accusateur vers les Morand :

— Je vous condamne pour meurtres d'enfants au nom du Père, du Fils et du Saint-Esprit.

On ignore si, dans l'hôpital psychiatrique où elle séjourne dorénavant, Mme Carrière est restée fidèle aux séries policières !

L'enfance de l'art

En adjugeant, pour la somme astronomique de 14,4 millions d'€, une composition du plasticien anglais Damien Hirst, la maison d'enchères Sotheby's de Londres a battu, en juin 2007, le record de vente d'une œuvre d'un artiste vivant. Intitulé *Lullaby Spring*, le chef-d'œuvre se présente sous la forme d'une armoire à pharmacie contenant 6 136 pilules faites et peintes à la main.

Déjà célèbre pour son *Requin dans le formol*, Hirst semble ne pas avoir attendu que sa cote grimpe en flèche pour négocier ses œuvres aux meilleurs prix. Ainsi apprend-on, dans le livre que lui a consacré l'acteur et écrivain Keith Allen, qu'un soir, au National Theatre de Londres, sir Trevor Nunn, un producteur de comédies musicales, s'était discrètement glissé aux côtés du peintre pour lui susurrer à l'oreille :

— Mon cher Damien, savez-vous qu'il y a quelques années, j'ai acheté l'une de vos toiles, *La Tulipe bleue* ?

— J'en suis flatté, avait répondu Hirst avec un sourire. Mais dites-moi un secret, combien l'avez-vous payée ?

— Oh, pas cher, seulement 25 000 €.

— À mon tour de vous dire un secret. Ce tableau a été peint par mon fils, Connor, quand il avait 2 ans.

Nunn s'était éloigné en blêmissant. Plusieurs années plus tard, le tableau était passé en salle des ventes à New York. Et avait trouvé acquéreur pour 70 000 € !

Au milieu du siècle dernier, quand les œuvres de Picasso choquaient encore le public non averti, il n'était pas rare d'entendre des mères de famille s'esclaffer devant une peinture du maître :

— Ça, un chef-d'œuvre ! Mon fils de 2 ans est capable d'en faire autant !

Attelages mixtes

On se souvient que les « lancers de nains », originaires d'Australie et popularisés par les films de la trilogie *Le Seigneur des anneaux*, avaient été interdits en 1996 par le Conseil d'État.

Fort heureusement les nostalgiques de ces exploits sportifs pourront se consoler en assistant, en Finlande, au championnat du monde de « porter de femme ». Créée en 1992 dans le village de Sonkajärvi, cette épreuve rend, semble-t-il, hommage à un célèbre brigand local qui, vers 1800, aurait kidnappé une femme dans un hameau voisin, en l'emportant sur son dos.

L'édition 2007 a réuni cinquante-cinq couples originaires de seize pays, dont l'Afrique du Sud, l'Italie et le Japon. Les règles sont simples mais intransgressibles. Les hommes doivent parcourir une distance de 253 m en un temps record, en portant leur épouse légitime ou à défaut celle d'un proche voisin. Les coéquipières doivent être âgées d'au moins 17 ans et peser plus de 48 kg. Bien que les tandems puissent choisir librement leur style, la technique la plus en vogue consiste pour la femme à se suspendre dans le dos de son compagnon, la tête en bas et les jambes enroulées autour de son cou.

Les nombreux passages d'obstacles – fosses pleines de boue et bosquets d'épineux – déclenchent l'hilarité des 3 000 spectateurs, chaque chute entraînant une pénalisation de 15 secondes. Les champions 2007, des Estoniens, ont bouclé l'épreuve en 55 secondes, battant ainsi le record du monde. Selon la tradition, les vainqueurs ont reçu en cannettes de bière l'équivalent du poids de la cavalière. *Skol !*

Hommes en cage

À Paris, à partir de 1877, Geoffroy de Saint-Hilaire, directeur du Jardin d'acclimatation, expose des Nubiens pour pallier la baisse de fréquentation du parc zoologique. Enfermés comme des bêtes sauvages et souvent accompagnés d'autruches, de chameaux ou de singes, ils sont offerts à la curiosité des visiteurs qui leur jettent de la nourriture. Plus tard, des lieux de spectacle prennent le relais. Les Folies Bergère présentent des

Zoulous et des aborigènes d'Australie ; tandis qu'en 1892 le Casino de Paris met en scène des « Guerrières amazones ». Ces spectacles « ethnographiques » insistent naturellement sur « la cruauté de ces races sauvages et inférieures ».

En 2007, ces pratiques nauséeuses n'avaient toujours pas tout à fait disparu. En effet, invités au Festival panafricain de musique de Brazzaville, un groupe de vingt Pygmées d'Afrique centrale avait été logé dans… le zoo de la capitale, alors que les autres délégations prenaient leurs quartiers à l'hôtel. L'Observatoire congolais des droits de l'homme avait dénoncé cette discrimination en ces termes : « Il est odieux de constater que les Pygmées, considérés comme des sous-hommes par les autres habitants de la région, dorment sur des matelas à même le sol, sous le regard des curieux qui viennent les filmer en famille. »

Signalons encore qu'afin d'attirer l'attention du public sur les mauvaises conditions de détention des primates, une poignée d'Australiens a récemment décidé de passer ses journées dans une cage à orangs-outans désaffectée du zoo d'Adélaïde. Les règles imposées aux volontaires sont strictes : pas de nudité ni de baignade, pas de comportements insultants envers les spectateurs. Les vétérinaires du zoo ont prévenu qu'en cas de désordre ils n'hésiteraient pas à faire usage de leurs carabines à fléchettes sédatives. L'homme serait-il un singe pour l'homme ?

Attention médecins !

« Pour vivre en bonne santé, mieux vaut éviter d'avoir affaire aux médecins. » Cette maxime provocatrice, que n'aurait pas désavouée Molière, correspond-elle à une quelconque réalité ? « Assurément », affirme le docteur Richard Besser, chercheur au Centre fédéral américain de contrôle et de prévention des maladies. Selon lui environ neuf millions de ses compatriotes seraient hospitalisés inutilement, et le nombre de décès dus à des soins inappropriés ferait chaque année près de 800 000 victimes !

Deux histoires, recueillies dans la presse internationale, illustrent à leur manière ces statistiques alarmantes.

En juin 2007, une femme est admise dans une clinique privée, dans l'État du Tamil Nadu, en Inde, pour y accoucher par césarienne. L'intervention, bien que chaotique et traumatisante, se déroule sans dégâts majeurs. La mère et l'enfant sont en vie. Quelques semaines plus tard, le directeur de la clinique projette une vidéo de l'opération à des collègues. Stupeur ! Le « chirurgien » n'est autre que son fils, un gamin de 15 ans, qui ne possède aucune qualification. « Regardez, mon fils est le plus jeune chirurgien du monde », se rengorge Murugesan. Avant d'être radié de l'ordre des médecins et inculpé pour « mise en danger de la vie d'autrui ».

La seconde histoire se déroule en Argentine. Une équipe chirurgicale pratique une appendicectomie quand une panne de courant paralyse l'hôpital. Les groupes électrogènes de secours étant hors service, chirurgien et infirmières se précipitent sur le parking et essaient de bricoler un éclairage de fortune avec une batterie et des phares de voiture. Le résultat n'étant pas concluant, ils retournent au bloc et terminent avec succès l'intervention. Avec pour seul éclairage la lueur de… leurs téléphones portables !

Compte à rebours

Pour les hindouistes fervents, conclure son passage sur terre sur un bûcher funéraire, puis avoir ses cendres dispersées par un membre de sa famille dans les eaux du Gange, permet à l'âme d'échapper au cycle des renaissances et d'atteindre le salut. C'est en partie pour satisfaire ce vœu que Bénarès accueille chaque année des milliers de pèlerins, parmi lesquels se trouvent de nombreux malades incurables et des personnes en fin de vie. Mais tous ne peuvent pas s'offrir une chambre d'hôtel. Pour venir en aide aux plus démunis, Bhairav Shukla, un brahmane généreux, met à la disposition des indigents les douze chambres de sa modeste pension, « la Maison du salut ». Une seule condition est exigée pour bénéficier gracieusement du gîte : mourir dans les quinze jours pour laisser la place à quelqu'un d'autre ! Prédire la date d'un décès n'est pas, on le sait, une science exacte et certaines familles se retrouvent bientôt dans des situations délicates. Ainsi la famille de Ram Pandey, 85 ans.

— J'ai amené mon père ici quand les médecins m'ont dit qu'il n'y avait plus d'espoir de le sauver, raconte son fils chargé d'allumer le bûcher le moment venu.

— S'il ne meurt pas dans les quarante-huit heures, je vais devoir le ramener en train au village. Dans l'état où il se trouve, je crains qu'il ne supporte pas les dix heures de voyage en troisième classe. »

Compte tenu de l'enjeu spirituel, on suppose que certaines familles donnent parfois un coup de pouce au destin, en satisfaisant la volonté de leurs vieux parents de mourir et d'être incinérés à Bénarès. Dans la cité sacrée personne ne s'offusque de cette pratique. Peut-être parce que dans la mythologie hindouiste le Gange symbolise la chevelure de Shiva, vénérée pour ses vertus libératrices ?

Réactions en chaîne

Le 15 octobre 1996, vers 19 heures, Paul Masson, 44 ans, chef de chantier, téléphone à son épouse et file sous la douche. Il se lave soigneusement les cheveux avec le shampooing « 2 en 1 » qu'il a acheté quelques heures plus tôt et se met au lit dans la chambre du motel où il réside.

— Toute la nuit, j'ai eu des démangeaisons du cuir chevelu, racontera-t-il plus tard. Je suis allé travailler à 6 h 30, en me grattant le crâne comme si j'avais des poux. À 13 heures, j'ai eu des bouffées de chaleur, puis des douleurs atroces. J'ai bien cru que j'allais mourir.

Son état empirant, Masson est admis à l'hôpital où il fait plusieurs arrêts cardiaques. Les médecins parviennent à le ranimer et diagnostiquent un œdème de Quincke. Après enquête, il s'avère que cette réaction allergique extrêmement grave a été provoquée par le shampooing acheté la veille.

— Mon calvaire ne faisait que commencer, poursuit le malheureux. Le traitement à base de cortisone m'a détruit les hanches. On m'a alors posé des prothèses en titane. Puis, je suis devenu diabétique et incapable de travailler.

Tandis que Masson perd le peu de santé qu'il lui reste et qu'il ne se déplace plus qu'en fauteuil roulant, la justice se hâte avec une lenteur désespérante. L'affaire ne vient devant un tribunal que dix ans après l'empoisonnement. N'obtenant que 1 500 € de remboursement de frais d'hôpitaux, le plaignant interjette appel. En attendant un second procès qui, espérons-le, lui rendra enfin justice, Masson continue de se battre.

— Même pour obtenir la carte de grand invalide civil me donnant accès aux emplacements réservés sur les parkings, il m'a fallu patienter des années et multiplier les démarches administratives, se lamente encore le malade.

Coups de foudre

Certains prétendent que le destin de chacun d'entre nous est placé dès la naissance sous l'influence de l'un des quatre éléments. Si cette théorie est exacte, le feu, à n'en pas douter, fut l'élément tutélaire de Roy Sullivan, un Américain de Virginie. Jugez-en plutôt.

En 1912, Roy est frappé par la foudre en rase campagne. À l'exception d'une forte commotion et de la perte d'un gros orteil, son jeune âge et sa forte constitution lui sauvent la vie. Dix-sept ans plus tard, tandis qu'il traverse un parking sous une pluie battante, la foudre s'abat une nouvelle fois sur lui, lui rasant les sourcils et le blessant à la main. Six mois plus tard, *bis repetita*, ses cheveux grillent alors qu'il bêche son jardin et que l'orage gronde au-dessus de sa tête.

Ignorant si son magnétisme ou sa malchance chronique sont responsables de cet acharnement, Roy équipe le toit de sa maison d'une batterie de paratonnerres et s'abstient de sortir de chez lui dès que le ciel se charge d'éclairs. En dépit de ces précautions, la foudre le frappe une quatrième fois, quinze ans plus tard, et le prive de l'usage du bras gauche.

Après avoir formellement interdit par voie testamentaire qu'on incinère sa dépouille, Roy Sullivan meurt de mort naturelle à l'âge de 87 ans. Sa famille le porte donc en terre dans le cimetière de sa bourgade natale. Hélas, même mort, la foudre ne l'a pas oublié.

Elle frappe le cercueil, réduisant en cendres ce qui restait du malheureux.

Le progrès en question

La nature humaine se montre généralement rétive aux nouveautés. Avant d'être accepté et intégré par le public, chaque progrès technologique demande temps d'adaptation et délai d'accoutumance.

Ainsi, lorsque le premier escalier mécanique fut installé dans le métro londonien, les voyageurs répugnèrent-ils à l'utiliser, contrairement à ce que l'on aurait pu croire. Pour les mettre en confiance, on engagea un unijambiste à pilon qui, à longueur de journée, montait et descendait l'escalier. L'apparente facilité avec laquelle l'infirme évoluait sur l'étrange machine devant rasséréner les usagers. Néanmoins, trois jours plus tard, et en dépit de sa prestation très convaincante, le cobaye fut remercié par la direction, une femme ayant porté plainte après avoir mis son jeune fils en garde : « Éloigne-toi de cet engin, William, avait-elle ordonné au garçonnet, tu vois bien ce qui est arrivé à ce pauvre homme ! »

Une salutaire rage de dents

La championne olympique d'épée, Laura Flessel, et son mari ont échappé de justesse à la mort grâce à la rage de dents de Leïlou, leur bébé âgé de 20 mois. Réveillée par les pleurs de sa fille, à 4 heures du matin, Laura Flessel saute de son lit pour la réconforter. Mais bientôt sa tête tourne et elle s'écroule, inanimée. Son mari a juste le temps de prévenir les secours avant de s'évanouir à son tour.

Le médecin du SAMU arrivé sur les lieux décèle une émanation de monoxyde de carbone due à un chauffe-eau à gaz défectueux. Le couple est sauvé *in extremis*. Quant à Leïlou, elle s'était rendormie et n'avait pas souffert d'intoxication, son berceau se trouvant éloigné de l'appareil et au ras du sol.

Un nom qui vaut de l'or

Mikhaïl Kalachnikov, le père du célèbre fusil d'assaut *Avtomat Kalachnikova 1947* (AK 47), peut s'enorgueillir d'avoir imaginé l'arme individuelle considérée par de nombreux experts militaires comme la meilleure jamais fabriquée. Devenue emblématique de toutes les organisations de guérilla, équipant les armées de cinquante-cinq pays à travers le monde, l'AK 47 s'est vendue à plus de 100 millions d'exemplaires. Pour autant, l'ingénieur Kalachnikov, général retraité de l'Armée rouge, vivant seul dans un modeste appartement de trois pièces décorées de meubles datant de l'époque stalinienne, n'a jamais perçu le moindre kopeck de droits d'auteur pour sa géniale et meurtrière invention.

Estimant aujourd'hui que sa prodigalité a atteint ses

limites, Mikhaïl, âgé de 84 ans, a décidé de rattraper le temps perdu. Puisque son nom vaut de l'or, pourquoi ne pas décliner une gamme de produits labélisés Kalachnikov ? Le calibre 7,62 mm et les chargeurs de trente cartouches n'étant pas très « tendance » dans les galeries marchandes, le vieux général a porté son dévolu sur des objets moins belliqueux : montres, parapluies et parfums.

— Les articles qui seront fabriqués et signés de mon nom auront des qualités très proches de celles de mon fusil, fiables, d'un emploi facile et indestructibles, a assuré l'inventeur.

Aurons-nous bientôt le bonheur de surprendre dans les conversations de piquantes petites phrases telles que celles-ci : « Quelle heure est-il à ta Kalach ? » Ou : « J'adore ton parfum. Ça ne serait pas *Rafale* de Kalachnikov, par hasard ? »

Qui s'y frotte s'y pique

À peine ses études de droit terminées, Patrick Froment postule un poste administratif dans un ministère. Lassé après six mois d'attente infructueuse, il fait jouer ses relations et obtient par favoritisme la place convoitée.

Chargé de trier les dossiers de candidature des autres postulants, le jeune homme s'acquitte de sa tâche en bureaucrate zélé. Sa rigueur et sa sévérité dans ses choix lui valent les félicitations de ses supérieurs.

Peu après, il reçoit à son domicile une lettre qui

l'informe que sa propre candidature a été rejetée. Après avoir étudié anonymement son propre dossier, il l'avait rejeté, ne s'estimant pas suffisamment compétent pour occuper le poste !

Trop belle pour être honnête

Léon Daudet, le fils du grand Alphonse, fondateur de *L'Action française*, était passé maître dans l'art du canular. Il fit paraître un jour dans son journal une annonce ainsi rédigée : « Jeune fille, 20 ans, très jolie, brune, riche, désire rencontrer monsieur bien, en vue mariage. » Puis il fixa rendez-vous aux postulants, leur demandant de se trouver devant l'entrée du métro Montmartre, à 18 heures, un œillet rouge fiché à la boutonnière en signe de reconnaissance. Il signala ensuite à la préfecture de police qu'un rassemblement de dangereux anarchistes arborant des œillets rouges se préparait à attaquer le palais de l'Élysée. On a prétendu que les amoureux bernés furent si nombreux que la police dut organiser une véritable noria de paniers à salade pour les transporter au dépôt.

Le chef-d'œuvre et la gourmande

De Van Gogh à Modigliani, nombreux furent les artistes de génie dont l'existence fut assombrie par le plus extrême dénuement. Ainsi Camille Pissarro, l'un des maîtres de l'Impressionnisme, connut-il des moments difficiles. À une époque où il se trouvait dans une situation proche de la misère, un ami compatissant, Eugène Murer, pâtissier de son état, eut l'idée d'organiser une tombola en sa faveur. Il émit cent billets à un franc et les plaça auprès de sa clientèle. Il fut convenu que six toiles du peintre seraient offertes aux six billets gagnants.

Le jour du tirage au sort, les joueurs furent invités à se réunir devant la pâtisserie. Le second tableau échut à une petite bonne du quartier. Après avoir considéré son lot d'un œil rond et néanmoins inexpressif, la jeune fille demanda timidement à Murer s'il consentait à le lui échanger contre… un éclair au chocolat. Le pâtissier s'exécuta de bon cœur sous les quolibets de l'assistance.

Si le gâteau disparut comme par enchantement dans la bouche de la gourmande, la toile du maître, d'une valeur devenue inestimable, trône aujourd'hui en bonne place… au musée du Louvre.

Ne vous y trompez pas !

Existe-t-il une entraide animale ou la loi de la jungle prévaut-elle en toutes circonstances ? L'histoire qui s'est déroulée dans une réserve du KwaZulu-Natal, dans l'est de l'Afrique du Sud, fournit peut-être un élément de réponse.

Un troupeau d'antilopes, récemment capturé, est

parqué dans un enclos, en attendant d'être transféré dans une autre réserve. Soudain, alors que la nuit tombe, un vieil éléphant surgit de nulle part, soulève avec sa trompe les loquets qui verrouillent l'enclos, et libère les captives. Détail troublant : l'éléphant s'en retourne d'où il vient, sans même s'être approprié le fourrage des antilopes.

Commentaire de l'équipe de la réserve, qui a assisté médusée à la scène : « L'éléphant a rendu délibérément la liberté aux antilopes. C'est un comportement inédit qui ne peut être expliqué en termes scientifiques ! »

Star d'un soir

Un cambrioleur s'introduit dans un appartement d'Oslo, en Norvège, dans le dessein d'y dérober tout objet de valeur qui pourrait s'y trouver.

Sans perdre une seconde, il explore les armoires, retourne les tiroirs, secoue la vaisselle, sonde les matelas, inspecte les recoins. La déception de l'homme grandit au fur et à mesure qu'il poursuit sa fouille minutieuse mais stérile. À l'exception de vêtements de sport bon marché et de quelques babioles de mauvais goût, il ne déniche rien d'intéressant. Il s'étonne de ses piètres résultats car l'appartement est vaste et situé dans un quartier résidentiel.

En désespoir de cause, le voleur rafle quelques flacons d'eau de toilette et une paire de chaussures. Quand il décide de prendre la fuite, les silhouettes de deux policiers s'encadrent dans la porte d'entrée. L'homme se laisse arrêter sans opposer de résistance. En parfait gentleman, il demande poliment aux agents comment ils ont été avertis de son intrusion, aucun signal d'alarme ne s'étant déclenché.

— Vous vous trouvez dans l'appartement où se tourne « Le Loft », lui répond sur le même ton le premier policier.

Et le second d'ajouter :

— Dix-sept caméras cachées vous ont filmé sans discontinuer et environ 300 000 personnes ont suivi vos faits et gestes en temps réel sur Internet.

Un don du ciel

Durant sa longue et industrieuse carrière, le célébrissime luthier Antonio Stradivari, dit Stradivarius, a confectionné plus de 1 000 instruments de musique, des violons pour la plupart. 500 d'entre eux environ sont toujours en circulation et s'échangent pour des sommes astronomiques entre virtuoses, musées et collectionneurs. Comment s'expliquer dans ces conditions qu'une modeste famille des Açores soit en possession, depuis plus d'un demi-siècle, d'un authentique et rarissime exemplaire ?

Le 28 octobre 1949, l'avion qui relie New York à Paris s'écrase sur les Açores. Les débris de l'appareil se dispersent à travers l'île de São Miguel. Au nombre des quarante-huit victimes – aucun passager n'ayant survécu – se trouvent Marcel Cerdan, le champion de boxe, et la grande violoniste Ginette Neveu, qui voyageait avec son instrument.

Tandis qu'une commission d'enquête est nommée pour déterminer les causes de l'accident, les enquêteurs des compagnies d'assurances ratissent les flancs de la montagne, à la recherche des objets qui appartenaient aux passagers, le plus précieux d'entre eux étant naturellement le Stradivarius de Ginette Neveu. Le violon est finalement découvert dans une masure, mais son nouveau propriétaire légal, un vieil homme pauvre et analphabète, refuse obstinément de s'en dessaisir, en dépit de l'offre mirobolante qui lui est faite.

Sa vie durant, il prendra plaisir à en tirer quelques notes discordantes. Avant de le léguer à son fils, peu avant sa mort.

Pour les siècles des siècles…

Non seulement certaines fautes se paient parfois au prix fort, mais, le cas échéant, elles peuvent rejaillir sur les générations futures.

Ainsi, en 1315, sur un coup de colère qui demeure inexpliqué, le seigneur Geoffroy de Berzé gifle-t-il l'archidiacre de la cathédrale de Mâcon. En expiation de sa faute, le bouillant chevalier est condamné à entretenir dans les fonts baptismaux de la cathédrale un énorme cierge, qui doit rester perpétuellement allumé. Contrainte supplémentaire : la punition doit durer cinq siècles ! En cas de défaillance, le fautif et ses descendants seront bannis et excommuniés. Et, aussi incroyable qu'il y paraît, vingt générations de seigneurs de Berzé se sont correctement acquittés de la promesse donnée par leur ancêtre.

Ce n'est qu'en 1793, avec le renversement de la monarchie, soit vingt-deux ans avant son terme, que la pénitence est enfin tombée en désuétude.

Parfum d'homme

Aux heures d'affluence, les rames du métro de Tokyo sont, paraît-il, les plus congestionnées du monde. Afin d'éviter que trop de passagers ne restent à quai faute de place, des employés en gants blancs sont d'ailleurs chargés de pousser les hésitants dans les wagons bondés. En été, une chaleur d'étuve et des effluves de transpiration s'ajoutent encore à l'inconfort de la promiscuité.

Dans ces conditions pénibles, comment interpréter les regards souvent coquins, les sourires aguicheurs que de nombreuses Tokyoïtes adressent aux hommes qui les bousculent dans la cohue ?

Le mystère vient d'être levé par une équipe de l'université de Pennsylvanie. Une étude, dirigée par le professeur Charles Wysocki, montre en effet que la transpiration masculine a « des effets bénéfiques » sur l'humeur des femmes.

Sous le prétexte de tester un nouveau parfum, les chercheurs ont réuni 18 femmes et leur ont imprégné les lèvres d'extraits de transpiration recueillie sous les aisselles d'hommes qui ne s'étaient pas appliqué de déodorant depuis un mois.

La majorité des dames testées a fait état « d'une réduction du stress et d'un sentiment de sérénité ». Des analyses sanguines ont par ailleurs révélé une hausse du taux de progestérone, caractéristique de la période d'ovulation.

À la question de savoir si la transpiration mâle provoque une excitation sexuelle sur les femmes, le professeur, faisant peut-être implicitement référence aux heures chaudes du métro de Tokyo, a répondu : « Sans aucun doute, mais de préférence dans une ambiance plus sensuelle que celle d'un laboratoire stérile. »

Au pied de la lettre

En prononçant son discours d'investiture, le 6 décembre 2006, Joseph Kabila, le président de la République démocratique du Congo, a-t-il oublié le vieux proverbe chinois qui affirme que « tant que les mots restent dans la bouche, ils sont à toi ; prononcés, ils sont à tout le monde » ? Toujours est-il qu'en promettant dans son allocution que « les prisons du pays seraient ouvertes aux fauteurs de troubles », le chef de l'État a bien malgré lui provoqué l'évasion de trente-quatre détenus.

— Nous venons d'écouter Kabila à la radio nationale, et nous exigeons de bénéficier sur-le-champ de la « grâce présidentielle » qu'il nous accorde, ont revendiqué les pensionnaires de la prison de Kikwit, dans l'ouest du pays.

— De quelle grâce parlez-vous ? ont demandé les geôliers, perplexes.

— Le Président vient de dire que les portes des prisons devaient être ouvertes aux fauteurs de troubles. Nous sommes des fauteurs de troubles, alors libérez-nous, ont expliqué les détenus.

Après conciliabules et concertations, les gardes entrouvrent les portes des cellules et les prisonniers s'évanouissent dans la nature sans demander leur reste. Un caporal alerté par le raffut tente de s'interposer et tire des coups de feu en l'air, dans le vain espoir de retenir les fuyards.

— Bande d'imbéciles ! hurle-t-il à ses hommes. Vous venez de libérer des voleurs et des assassins, alors même que le Président vient de dire à la radio qu'il faut tous les mettre en prison !

Tandis que les heureux « graciés » demeurent introuvables, les six gardiens sont condamnés à des peines de dix ans d'emprisonnement par le tribunal militaire de Kikwit pour « complicité d'évasion de prisonniers dangereux », le caporal écopant d'une année de prison supplémentaire pour avoir « gâché des munitions de l'État en tirant en l'air, provoquant ainsi une diversion qui a facilité la fuite des détenus ».

Le revenant libère un innocent

Aucun témoin n'a assisté au meurtre qui vient d'être commis dans un quartier populaire de Tucuman, une bourgade argentine. La victime, sauvagement lardée de coups de couteau, est un homme d'âge moyen au visage devenu méconnaissable. Bientôt un gamin de 12 ans, auquel les policiers montrent une photo du décédé, l'identifie comme Pedro Roldan, un vagabond alcoolique qui squatte une masure. Tandis que la dépouille du malheureux est enterrée en présence de sa famille, l'enquête de voisinage conclut que Roldan était en conflit avec bon nombre de ses voisins. Dont Ruben Ovejo, un chômeur toxicomane. Ne possédant pas d'alibi pour se disculper, Ovejo est interpellé et, faute d'autres suspects, rapidement déféré devant une cour d'assises. Bien qu'il clame son innocence, il est condamné à une peine de douze ans d'emprisonnement pour homicide involontaire.

Deux ans après les faits, la famille Roldan est réunie au grand complet pour fêter Noël. Alors qu'on s'échange des cadeaux sous le sapin, un cri strident glace le sang de l'assemblée.

— Regarde, maman, c'est le fantôme de Pedro ! hurle une fillette, en désignant du doigt un homme qui vient d'entrer dans la pièce en titubant.

Chacun se précipite vers l'apparition. On la dévisage, on la tâte, on la presse de questions. Nul doute : Pedro Roldan, officiellement mort et enterré, est bien vivant, de retour d'une errance chaotique dans le sud du pays.

Jorge Montero, le médiateur provincial, assure n'avoir jamais été saisi d'un cas pareil. « À peine la nouvelle connue, Ruben Ovejo a été libéré. Mais personne, bien sûr, ne pourra lui restituer le temps qu'il a injustement passé derrière les barreaux. Quant au cadavre qui repose au cimetière, nous ignorons tout de son identité, puisque aucune disparition n'avait été signalée à l'époque ! »

Passage à tabac

« Le tabagisme passif est bon pour la santé, car, inhalée à petites doses, la fumée immunise les poumons contre le cancer. » Lorsque Pascal Diethelm, un médecin suisse à la retraite, ex-cadre de l'OMS, lit cette phrase sur Internet son sang se glace dans ses veines. L'article est signé d'un certain Ragnar Rylander, professeur associé de la faculté de médecine de Genève.

Scandalisé à l'idée qu'un confrère puisse nier l'évidence scientifique, Diethelm approfondit ses recherches et constate avec effarement que l'auteur du brûlot est intervenu à d'innombrables reprises sur des sites antitabac pour minimiser la dangerosité de la nicotine. Mieux encore : le professeur iconoclaste est également consultant pour le compte de la société Philip Morris !

En 2001, Diethelm attaque Rylander en justice pour « falsification scientifique et collusion d'intérêts ». Au cours de l'instruction, le juge établit que le prévenu a effectivement perçu du cigarettier américain environ 100 000 dollars d'émoluments par an pendant trente ans. Il déclare toutefois que son tribunal est incompétent pour se prononcer sur le fond de l'affaire, et laisse à la faculté de médecine de Genève le soin de sanctionner ou non son professeur.

Peu avant la fin du procès et à la veille de l'ouverture de l'Assemblée mondiale de la santé, la prestigieuse revue *British Medical Journal* publie une enquête réalisée entre 1959 et 1998. Elle démontre que le tabagisme passif n'a pas eu de conséquence néfaste sur la santé de 100 000 Californiennes, épouses de fumeurs invétérés. Une « enquête » – la revue n'en fait pas mystère – financée par le lobby du tabac !

Cachez ce sein…

À Paris, au palais du Luxembourg, les anciens sénateurs se souviennent avec tendresse de *La Muse de la source* ou de *La Baigneuse*, une sensuelle naïade en bronze, installée sous les lambris du salon Berthelot. Ils avaient coutume, dit-on, de flatter au passage la juvénile poitrine de la statue. Répété pendant presque un siècle, ce rituel de la main baladeuse avait fini par lustrer le sein droit de la jouvencelle, au point de lui conférer une irrésistible patine mordorée.

Selon une rumeur persistante, c'est Meg Steinheil, l'égérie du président Félix Faure, qui avait prêté sa plastique irréprochable au sculpteur Jean-Baptiste Hugues, en lui servant de modèle. Quand le chef de L'État succombe définitivement au charme de son infatigable maîtresse, l'œuvre entre dans la légende et décuple l'ardeur fétichiste des sénateurs.

En 1969, le prude Alain Poher, président de la République par intérim, fait expulser la tentatrice hors des murs du Sénat. *La Muse de la source* est reléguée dans le fond d'un garage où elle croupit, privée d'amour, jusqu'en 1984.

Réhabilitée par les marbriers du Louvre, la sculpture livre un à un ses secrets. Il s'avère que, commencée en 1881, elle ne peut avoir été inspirée par Mme Steinheil, alors âgée de 12 ans. Si cette révélation ôte du piment à l'histoire mouvementée de la Belle Époque, elle n'altère en rien le pouvoir de séduction de la jolie baigneuse.

Exposée aujourd'hui dans la salle des Fêtes du musée d'Orsay, elle continue d'attiser la concupiscence tactile des visiteurs. Tâté avec gourmandise, furtivement cajolé, ou effleuré d'un doigt distrait, son sein droit subit encore l'usure des caresses et doit régulièrement être repatiné !

Au sommet de l'amour

Au début des années 1950, dans une province reculée du sud-ouest de la Chine, Liu, 18 ans, tombe éperdument amoureux de la ravissante Xu. Seule ombre à ce tableau idyllique, remake de *Roméo et Juliette* : de vingt ans son aînée, Xu est veuve et mère de deux enfants. Bravant la vindicte de sa famille et des amis, Liu s'enfuit avec sa belle et tous deux trouvent refuge dans une grotte perchée au sommet d'une muraille rocheuse. Condamné à vivre en anachorète et en autarcie, le couple vivote en se nourrissant de baies sauvages, de racines et de petit gibier.

Pour permettre à sa compagne adorée de quitter son nid d'aigle et de se délasser dans la vallée, Liu entreprend de tailler à la main 6 000 marches dans la paroi escarpée. Au terme de vingt ans d'efforts ininterrompus, un escalier sommaire serpente enfin à flanc de falaise.

En 2006, après des années de recherche, le petit-fils de Xu parvient à retrouver la trace de sa grand-mère, devenue presque centenaire. Il s'extasie de son histoire hors du commun, la transcrit dans un carnet, la met en forme, et l'envoie au magazine *Chinese Women Weekly* qui organise le concours de la plus belle histoire d'amour de Chine. Remportant le premier prix, le récit est publié dans le journal et bouleverse des millions de lectrices.

Trop âgée pour recevoir sa récompense en main propre, Xu délègue son petit-fils à Pékin, et, pour témoigner de la dureté des conditions de vie que sa compagne a dû endurer pendant un demi-siècle, Liu, son beau-père, lui confie la lampe à pétrole qu'il a autrefois bricolée à partir d'une bouteille d'encre. « Il n'est pas question de demander au couple de quitter la grotte où il a vécu heureux, et où Liu a accompli par amour une œuvre de Titan, s'est exclamé Dai Rong, le député local. Par contre, je m'engage à effectuer les travaux nécessaires pour leur installer l'électricité dès que possible », a encore ajouté le notable en tremblant d'émotion.

Univers parallèles

L'histoire de l'humanité est traversée par des étoiles filantes. Des hommes de génie qui s'éclipsent en pleine jeunesse, laissant derrière eux comme un parfum de fulgurance. Tel fut le cas d'Ettore Majorana, un physicien prodige, fils incandescent de Newton et d'Einstein.

Né en Sicile, en 1906, Majorana entame des études d'ingénieur à l'université de Rome, à l'âge de 17 ans. Remarqué par Enrico Fermi, le futur père du réacteur nucléaire, le tout jeune savant élabore une théorie du noyau atomique constitué de protons et de neutrons. Il soutient ensuite que le neutrino, une particule électriquement neutre de masse infime, est à la fois matière et antimatière, une hypothèse visionnaire dont on débat encore aujourd'hui.

À l'âge de 31 ans, dans la nuit du 27 au 28 mars 1938, Majorana embarque à Palerme à bord d'un bateau qui doit le ramener à Naples où il a accepté d'occuper un poste de professeur à l'université. Or nul ne le voit débarquer, et son corps n'a jamais été retrouvé.

Plus de soixante-dix ans plus tard, on continue de s'interroger sur cette disparition. Fuite ? Suicide ? Enlèvement ? Assassinat ? Le génie s'est dissous dans les limbes.

Aux théories jusqu'alors en vigueur vient aujourd'hui s'en ajouter une autre. On la doit au physicien ukrainien Oleg Zaslavskii. « Majorana n'a fait que s'appliquer à lui-même les principes de sa spécialité, la mécanique quantique, avance ce dernier dans une revue russe de vulgarisation scientifique. Il s'est placé dans une superposition d'états. Il est à la fois mort et vivant, mais dans des mondes différents. »

Cette hypothèse a fait sourire bien des physiciens à travers le monde. On dit aussi qu'elle en a plongé d'autres dans un abîme de perplexité.

Potion magique

La vie quotidienne est pénible dans le village de Coltauco, à 120 km au sud de Santiago du Chili, la fruiticulture fournissant l'unique source de revenus des habitants. Un jour de 2004, une Française se faisant appeler Mme Fred s'y présente au titre de présidente de la société Flamex. Le but de sa visite : transformer radicalement le sort misérable des paysans andins. Son secret : des ferments lactiques qui ont la forme de petites rondelles jaunes et grasses, non comestibles, et qui constituent la matière première à la fabrication d'une nouvelle gamme de produits cosmétiques. « Quand les "fromages" seront parvenus à maturation, ils seront rachetés par mon entreprise au double de leur prix », promet la Française.

Le kit, comprenant un sachet de ferments avec

filtres et flacons, est vendu 360 €, soit environ deux fois le salaire minimum chilien. En quelques mois, près de 6 000 paysans de toute la région se mettent à affiner les « fromages » magiques.

Naturellement, en dehors de se couvrir rapidement de moisissures peu ragoûtantes, les ferments lactiques sont incapables de produire les effets escomptés. À part celui de ruiner rapidement des milliers de naïfs ! Quand le montant de l'escroquerie se chiffre à 15 millions d'€, l'État chilien dissout la société, emprisonne deux employés, et lance un mandat d'arrêt international contre Mme Fred qui a regagné la France, notre pays n'extradant pas ses citoyens.

Dans cette triste histoire, on ne sait s'il faut davantage s'apitoyer sur la crédulité des paysans chiliens ou sur le laxisme de la justice française qui a « pris l'affaire très au sérieux ». Sans entreprendre à ce jour la moindre action pénale à l'encontre de la prédatrice.

Les femmes sont-elles des hommes pas comme les autres ?

Une question récurrente turlupine les savants : en dehors, bien sûr, de l'organe sexuel, en quoi les hommes et les femmes se distinguent-ils réellement ?

Quand les phallocrates se gobergent du faible volume des cerveaux féminins – de 5 à 10 % plus légers que ceux des hommes – les neurologues signalent qu'ils possèdent en revanche 15 % de matière grise supplémentaire. C'est sans doute pourquoi les tests de QI n'enregistrent pas d'écart lié au genre, même si les hommes ont tendance à être plus nombreux aux deux extrémités de la courbe, parmi les esprits les plus brillants, mais aussi parmi les crétins les plus invétérés. Autre révélation : grâce à un faisceau de nerfs qui relie entre eux les lobes droit et gauche du cerveau, les aires du langage sont réparties, chez les femmes, dans l'ensemble de l'encéphale, tandis qu'elles sont concentrées dans l'hémisphère gauche – celui de la logique – chez leurs compagnons. C'est ainsi qu'à l'âge de 9 ans, les filles possèdent dix-huit mois d'avance verbale sur les garçons. Par contre sur 24 000 élèves, aucune fille n'est surdouée en maths, alors que 63 garçons le sont.

En 2004, Moshe Koppel, un professeur d'université, a conçu un logiciel capable, à travers une cinquantaine de critères, de déterminer le sexe d'un individu à partir de ce qu'il écrit. La méthode a mis en évidence que les femmes sont enclines à utiliser les pronoms personnels, alors que les hommes sont plus amateurs d'articles, de chiffres et d'adverbes de quantité.

Rappelons enfin que l'homme et le singe possèdent 98 % de patrimoine génétique en commun, alors qu'il existe 5 % de différence génétique entre l'homme et la femme. Conclusion : physiologiquement un homme est plus proche d'un singe mâle que d'une femme !

Solution d'avenir

À ceux qui pensent que les bonnes idées nous viennent des États-Unis, l'histoire suivante devrait donner du grain à moudre. Car elle offre une alternative à une difficulté apparemment inextricable : comment augmenter le budget de fonctionnement d'un établissement scolaire, sans ponctionner les caisses de l'État, ni imputer aux parents d'élèves le surcoût que représente l'embauche de professeurs émérites ?

La solution nous est donnée par le lycée de Beverly Hills, le quartier des stars et des millionnaires de Los Angeles. Cet établissement huppé, qui n'accueille qu'une centaine d'adolescents, possède en effet dans sa cour un… puits de pétrole ! Exploité depuis 1928 par Venaco, une compagnie californienne, le derrick, d'une hauteur de 45 mètres, produit de 400 à 500 barils par jour. Ce qui, compte tenu du cours du brut, permet au lycée de récolter plus de 300 000 dollars de royalties chaque année.

— Cette manne nous sert à financer nos programmes d'enseignement et couvre 85 % du salaire de nos professeurs, l'argent public et les frais d'inscription ne couvrant que les dépenses annexes, explique Dan Stepenosky, le principal du lycée.

Des parents d'élèves chagrins ont toutefois suggéré que cette installation faisait courir des risques sanitaires à leurs enfants, en contact quotidien avec des émanations gazeuses, telles que le benzène cancérigène.

— Tout le monde sait que le puits est nocif, mais comme il rapporte beaucoup d'argent, personne ne veut le supprimer, argumente le délégué de l'association de défense des parents, qui a porté plainte devant les tribunaux.

Sachant qu'en France à défaut de pétrole nous avons des idées, pourquoi ne construirions-nous pas nos lycées du futur en rase campagne ? Les revenus tirés des vaches laitières, qui pourraient batifoler dans les cours de récréation, accroissant avantageusement le budget alloué par l'Éducation nationale !

Voitures antialcooliques

Passé 23 heures, les rues de Tokyo semblent bien étroites aux centaines d'employés de bureau qui, sortant des bars, tentent de regagner leur domicile en titubant. Les Japonais faisaient habituellement montre de bienveillance à l'égard des soiffards, attribuant au stress leurs libations immodérées. Jusqu'à ce qu'un chauffeur ivre fauche mortellement trois enfants à Fukukoa.

Sous la pression des associations familiales antialcooliques, les firmes automobiles, flairant un nouveau marché, lancent aujourd'hui toute une gamme de gadgets. Aussi Toyota prévoit d'équiper ses modèles d'un système qui coupera automatiquement le moteur si le chauffeur est en état d'ébriété, des capteurs intégrés au volant mesurant le taux d'alcool de la sueur du conducteur. Et pas question de tricher en portant des gants, une caméra examinera la dilatation des pupilles. Si l'intempérant espère encore se tirer d'affaire en dissimulant son regard derrière des lunettes de soleil, l'ordinateur de bord aura tôt fait de détecter ses écarts de conduite et d'immobiliser son véhicule. Optant pour une technologie plus rustique, Nissan se contente d'équiper ses voitures d'un éthylotest dans lequel le pilote devra souffler pour pouvoir démarrer.

Autre secteur en pleine expansion, les services d'escorte à domicile. Sur la demande d'un patron de bar, deux personnes viennent chercher le sybarite, la première pour le ramener chez lui, l'autre se chargeant de convoyer sa voiture. Ce service emploie déjà 6 000 personnes dans tout le pays. Dernière innovation : la compagnie Fujitaxi transporte les vélos des cyclistes éthyliques. Pour s'assurer que le chauffeur du taxi est apte à remplir sa mission, il devra souffler dans l'éthylotest incorporé dans son téléphone portable pour transmettre au siège de son entreprise son taux d'alcoolémie. *Kampai !*

Animaux artistes ou prisonniers ?

Assise sur un tabouret au milieu d'un carrefour, à Villard-de-Lans, en Isère, Kenya, une fringante Africaine de 22 ans, observe d'un œil pétillant la quarantaine de gendarmes qui se déploie autour d'elle. Face à cette démonstration de force, d'autres sans-papiers prendraient la fuite. Mais Kenya n'éprouve aucune appréhension. Sans doute parce que son physique joue en sa faveur. Elle mesure 2,4 m de haut et pèse 2,5 t. Kenya est l'éléphante vedette du cirque Zavatta Fils. À la demande de l'Association de défense des animaux, les gendarmes sont venus la saisir pour l'expédier dans un zoo.

Les ennuis de Renato-Arsène Cagniac, le directeur du cirque, ont commencé quand les normes de transport des animaux sont devenues plus strictes. Puis plusieurs espèces ont été interdites de cirque : les hippopotames, les girafes et les rhinocéros. Quand Kenya a été inscrite sur la liste noire, les choses se sont encore compliquées. À la « détresse physiologique » et aux « mauvais traitements » qu'elle subirait selon l'Association de défense des animaux, un vétérinaire a établi que « recevant 300 litres d'eau par jour, disposant d'une zone de boue, de fourrage à volonté et de soins médicaux, elle ne présentait aucun stigmate témoignant de maltraitance ». Cagniac, qui appelle son éléphante « sa fille » et qu'il chouchoute depuis vingt ans, est, quant à lui, persuadé que l'expédier dans un zoo reviendrait à la condamner à mort.

Faut-il préférer les animaux captifs, se morfondant derrière des barreaux, aux animaux artistes de cirque, dont les numéros, faits d'adresse et d'intelligence, nous éblouissent ?

Esprit chevaleresque

Le sport est, on le sait, une école de la vie. Sa pratique demande courage, persévérance et loyauté. À l'heure où des scandales liés à la consommation de substances dopantes ternissent nombre de disciplines, saluons le fair-play des footballeurs allemands.

En 1894, la première finale du championnat national oppose l'équipe du Viktoria de Berlin à celle de Hanau, une ville de la région de la Hesse. La rencontre doit se dérouler à Berlin. Les joueurs de Hanau n'ayant pas les moyens de se payer le voyage déclarent forfait, abandonnant à leurs adversaires le titre tant convoité.

Cette défaite ayant laissé un goût amer dans les mémoires footballistiques, le Viktoria Berlin a très chevaleresquement remis son titre en jeu en 2007, cent treize ans après les faits. Bien que les deux équipes aient depuis longtemps quitté les sphères de la Bundesliga et qu'elles évoluent dorénavant en divisions régionales, la rencontre a passionné le public. Faute, naturellement, de pouvoir ressusciter les joueurs de l'époque, les organisateurs ont dû se contenter d'utiliser les lourds ballons en cuir en vigueur sur les pelouses des stades à la fin du XIXe siècle.

Malheureusement pour l'équipe de Hanau, après avoir été battue 3-0 à domicile, elle a concédé le match nul, 1-1, quelques semaines plus tard, à Berlin.

— Nous savons maintenant que le Viktoria méritait bien sa victoire en 1894, a déclaré sportivement le capitaine de l'équipe perdante.

— Si mes joueurs ne s'étaient pas entraînés d'arrache-pied à frapper dans de vieux ballons, nous aurions perdu, a répliqué avec élégance le président du club berlinois.

Loin de la violence des hooligans racistes, on constatera avec plaisir que cette noblesse de sentiments renoue avec l'esprit sportif des footballeurs amateurs du XIXe siècle !

Des noms sur des tombes

En sombrant le 15 avril 1912, le *RMS Titanic* battait le triste record du naufrage le plus meurtrier de l'histoire de la navigation civile. Les recherches menées dans l'Atlantique Nord permirent de repêcher 328 cadavres sur les 1 513 victimes. Parmi eux se trouvent deux nourrissons, Sydney Leslie Goodwin, 18 mois, et un petit Finlandais de quelques mois son cadet. Dans l'incapacité de pouvoir les identifier, on les porte en terre séparément sous des stèles qui portent l'inscription « Bébé inconnu ».

Soixante-quinze ans plus tard, un frère de l'enfant finlandais, âgé de 90 ans, demande que des examens ADN soient réalisés sur les dépouilles des deux enfants. Il se fait prélever un échantillon qui servira de référence génétique. Mais les résidus biologiques sont insuffisants pour différencier avec certitude ce qui reste des petits corps.

Lisant dans la presse un compte rendu de cette affaire, le directeur du musée Bata de la chaussure de Toronto se met en contact avec le magistrat qui a autorisé les exhumations. Il apprend par ce dernier que l'un des noyés portait des chaussures au moment du drame. Il demande que des photos détaillées lui soient envoyées, consulte ses archives, et en déduit que le modèle des sandales appartenait à un enfant âgé d'au moins 18 mois, Sydney Leslie, et en aucun cas à un bambin de 14 mois. Les « bébés inconnus » ont maintenant des noms !

Fred et Augusta Goodwin, les parents de Sydney Leslie, avaient réservé leurs places sur un navire dont le départ avait été annulé au dernier moment. Impatients d'effectuer la traversée avec leurs six enfants, ils avaient loué des couchettes de troisième classe sur un autre paquebot en partance. Le *RMS Titanic* !

Balthazar 1er, futur roi de France ?

Que les nostalgiques de la monarchie se réjouissent : Balthazar Napoléon de Bourbon, le premier dans la ligne de succession au trône de France, se porte à merveille et vit paisiblement à Bhopal, dans le centre de l'Inde. Cet avocat rondouillard et jovial, âgé de 50 ans, serait, en effet, le prétendant légitime à la couronne que ses prestigieux aïeux ont portée de 1589 à 1848. C'est du moins ce qu'affirme le prince Michel de Grèce dans son roman, le *Rajah Bourbon*.

Mais par quel hasard le souverain putatif de l'Hexagone, par ailleurs apparenté au prince Philippe de Grande-Bretagne et au roi d'Espagne, s'est-il retrouvé dans cette ville indienne de 700 000 habitants, dramatiquement sinistrée, en 1984, par l'explosion d'une usine de pesticides ? Forcé de quitter la France après avoir trucidé en duel un noble rival, son ancêtre Jean-Philippe de Bourbon-Navarre est kidnappé par des pirates alors qu'il navigue en Méditerranée. Vendu comme esclave en Égypte, il est contraint de servir dans l'armée éthiopienne, puis se retrouve à Goa, la première implantation portugaise en Asie. Parvenu à la cour d'Akbar en 1560, le futur cousin d'Henri IV se met au service des Moghols, ses descendants administrant plus tard les domaines du maharajah de Bhopal.

Balthazar Napoléon ne parle pas plus français que son épouse d'origine italienne, qui dirige un collège huppé. Ce qui ne l'a pas empêché, il y a quelques années, de visiter le château de Versailles.

— Quand l'ami francophone qui m'accompagnait a dit aux gardes que mes ancêtres avaient été des rois de France, ils m'ont fait entrer gratuitement et avec politesse, me disant qu'un Bourbon ne reste pas dehors, raconte l'avocat.

Sages comme des images

À Bismarck, dans le Dakota du Nord, Jennifer, David Smith, et leurs enfants, Alec et Derek, sont réunis pour le déjeuner dominical.

— Repasse le plat à papa, veux-tu, ma chérie ? demande Jennifer à sa fille.

Cette dernière s'exécute, bien que son père n'ait pas touché à son assiette ni desserré les dents depuis le début du repas. Comment pourrait-il en être autrement, puisque le lieutenant Smith se trouve en réalité en Irak, à 15 000 km des siens ? L'homme qui trône derrière la table est un *Flat Daddy* (un papa plat), une photo cartonnée grandeur nature de l'officier en uniforme. Imaginés par des psychologues du Pentagone, les *Flat Daddies* ont fait leur apparition dans les familles de militaires déployés sur les fronts étrangers. Délivrées gratuitement par la garde nationale, ces effigies permettent aux enfants de rester en contact virtuel avec leur père et d'atténuer ainsi le stress de la séparation.

— Quand David est venu en permission, mes enfants

se sont précipités vers lui, raconte Jennifer Smith. Bien qu'âgée de 4 ans, Alec l'a immédiatement reconnu grâce à la photo qu'elle a sous les yeux en permanence.

Prenant place à table et à l'arrière de la voiture familiale, transportés au cinéma ou en pique-nique, les *Flat Daddies* accompagnent les enfants dans tous leurs déplacements.

— L'autre jour Derek avait placé le sien sur la balançoire du jardin quand un coup de vent l'a fait tomber. « Arrête, papa, ce n'est pas drôle ! » a crié mon fils. Avant de griffonner un mot d'excuse sur le dos de la feuille en polystyrène.

Pour parfaire leur ingénieuse invention, nous suggérerons aux psychologues du Pentagone de rapatrier au plus vite les vrais papas. Et de les remplacer sur le champ de bataille par leurs effigies en carton-pâte !

Mauvais coucheurs

À Toronto, au Canada, Walburga Schaller, 76 ans, aveugle d'un œil, souffrant d'arthrite aiguë et dotée d'une hanche artificielle, quitte son domicile en s'aidant d'une canne anglaise. Marchant en sens contraire sur le même trottoir, Robert Smith, 52 ans, blessé au pied, claudique en s'appuyant lui aussi sur une canne. Quand les deux personnages se retrouvent face à face, ils se figent sur place, aucun ne voulant céder le passage à l'autre. L'homme finit par grincer entre ses dents : « J'ai toute la journée devant moi. – Moi aussi », réplique la femme, en campant sur son territoire. Les nerfs de Smith flanchent les premiers. Il menace : « Dégage, vieille garce ! » Accusant le choc, Walburga réplique sur le même ton : « Dégage toi-même, vieux chnoque ! » Sans procéder aux sommations d'usage, Smith assène à sa rivale un violent coup de canne. La vieille dame contre-attaque. Quand le pugilat atteint son paroxysme et que Mme Schaller gît sur le trottoir les quatre fers en l'air, un passant alerte enfin la police.

Quelques jours plus tard, les protagonistes se retrouvent devant le juge d'un tribunal.

— Vous avez brisé votre canne sur le dos de Mme Schaller, lui infligeant de nombreuses ecchymoses, accuse le magistrat.

— Ma canne ne coûtait que 14 dollars et elle était pleine de termites, plaide Smith.

— Certes, votre adversaire n'est pas une mauviette, mais vous l'avez agressée le premier, constate le juge. Je vous condamne donc à deux ans de prison avec sursis.

— J'espère que la prochaine fois que je croiserai ce grossier personnage, il me cédera le passage sans rechigner, a commenté la plaignante, en se massant les côtes avec satisfaction.

Réhabilitations à l'anglaise

Intransigeants défenseurs de leurs traditions, mais animés de compassion et d'ouverture d'esprit, nos amis britanniques viennent de procéder à deux réhabilitations spectaculaires.

La première concerne Helen Duncan, la dernière condamnée en sorcellerie en Angleterre, décédée il y a cinquante ans. En 1941, lors d'une séance de spiritisme, Helen avait affirmé être entrée en contact avec le fantôme d'un marin du croiseur *HMS Barham*, qui lui avait révélé que son navire venait de couler corps et biens. Déjà informé du désastre, le ministère de la Marine avait préféré garder le secret pour ne pas décourager la population. Du coup, Duncan fut condamnée à neuf mois de prison pour « trahison et sorcellerie », épreuve dont elle était sortie brisée à jamais.

Le soldat de première classe William Windsor a bénéficié de la seconde réhabilitation. Il avait été rétrogradé, en juin 2006, pour avoir refusé de marcher dans le rang lors des festivités du 80e anniversaire de la reine Elizabeth II. C'est le capitaine Crispin Coates, porte-parole des forces britanniques basées à Chypre, qui a annoncé la bonne nouvelle. « Le soldat Windsor a retrouvé son galon pour s'être distingué lors d'une parade commémorant la victoire de son régiment au cours de la guerre de Crimée, en 1854. À cette occasion, il a défilé fièrement et la tête haute », a précisé l'officier.

Le soldat William Windsor, dit Billy, matricule 25232301, est un magnifique bouc de 6 ans, originaire des Highlands.

Super Papa

En dépit des avertissements alarmistes des démographes, qui prévoient qu'au rythme actuel de sa fertilité notre planète comptera au mitan du XXIe siècle environ 9 300 000 000 habitants, rien ne parvient semble-t-il à tempérer l'ardeur reproductive de quelques-uns de nos contemporains.

Ainsi, poussé par un amour paternel surdimensionné, Babu Nzumakase, un Zimbabwéen de 68 ans, s'enorgueillit-il de posséder aujourd'hui une famille qui ne compte pas moins de 139 enfants, tous issus de ses femmes légitimes. Affectueusement surnommé « Super Papa » par la presse locale, M. Nzumakase a bâti un charmant village de brousse pour loger confortablement sa progéniture. Petits et grands cohabitent harmonieusement, se partageant une vingtaine de cases en torchis et des maisonnettes en brique, serrées les unes contre les autres. Grâce à ses honoraires de guérisseur célèbre, Babu pourvoit aux besoins pantagruéliques de son petit monde : chaque semaine, la famille engloutit 48 bouteilles d'huile, 80 kg de sucre, 500 pains, une tonne de farine et un bœuf. Et M. Nzumakase doit déjà revoir à la hausse son budget domestique puisque trois de ses épouses vont accoucher dans les prochaines semaines.

Pour autant, époux et père insatiable, Babu vient d'épouser sa vingt-quatrième femme, Laster, une beauté âgée d'à peine 13 ans, et avec laquelle il a l'intention, bien entendu, d'avoir beaucoup d'enfants !

Fins limiers

Sous une multitude de fausses identités, obtenues grâce à des papiers volés, un individu écume hôtels et restaurants. Face à l'avalanche de plaintes qui s'ensuit, les gendarmes ouvrent une enquête. L'un des chèques volés indique que l'aigrefin s'est rendu dans le département du Var où il a acheté et fait graver à la mémoire de son grand-père une plaque funéraire chez un marbrier. Les chèques suivants permettent d'établir que l'escroc a continué à sévir dans les villes de Vannes et de Lorient. Forts de cet indice, les gendarmes supputent que la plaque mortuaire, achetée dans le Sud, se trouve peut-être aujourd'hui dans un cimetière de l'une de ces villes. Pendant deux mois ils inspectent méthodiquement plus de 35 000 tombes. Et en découvrent enfin une à la tête de laquelle la plaque en question a été récemment déposée. En reconstituant l'arbre généalogique du défunt, ils parviennent ensuite à identifier le voleur et à l'interpeller.

— Je suis trop sentimental, a commenté le jeune homme. Si je n'avais pas honoré dignement la mémoire de mon grand-père, je n'aurais jamais été pris.

L'histoire ne dit pas si le juge chargé de l'affaire a pris en compte ces nobles sentiments avant de prononcer sa sentence.

Un couple « à la colle »

Diego Rivera Cabrera, un chauffeur de taxi de Rio de Janeiro, soupçonne son épouse de le tromper. Lorsqu'il est convaincu que l'infidèle et son amant profitent de ses absences pour se retrouver dans une chambre d'hôtel, il feint d'ignorer la situation tant qu'il n'aura pas trouvé la punition la plus appropriée pour assouvir sa vengeance. Il passe en revue les différentes techniques qu'il pourrait employer : surgir dans la chambre, rosser le galant et répudier sa femme ? Trop charitable. Livrer son épouse coupable à la concupiscence des déshérités d'un bidonville ? Trop aléatoire, la perfide pouvant trouver plaisir à subir ce châtiment. Couvrir le couple d'injures tout en vidant sur lui le chargeur d'un pistolet ? Trop théâtral.

Une idée lumineuse surgit enfin dans son cerveau. Après avoir forcé, arme au poing, la porte de la chambre où les amants sont réunis, Rivera ordonne à sa femme de s'enduire la main d'une colle extraforte et l'oblige à empoigner fermement... le pénis de son amant et de maintenir sa pression durant une dizaine de minutes. Ce délai écoulé, Rivera quitte la chambre, grimpe dans son taxi et s'évanouit dans la nature.

Le couple adultérin est solidairement conduit à l'hôpital pour subir une délicate intervention chirurgicale dans le but de restaurer la dignité et l'indépendance de chacun des amants. Le mari jaloux ignorait-il que les colles extrafortes sont d'une violente toxicité et que le pénis est constitué de tissus très poreux ? Quoi qu'il en soit, le système sanguin empoisonné par la colle, l'amant décède quelques jours plus tard et le mari jaloux est inculpé d'homicide par imprudence.

À chacun sa part

Épuisé par d'incessantes disputes conjugales, Paul Targett, un électricien britannique de 31 ans, exige le divorce d'Eleanor, son épouse. La jeune femme, qui n'a jamais exercé d'activité professionnelle et n'a donc pas contribué à l'enrichissement du ménage, accepte l'offre de son mari. À la condition que la maison familiale et tous les biens qu'elle contient lui reviennent en propre. Naturellement, Paul refuse et les querelles reprennent de plus belle.

Après avoir vainement proposé un partage à l'amiable à son irascible épouse, l'électricien décide d'employer des moyens plus dissuasifs pour faire valoir ses droits. Profitant de son absence, il s'arme d'une tronçonneuse et divise le pavillon en deux. Commençant par découper en parts égales le toit, la charpente et les planchers, il s'attaque à la table de la salle à manger, à celle de la cuisine et aux bibliothèques. Pour parachever la répartition, il tronçonne le lit conjugal dans le sens de la longueur et attend en jubilant le retour de « sa moitié ».

— Quand je suis rentrée, a raconté à la presse Eleanor, je n'en ai pas cru mes yeux. Paul était assis à côté de ce qui restait de la maison, la tronçonneuse à la main et la mine réjouie.

L'électricien a, pour sa part, justifié son acte avec simplicité : « J'en avais assez des discussions sur qui allait avoir quoi. Nous sommes mariés sous le régime de la communauté des biens. Je n'ai fait qu'appliquer la loi : à chacun sa part, moitié-moitié. »

Un homme affranchi

Comment récolter des fonds pour venir en aide à une école pour enfants handicapés ? se demande Andy Rowe, un agent immobilier anglais. En organisant un pari original : proposer aux habitants de son village de deviner le temps que mettrait un « paquet humain » à parcourir la Grande-Bretagne du nord au sud.

Une fois le montant des paris encaissés, Andy se glisse dans une enveloppe rembourrée, dotée d'une grille d'aération, et affranchie d'un timbre géant, confectionné pour la circonstance par les postiers du village. Puis, il se confie aux bons soins de la poste britannique. Le voyage, commencé au nord de l'Écosse, s'achève le jour suivant au sud de la Cornouailles. Il a duré très exactement 23 heures 18 minutes et 22 secondes.

Déduction faite des gains répartis entre les parieurs gagnants, l'opération permet d'offrir la somme de 5 000 livres à l'école pour enfants handicapés.

Interrogé par des journalistes venus l'accueillir à la réception des colis encombrants, Andy Rowe a fait ce commentaire frappé au coin du bon sens :

— Je n'aurais jamais gagné mon pari dans un pays tel que la Chine ou l'Australie. Heureusement, en Grande-Bretagne, les distances sont réduites et les postiers compatissants m'ont traité comme un paquet prioritaire.

Le père des enfants est une femme

Accusé de vol et d'homicide, John Bowie, un barbu athlétique âgé de 39 ans, est arrêté à Washington. Avant de le conduire en cellule, des gardiens le soumettent à une fouille au corps réglementaire, à une palpation qui n'épargne rien de son intimité. Surprise : en dépit de ses muscles saillants et de sa barbe abondante, Bowie est dépourvu de l'organe dont les mâles se prévalent.

Interrogé sur cette incongruité, le captif légèrement rougissant évoque un stupide accident de skate-board, survenu quinze ans plus tôt et qui l'aurait privé de sa virilité. Peu convaincus par cette explication, les policiers poussent M. ou Mme Bowie dans ses retranchements. Ce dernier ou cette dernière fait alors mention d'une intervention chirurgicale pleinement consentie.

— Je suis une femme, Je m'appelle Linda Ann Bowie, explique le prisonnier. Mais je suis néanmoins le père de mes fils.

Après s'être concerté et avoir relu un abrégé des règlements en vigueur dans les pénitenciers fédéraux, le directeur estime que l'examen de l'entrejambe des détenus est plus fiable que la pilosité de leur visage pour définir leur sexe. Fort de cette analyse, il transfère Mme Bowie, le père des deux enfants, dans la prison pour femmes du comté de Prince George. L'histoire ne dit pas comment il ou elle a été accueilli !

Les dollars lavent plus blanc

Après avoir occupé les fonctions de numéro deux du parti communiste de la ville de Canton, Lei Yu est nommé à 54 ans chef du gouvernement de l'île de Hainan, au sud de la Chine.

En 1985, au terme d'une enquête, il est arrêté pour corruption aggravée. Les faits qui lui sont reprochés défient l'imagination. Selon des dizaines de témoins, l'édile est impliqué dans un trafic qui porte sur plus de 99 000 véhicules, trois millions de téléviseurs et des dizaines de milliers de motos et de magnétoscopes, introduits frauduleusement en Chine à son seul profit. Une escroquerie dont le montant dépasse le milliard de dollars !

Devant le tribunal, Lei Yu se défend sans grande conviction, en dépit de la gravité des faits. Sait-il déjà qu'en distribuant une partie de sa fortune aux magistrats en charge de le juger, il s'est assuré de leur clémence ? En effet, au terme d'un procès bâclé, l'escroc est condamné à payer une amende légère. Avant d'être nommé maire-adjoint de la ville de Canton !

Absence de dialogue

Dépité d'avoir vu sa carte bancaire « avalée » par un distributeur automatique, Andrew Beer, 21 ans, employé dans une conserverie des Cornouailles, décide de se venger en commettant un hold-up dans une station-service.

Muet de naissance, Andrew prend soin, avant de commettre son forfait, de confectionner une courte note ainsi rédigée : « J'ai un flingue dans ma poche. Donne-moi ton fric ou je te descends. » Le jeune homme jette son dévolu sur un garage dont le slogan – « Je roule pour vous » – lui semble de bon augure. Le braqueur exhibe subrepticement son billet au pompiste. Ce dernier, d'origine asiatique, hausse les épaules et, exhibant toutes ses dents, confesse en riant qu'il ne sait pas lire.

Andrew récidive dans un second établissement. La jeune fille qui l'accueille, surprise de voir un client s'approcher d'elle à pied, repousse son billet sans même le lire, craignant qu'il ne contienne des obscénités. Nullement impressionnée par les gesticulations et les grognements furieux du jeune homme, elle le prie d'aller voir ailleurs.

Andrew avise alors une troisième station-service tenue par un vieil homme qui astique ses pompes à essence.

— Désolé, mon vieux, mais je suis incapable de lire sans mes lunettes, soupire le vieillard en détournant la tête.

Exaspéré par tant d'incompréhension, Andrew Beer décide de changer de méthode. Renonçant à ces infructueux assauts épistolaires, il sort de sa poche son pistolet à air comprimé et le pointe en direction du pompiste d'un quatrième garage. Promptement désarmé, provisoirement mis aux arrêts dans le placard à balais, l'infortuné braqueur en est réduit à attendre, penaud, l'arrivée de la police.

Une visite princière

Lorsque Son Altesse sérénissime, le prince Alexandre du Liechtenstein, un fringant jeune homme de 18 ans, s'extrait d'une limousine interminable, les badauds s'écartent instinctivement sur son passage. Puis, quand il se présente à la réception du palace de Pretoria, le directeur l'invite à déjeuner, l'installe dans sa meilleure suite et lui fait visiter les salons privés, dans lesquels le noble voyageur a l'intention d'offrir une réception en l'honneur des édiles de la ville.

Et le rythme des festivités ne faiblit pas. Visites, concerts et banquets, rien n'est trop beau pour satisfaire les moindres désirs de l'hôte de marque. Pourtant, deux jours plus tard, cette belle mécanique se détraque. Tandis qu'il assiste à une course hippique et partage la tribune officielle, le prince se fait offrir une collation. Hélas le serveur qui remplit sa coupe de champagne se fige, sidéré :

— Qu'est-ce que tu fais là, Glendon ? s'exclame-t-il. Je te croyais au restaurant derrière tes fourneaux.

Renseignements pris par les services de sécurité, le prince Alexandre du Liechtenstein est un imposteur qui se nomme Glendon MacGregor, cuisinier de son état dans une gargote. Il a loué à crédit une limousine avec chauffeur et de luxueux vêtements. Son allure naturellement distinguée et son aplomb ont fait le reste.

En attendant de statuer sur sa peine, le juge du tribunal où il a comparu l'a envoyé passer trente jours en observation dans un hôpital psychiatrique.

Grand-mère prodigue

Irma Sonne, une charmante vieille dame de 85 ans, coule des jours paisibles dans une maison de retraite des environs de Bonn, en Allemagne. Son humeur égale, son goût pour les arts et la musique lui valent sympathie et admiration. Mais, c'est la prodigalité dont elle fait preuve à l'égard de ses copensionnaires qui fait d'elle la vedette incontestée de l'établissement. En effet, aucune semaine ne se déroule sans qu'Irma comble ses amies de délicates attentions. Une boîte de chocolats pour une voisine gourmande. Un bouquet de fleurs fraîches pour embellir la chambre d'une autre. Une écharpe pour une frileuse. Des livres à chacune pour célébrer Noël.

— En dépit de mes protestations, mes cinq enfants et mes seize petits-enfants ne cessent pas de m'envoyer des cadeaux, explique la vieille dame pour justifier la manne de colis que lui apporte régulièrement le facteur. Je suis une mère et une grand-mère gâtées.

— Mais pourquoi ne gardez-vous rien pour vous ? s'offusquent ses compagnes.

— Les fleurs me font tourner la tête et mon diabète m'interdit les friandises, répond coquettement Irma. Quant aux livres, ma chambre en est pleine.

Un matin, le directeur de la maison de retraite reçoit une mise en demeure au nom de la grand-mère prodigue. Une facture de 8 000 €. Elle correspond aux innombrables cadeaux impayés qu'Irma commandait et s'adressait à elle-même depuis des mois.

— En vérité, je n'ai aucune famille et je n'ai pas d'argent. J'espère seulement que mes amies m'auront aimée aussi pour ce que je suis, a murmuré tristement la vieille dame avant de quitter le foyer pour fuir, honteuse, vers le sud du pays.

Le parquet a décidé de classer l'affaire contre la promesse qu'Irma dédommagera plus tard les commerçants lésés grâce à son assurance décès.

La République est hors la loi

Si l'on considère avec Darwin que l'évolution des espèces est liée à la nécessité de l'adaptation, on admettra qu'en détournant les objets de leur usage premier le genre humain soit rapidement parvenu à prendre l'ascendant sur les bêtes à cornes, à plumes et à écailles.

Ainsi en est-il du Subutex, ce dérivé de morphine

utilisé pour la désintoxication des héroïnomanes. Ne figurant pas dans la catégorie des stupéfiants, ce médicament de substitution est délivré sur simple ordonnance et est intégralement remboursé aux titulaires de la CMU. Il n'est donc pas étonnant qu'on le retrouve sur le marché parallèle au prix d'1,5 € le comprimé, soit deux fois moins cher qu'en pharmacie.

Si l'on en croit Claude Frémont, ancien directeur de la Cnam à Nantes, 40 % des prescriptions de Subutex en Île-de-France seraient ainsi détournées pour alimenter un trafic à l'échelle mondiale, la Sécurité sociale se transformant malgré elle en pourvoyeuse de narcotiques.

Impliquant vingt-quatre personnes – médecins, pharmaciens et dealers – un réseau a récemment été démantelé, et le préjudice de l'assurance maladie estimé au bas mot à 500 000 €. Autre exemple non moins stupéfiant : en mai 2007, un steward d'Air France est pris la main dans le sac à l'aéroport de Nouakchott, en Mauritanie. Son bagage contient plus de 50 000 pilules de Subutex, généreusement offertes par la « Sécu » française pour un montant de 1,5 million d'€. « Le lobby des associations de défense des toxicomanes protège ce médicament qui fait moins de dégâts que l'héroïne », déplore Frémont, qui exhorte le ministère de la Santé à plus de vigilance.

Se plaignant autrefois d'être écrasées par l'impôt, les prostituées de Lyon avaient dénoncé un État proxénète. Aurions-nous aujourd'hui le mauvais goût de traiter la République de narcotrafiquante ?

Des fortunes solidement bâties

À l'heure où une infime variation du cours de certaines monnaies peut déséquilibrer les échanges internationaux, nos économistes feraient bien de s'inspirer du système en vigueur sur l'île de Yap. Sur cet archipel de 11 000 âmes, situé à 7 000 km au sud-ouest de Hawaï, la monnaie traditionnelle se présente, en effet, sous la forme de gigantesques pierres polies percées d'un trou. D'un diamètre d'environ 3 mètres, pesant 1 tonne, les *rai* bordent les routes, sont accolés aux maisons, ou dispersés à travers champs. D'une valeur parfois supérieure à 15 000 €, ces disques en aragonite permettent d'acheter des terres, de régler des services, ou de rembourser une dette. Sans avoir à être déplacés, ils font l'objet d'une transaction verbale devant témoin, le nom du nouvel acquéreur étant colporté de bouche à oreille à travers l'archipel.

Fabriqués il y a plusieurs siècles sur l'île de Palau à l'aide d'outils en coquillages, puis périlleusement transportés en canoë sur une distance de 644 km, les *rai* sont demeurés l'un des pivots de la vie culturelle et économique de Yap. Lors de l'occupation japonaise – de 1914 à 1945 – nombre d'entre eux ont été détruits pour construire des routes, des pistes d'atterrissage, et des bunkers antiaériens. Sur les 13 281 pierres dressées recensées en 1929, il n'en resterait plus que 6 000 aujourd'hui, la dernière ayant été taillée en 1931 par un Yapais désireux de payer sa dette au clan, après avoir occis son beau-père avaricieux.

Le dollar américain s'étant progressivement substitué aux *rai* comme monnaie d'échange, la Banque des États fédérés de Micronésie vient de cesser d'accorder des prêts garantis sur les pierres des îliens. « C'est malheureusement trop compliqué de fixer un taux de change international sur des blocs d'aragonite, polis il y a trois siècles à l'aide de coquillages », a estimé avec regret le directeur de l'agence locale.

Photos compromettantes

Si elle n'était assombrie par deux calamités, l'existence de Bryan Boniface, un Anglais de 25 ans, serait banale, voire agréable. Mais Ann, sa petite amie, lui reproche son manque d'humour, menaçant s'il n'y prend garde de le quitter pour John Griffith, un garçon hilarant, capable par exemple d'ingurgiter un chapelet de saucisses en moins de trois minutes. Et puis, gardien de nuit de Madame Tussaud, le célèbre musée de cire de Londres, Bryan se morfond, errant sans but des heures durant à travers les salles vides.

Afin de remédier à la situation, Boniface décide de faire d'une pierre deux coups : reconquérir sa belle tout en se créant une activité intéressante. Il fait l'acquisition d'un appareil photo muni d'un déclencheur à retardement et commence à mettre en scène quelques « photos amusantes ». La première le montre assis sur les genoux de Winston Churchill. Sur la seconde, armé d'un parapluie, il fait mine de passer à tabac le sélectionneur de l'équipe anglaise de football. Rapportant fièrement sa moisson d'images à la maison, il n'obtient qu'une moue dubitative de la part de sa petite amie.

La nuit suivante, Boniface se photographie en train de baisser le short de la chanteuse Kylie Minogue. Puis, jouant son va-tout, il soulève la jupette de l'effigie en cire de Jennifer Lopez et lui inflige les derniers outrages.

Quelques jours plus tard, lorsqu'il découvre que ses photos sont publiées dans la presse populaire et qu'elles sont entre les mains du directeur du musée, Bryan comprend trop tard que sa stratégie a échoué.

— Comment as-tu osé me tromper avec cette garce ? s'était insurgé Ann en voyant la photo de Lopez.

Avant, par vengeance, d'en faire profiter deux millions de lecteurs !

Rencontres du troisième type

Selon un récent sondage, 40 % des Américains pensent qu'il est possible que des *aliens* aient kidnappé quelques-uns de leurs concitoyens, tandis que des milliers d'autres affirment avoir été personnellement victimes d'un rapt et être revenus de l'espace. C'est ce que révèle un ouvrage du Dr Clancy. Enseignants, artistes, cuisiniers, pompiers…, aucune catégorie socioprofessionnelle n'échappe, semble-t-il, à la convoitise des petits hommes verts. Ainsi, James Trevor, pourtant médecin anesthésiste, est-il convaincu d'avoir été passager d'une soucoupe volante, en 1973. Will McGill, kinésithérapeute, affirme pour sa part qu'une belle venue d'ailleurs l'a contraint à lui faire l'amour dans un recoin de son vaisseau spatial, et que des jumeaux sont nés de cette union. Bien qu'il soit sans nouvelles de sa progéniture, Will se dit satisfait de cette expérience.

— Je sais maintenant qu'il existe quelque chose de bien plus grand que nous, s'est-il esclaffé en roulant des yeux ronds, imitant ainsi le regard globuleux de son éphémère compagne.

En dépit de ce qu'ils laissent penser, la plupart des enlevés ne souffrent pas de maladie mentale, constate le Dr Clancy, qui a passé en revue les motivations des *aliens* de s'en prendre à l'espèce humaine : étude anthropologique d'une race inférieure, vol de sperme à destination d'un laboratoire de biotechnologie, ou simple divertissement d'un peuple condamné à l'oisiveté. Aucune réponse ne lui ayant donné satisfaction, le médecin a interrogé sous hypnose plusieurs victimes d'enlèvements. Quand Sam, un boucher à la retraite de 72 ans, lui a dit que son impuissance était due à son récent kidnapping, et non à l'opération de la prostate qu'il venait de subir, le Dr Clancy s'est gratté la tête et a relu ses notes !

Attentat au bon sens !

En 2005, au lendemain des attentats qui ensanglantèrent Londres, Katia Joubert, chef d'une agence postale parisienne, reçoit un appel de Jean-Paul Bailly, son P-DG.

— La DGSE vient de m'avertir que des terroristes menacent Paris. L'un d'entre eux va effectuer un retrait important dans votre agence. Un agent des services secrets vous contactera pour contrecarrer l'attentat.

Une heure plus tard, un certain Maurice se manifeste au téléphone.

— Je suis votre agent traitant. Votre nom de code est Martine. Allez acheter un mobile et laissez-le ouvert jour et nuit.

La postière s'exécute et se retrouve bientôt harcelée d'appels. Plus de 40 en deux jours, dont la plupart sont passés entre 2 et 6 heures du matin. Quand les nerfs de la jeune femme flanchent, l'homme de la DGSE la sermonne vertement.

— Gardez votre sang-froid, la sécurité du pays est entre vos mains. Maintenant, branchez-vous sur votre ordinateur et donnez-moi les noms des cinq plus gros clients de votre agence.

Au troisième nom cité, l'agent s'exclame :

— C'est le commanditaire de l'attentat ! Combien possède-t-il sur son compte ?

— 350 000 €, bafouille Katia.

— Mettez cet argent dans une valise, sautez dans un taxi et n'en parlez à personne. Je vous guiderai par téléphone.

Au terme d'un périple à travers la ville, Martine se retrouve dans une brasserie face à Maurice.

— Remettez-moi la valise, je vais la confier à l'un de mes hommes.

Attendant en vain le retour de Maurice, Martine comprend enfin qu'elle a été victime d'une escroquerie rocambolesque. Selon la vraie DGSE, l'aigrefin, réfugié en Israël, aurait déjà raflé de cette manière aux banques plus de 7 millions d'€ !

Une énergie débordante

Si vous pensez que les sportifs de haut niveau sont surpayés, que frapper pendant une quinzaine d'années dans une balle de golf ou piloter une formule 1 ne mérite pas des émoluments équivalant à quatre siècles du labeur d'un ouvrier métallurgiste ou d'un marin-pêcheur, détrompez-vous. Nos amis sportifs déploient dans la pratique de leur discipline une énergie surhumaine capable de ruiner prématurément leur santé.

Telle est la conclusion rendue par David James, chercheur à l'Institut des sciences du sport, à l'université de Sheffield, en Angleterre. Au terme d'une étude rigoureuse, James a calculé qu'au cours d'un match Wayne Rooney, l'attaquant vedette de Manchester United, dépensait 6 700 kilojoules d'électricité. Soit de quoi éclairer une maison pendant une heure et demie ou de faire fonctionner un téléviseur pendant sept heures.

Qui dira encore après cela que les sportifs « branchés » ne sont pas des lumières ?

Autre exemple, fourni cette fois par les coureurs du Tour de France, l'épreuve cycliste la plus difficile du monde selon ses participants. Intrigué par les sept succès consécutifs de Lance Armstrong, un chercheur américain a estimé que chaque coureur avait besoin de 119 000 calories pour rester dans la course, sans perdre trop de poids et compromettre ses chances. Calculée sur l'ensemble des concurrents et sur la durée de la course, la dépense énergétique du peloton serait donc de 20 millions de calories. Soit l'équivalent de 72 000 cheeseburgers !

Face à cette gabegie énergétique, on s'étonne que les coureurs kenyans, originaires pourtant d'un pays en proie à la famine, parviennent malgré tout à dominer les épreuves du marathon !

Machines communicantes

À l'heure où les employés de bureau préfèrent s'inonder de courriels plutôt que de pousser une porte pour se parler de vive voix, il peut être opportun de garder en mémoire les prémices des transmissions modernes. Alphonse Allais, l'homme qui a inventé le coton noir pour les oreilles des personnes en deuil, relate à ce propos l'anecdote suivante, qui a valeur prémonitoire.

Vers la fin du XIXe siècle, à Londres, deux bureaux télégraphiques se font face dans la même rue. Le premier dessert le câble de Paris, *via* Douvres et Calais ; le second assure la liaison de Bruxelles, *via* Ostende. Un jour, constatant qu'il a oublié sa pipe dans le bureau voisin, Alfred Stewart, le responsable de l'office belge, demande à son assistant d'aller la récupérer. Comme ce dernier refuse, Stewart adresse un message à son collègue d'en face. Le câble parcourt plus de 1 000 kilomètres avant de parvenir à destination.

— Dis-moi, Fred, j'ai oublié ma pipe chez toi, dit la missive. Peux-tu demander à ton assistant de venir me la rapporter ?

Quelques minutes plus tard, Alfred Steward tirait avec délectation sur sa précieuse bouffarde.

Une autre histoire édifiante gagnerait à être méditée par les intoxiqués du téléphone portable. Dans les années 1845, le philosophe Henry David Thoreau, auteur de *La Désobéissance civile*, s'étonne de voir des ouvriers planter des poteaux télégraphiques à proximité de la cabane qu'il occupe près de l'étang de Walden, dans le Massachusetts.

— Que faites-vous ? demande naïvement l'anachorète.

— Nous relions par câble Boston à La Nouvelle-Orléans pour que les gens puissent se parler, lui répond un ouvrier.

Thoreau réfléchit longuement puis demande :

— Êtes-vous sûrs au moins que les gens de Boston ont quelque chose à dire à ceux de La Nouvelle-Orléans ?

Le secret d'une photo culte

Nous avons tous en mémoire le magnifique portrait d'Arthur Rimbaud, réalisé par Étienne Carjat, en 1871. Le cheveu ébouriffé, le sourire narquois, l'auteur d'une *Saison en enfer* apparaît sous les traits d'un ange déchu et débraillé. Cette photo, devenue une icône, a largement contribué à la popularité du génie adolescent. Mais sait-on pourquoi il n'existe pas à ce jour plus de deux ou trois tirages originaux de cette image célébrissime ?

Amis de longue date, Carjat et Verlaine fréquentaient les mêmes milieux intellectuels. C'est pourquoi le poète emmena un jour son jeune amant dans l'atelier du photographe pour qu'il lui tire le portrait.

Quelques mois plus tard, le dîner rituel des *Vilains Bonshommes* réunit dans un restaurant parisien une pléiade d'artistes et d'écrivains, auxquels se sont joints Carjat, Verlaine et Rimbaud. Comme à l'accoutumée, chacun se lève à la fin du repas et déclame un poème de son cru. Quand vient le tour de Rimbaud de s'exprimer, passablement éméché, il ponctue chaque mot de son texte d'un « merde ! » tonitruant. Tandis que les commensaux protestent, horrifiés, Carjat met à la porte le gamin insolent. Rancunier, ce dernier l'attend devant le restaurant, armé d'une canne-épée, et se rue sur lui dès qu'il en sort. Verlaine parvient à abréger la rixe, mais Carjat est blessé à l'aine et à la main. Couvert de sang, il rentre chez lui et détruit rageusement les plaques de verre sur lesquelles il a immortalisé son agresseur, oubliant de déchirer par la même occasion les deux ou trois épreuves qu'il a conservées dans ses archives. L'un de ces tirages, retrouvé par hasard après la mort du photographe, est devenu l'image que l'on connaît, reproduite depuis un siècle et demi à des milliers d'exemplaires !

Édiles et concubines

Autrefois, dans la Chine féodale, empereur et mandarins calculaient complaisamment leur richesse au nombre de leurs concubines. Il semble que cette unité de valeur soit redevenue à la mode dans l'empire du Milieu. Ainsi la presse s'est-elle émue de constater que Pang Jiayu, 63 ans, vice-président du Parti communiste de la province du Shaanxi, narquoisement surnommé « fermeture Éclair » par ses proches, entretenait pas moins de onze maîtresses.

Exhortant les cadres du Parti « à ne pas sombrer dans la débauche », le *Quotidien du peuple* a invité ses lecteurs à dévoiler « les secrets personnels » des édiles et à prêter attention « à leur arrière-cour ». Les résultats ne se sont pas fait attendre, la palme revenant à un responsable du PCC de Jiangsu, nanti de 146 concubines ! Tandis que l'ancien numéro 2 de la région du Hubei décrochait la médaille du « labeur », car « il aimait faire l'amour avec sa secrétaire sur la grande table en acajou de la salle de réunion », le prix de la meilleure « gestion » a été décerné au maire d'une ville de l'Anhui pour avoir nommé à un poste de cadre supérieur l'une de ses sept maîtresses, avec pour mission de gérer les six autres « selon leurs capacités érotiques ».

Portés par cette vague de pudibonderie et de délation, d'astucieux internautes offrent maintenant sur la Toile un nouveau jeu vidéo, *Combattant incorruptible*. Il s'agit de torturer virtuellement un fonctionnaire véreux pour pouvoir entrer au paradis, là où règne un monde idyllique, chaste et intègre.

— J'ai vraiment l'impression de faire quelque chose d'utile quand je dépèce au hachoir ces fonctionnaires diaboliques, s'est félicité un étudiant.

L'histoire ne précise pas si les parents de celui-ci avaient été, en leur temps, des Gardes rouges zélés !

Jack l'Éventreur enfin démasqué

Auteur d'une quinzaine de best-sellers, Patricia Cornwell s'est attachée, en 2002, à démasquer Jack l'Éventreur, le dépeceur de cinq prostituées qui, à partir de 1888, terrorisa les bas-fonds de Londres. Au terme d'une longue enquête et à la stupéfaction des historiens d'art, la romancière a désigné coupable Walter Sickert.

Première hypothèse pour expliquer le mobile de Sickert : affecté d'une fistule, il aurait subi une série d'opérations le laissant avec un pénis nanifié, cette difformité suscitant chez lui une haine des femmes inextinguible. Sachant ensuite que le monstre avait adressé des centaines de lettres moqueuses à la police, l'écrivain avait fait analyser des traces d'ADN, prélevées au dos des timbres et sur le rabat des enveloppes, afin de les comparer à d'autres échantillons appartenant à Sickert. Pour obtenir l'empreinte génétique du peintre, Cornwell n'avait pas hésité à faire l'acquisition, pour 6 millions de dollars, d'un paquet de lettres et de trente et une de ses toiles, allant jusqu'à en lacérer une pour mieux l'analyser. S'il s'avère que Sickert et l'auteur des lettres utilisaient effectivement le même papier filigrané, et que quelques-unes furent écrites avec un pinceau en guise de plume et de la peinture en guise d'encre, les tests ADN n'ont pas été concluants. Autre élément troublant : plusieurs tableaux peints à l'époque par Sickert représentaient des scènes macabres, telle la toile intitulée *Meurtre de Camden Town* qui évoquait le meurtre d'une prostituée.

Les détracteurs de la romancière ont réfuté point par point sa théorie, arguant notamment qu'à la période des meurtres attribués à Jack l'éventreur, le peintre séjournait à Dieppe.

— Sickert effectuait de rapides aller-retour en bateau entre la France et l'Angleterre, après chaque assassinat, a rétorqué Cornwell.

Avec l'aplomb de Kay Scarpetta, la criminologiste, héroïne de ses romans !

Ça ne s'invente pas !

Plutôt que de continuer de s'escrimer dans la station-service où il est magasinier, Christopher Morris, un ancien repris de justice californien, a la lumineuse idée d'assassiner son ex-épouse et sa fille âgée de 10 ans pour toucher les 35 000 dollars de leur assurance-vie.

Pour mener à bien son projet, Morris s'assure de la complicité de ses parents. Ces derniers acceptent avec d'autant plus d'enthousiasme qu'« ils n'ont jamais trouvé leur belle-fille très sympathique ». Avant de passer à l'acte et pour s'éviter une éventuelle déconvenue, le trio vérifie discrètement les comptes de leurs futures victimes. Et s'aperçoit, dépité, que le contrat a été résilié. À quoi bon dès lors se donner la peine de commettre un double meurtre sans espoir d'en tirer profit ?

Quelques jours plus tard, Morris vend pour 1 000 dollars de cocaïne à ses parents, afin qu'ils écoulent la drogue au détail auprès des enfants de l'école du quartier. Or la cocaïne frelatée est invendable. Furieux de s'être fait posséder par leur propre fils et le sachant, lui, titulaire d'une police à jour de 70 000 dollars, ces derniers lui fracassent le crâne. Avec l'aide d'un repris de justice au chômage, ils abandonnent le corps sur la voie publique et décident de se fournir mutuellement des alibis. Perfectionnistes, ils soudoient ensuite un sans-logis retardé mental pour qu'il prenne le crime à son compte. Afin d'empocher une prime de quelques dizaines de dollars, le vagabond feint d'accepter le marché, mais court dénoncer le trio infernal à la police.

Qui contestera encore que la réalité la plus sordide dépasse toujours la fiction ?

Un nom cher à porter

Pascal Weber, père de famille et gérant d'une entreprise de dépôt-vente, serait un homme heureux s'il n'avait la mauvaise fortune de s'appeler… Pascal Weber. Car, depuis que l'administration le confond avec un homonyme né, comme lui, le 14 mars 1964, sa vie s'est littéralement transformée en enfer.

En 1996, la Caisse d'épargne de Terville en Moselle bloque ses comptes sur ordre de la trésorerie de Mulhouse, qui lui réclame 18 325 €. Sans comprendre encore les raisons de la saisie-arrêt, Pascal exige des explications des services fiscaux. Découvrant l'existence de son homonyme, il fait néanmoins remarquer que leurs numéros de Sécurité sociale diffèrent. Le sien comporte un 99 puisqu'il est né au Luxembourg, et non le 68 du Haut-Rhin, où est né l'autre Weber, un chômeur qui ne paie pas ses impôts.

Le fisc de Mulhouse reconnaît son erreur sans pour autant la rectifier. Ainsi, lorsque Weber veut ouvrir un compte au Crédit mutuel, le banquier refuse. Son homonyme possède déjà un compte négatif dans son agence et les impayés s'accumulent.

Pour obtenir de nouveaux papiers authentifiant son identité, Pascal alerte le ministère de la Justice et celui des Affaires étrangères du Luxembourg. Il interpelle Jacques Chirac, le Premier ministre de l'époque, le procureur de la République et les médias. En vain. Une avalanche de factures salue chacune de ses démarches.

La vie du paisible père de famille tourne au cauchemar. Après dix-sept ans de vie commune et la naissance de deux enfants, sa compagne aimerait se marier. Mais Pascal hésite. Tant que son existence ne sera pas clairement dissociée de celle de son double maléfique, il ne veut pas prendre le risque de voir celle qu'il aime en épouser un autre !

Sans rancune

Ruth Lilly, une richissime dame de 87 ans, héritière du groupe pharmaceutique Eli Lilly & Co, vit retranchée dans sa gigantesque propriété d'Indianapolis, ne se déplaçant plus qu'en fauteuil roulant, entourée de seize infirmières et de trente et un domestiques.

Pour autant, en dépit de son grand âge, la passion qu'elle nourrit pour la poésie est demeurée intacte. N'avait-elle pas déjà envoyé, quarante ans plus, tôt un florilège de ses œuvres à *Poetry,* une revue confidentielle mais prestigieuse créée en 1912 et ayant publié des auteurs tels que Ezra Pound, T. S. Eliot ou Dylan Thomas ? Jugés médiocres, ses poèmes avaient été implacablement refusés par l'éditeur. Peu rancunière, la vieille dame n'en a pas tenu rigueur à la gazette puisqu'elle vient de lui léguer une partie de son immense fortune, soit quelque 100 millions de dollars.

— Pendant un siècle, nous avons payé les poèmes à leurs auteurs 2 dollars la ligne. Grâce à ce don exceptionnel, nous allons pouvoir revoir nos tarifs à la hausse et augmenter le tirage, s'est réjoui Joe Parisi. Sans pour autant nous sentir obligés de publier une œuvre de notre généreuse donatrice !

Un trésor de 6 000 balles… de golf !

Freud, Jung et Adler, les pères de la psychanalyse, auraient étudié sans doute avec intérêt l'étrange marotte qui a conduit Wally Edwards à collectionner plus de 6 000 balles de golf au cours de ses vingt dernières années.

Chaque jour, en effet, et durant deux décennies, ce Britannique de Limpsfield, dans le Surrey, se rendait sur le terrain de golf voisin de son domicile pour y subtiliser des balles par poignées.

Au risque d'être accusé de vol ou de se faire ouvrir le crâne par le swing d'un joueur maladroit, le retraité rampait dans l'herbe à l'orée de la pelouse d'entraînement, cueillait son butin avec délectation et s'en remplissait les poches. « C'était devenu une véritable obsession, a déclaré son épouse. Chaque jour mon mari sortait avec son chien et revenait avec sa cargaison de balles, qu'il déversait ensuite dans toute la maison. Lorsque Wally est décédé, à l'âge de 82 ans, son testament cédait la moitié de son trésor à notre fils, John. »

C'est en écumant la maison de la cave au grenier, en vidant armoires, sacs et tiroirs de leur contenu, que John Edwards est parvenu à collecter son héritage : une stupéfiante montagne de 6 000 petites balles blanches.

« J'en ai entassé 2 500 chez moi jusqu'à ce que mon garage en soit plein et je ne sais toujours pas quoi en faire, a confessé le jeune homme. Mon père ne m'a rien laissé d'autre. Le plus étrange est que de son vivant, et malgré mes supplications, il avait toujours refusé de me céder le moindre échantillon de son trésor. »

Le dernier combat du Che

Mario Teran, un sous-officier bolivien à la retraite, se présente dans un hôpital de Santa Cruz pour s'y faire opérer d'une double cataracte. Trop pauvre pour s'acquitter des frais de l'opération, il bénéficie des soins qu'une équipe d'ophtalmologistes cubains dispense gratuitement à travers l'Amérique latine. L'intervention se déroule à merveille et le vieil homme recouvre la vue. Le lendemain, son fils publie dans le journal local une lettre dans laquelle il remercie chaudement les chirurgiens. Et dévoile par la même occasion un secret qui fait aussitôt l'effet d'une bombe : son père n'est autre que le soldat qui, le 9 octobre 1967, avait été tiré à la courte paille par un officier de la CIA pour exécuter Ernesto Che Guevara, blessé et fait prisonnier dans la sierra bolivienne.

Quelques jours plus tard, *Granma*, le quotidien officiel cubain, relate l'affaire à sa manière : « Le Che gagne un nouveau combat ! Grâce à la générosité de nos médecins, Mario Teran peut à nouveau apprécier les couleurs du ciel et de la forêt, profiter des sourires de ses petits-enfants et regarder les matchs de football. Quatre décennies après sa mort, le Che remporte une nouvelle bataille ! »

L'histoire ne dit pas si, en l'échange de la vue, Mario Teran a restitué à ses bienfaiteurs la pipe du Che, que l'agent de la CIA lui avait donnée pour le récompenser de s'être acquitté à sa place du « sale boulot » !

Les points sur les i

Se chamailler de vive voix entre époux peut entraîner du bris de vaisselle, des plaies et des bosses si les choses s'enveniment. Mais s'insulter par SMS interposés peut s'avérer autrement plus dangereux. Ainsi en est-il d'Emine et de Ramazan, un couple de jeunes Turcs. Séparés depuis des semaines, les protagonistes échangent des noms d'oiseaux sur leurs portables respectifs, Emine ayant déserté le domicile conjugal pour aller se réfugier chez ses parents.

— Tu changes de sujet à chaque fois que tu es à court d'arguments, reproche Ramazan à sa femme dans son dernier message.

Or, circonstance fatale, le téléphone d'Emine n'est pas configuré pour la langue turque. Ainsi les « i » sans point se transforment-ils sur l'écran en « i » avec point. Ce qui change radicalement la signification de la phrase, l'expression *sikisinca* – « à court d'argument » – se transformant en « en train de baiser ».

Folle de rage, Emine somme le malotru de venir s'expliquer sur-le-champ. Lorsque ce dernier se présente sans appréhension chez son beau-père, il est accueilli à coups de couteau. Parvenant à s'emparer de l'arme, il la retourne contre sa femme et lui tranche le cou. Puis il se rend au poste de police se constituer prisonnier.

Moralité : en cas de querelle conjugale, il n'est pas toujours avantageux de mettre les points sur les « i » !

La cavale du gourmet

Pascal Henry, un courtier genevois célibataire et peu disert, décide de s'offrir une aventure hors du commun : consacrer ses économies à la réalisation d'un tour du monde gastronomique. Pour faciliter son périple, il choisit de limiter son choix aux soixante-huit restaurants qui ont obtenu trois étoiles dans le classement du guide Michelin. Commencé le 5 mai 2008 chez Paul Bocuse, le marathon doit se poursuivre dans plusieurs pays européens, aux États-Unis et au Japon, pour s'achever, deux mois plus tard, chez Alain Ducasse, à Paris.

Henry écume donc les meilleures tables de l'Hexagone, puis il sillonne l'Allemagne et l'Italie. Le cœur léger mais la peau du ventre bien tendue (après son 40e festin, Henry a déjà grossi de 8 kg !), il se retrouve en Espagne à l'El Bulli. Pour 165 € vin non compris, Ferran Adria, le pape de la cuisine « techno-émotionnelle », lui propose la trentaine de bouchées de son menu dégustation. Le sorbet à l'ail blanc ou le quinoa de foie gras troublent-ils la sérénité de notre gourmet itinérant ? Quoi qu'il en soit, il s'éclipse en fin de repas sans payer l'addition et disparaît mystérieusement. La police espagnole puis Interpol se lancent sans succès à sa poursuite. À la fin de l'été, des caméras de vidéosurveillance l'identifient en train de retirer de l'argent dans une banque de Genève.

Pour quelle raison le gastronome a-t-il interrompu sa folle équipée d'une manière aussi inélégante ? Nul ne le sait. Mais Henry appréciait saint Augustin et le citait à l'occasion : « Celui qui se perd dans sa passion a moins perdu que celui qui a perdu sa passion ! »

Un habile bricoleur

Qui a dit que les chirurgiens étaient les bricoleurs de l'organisme ?

En 2008, Henry Marsh, un éminent neurochirurgien anglais se trouve en Ukraine dans le cadre d'un programme humanitaire. Ayant détecté une tumeur cervicale chez une patiente, il décide de l'extraire en pratiquant une trépanation. Une intervention relativement banale puisque des études paléontologiques prouvent qu'à l'aide de silex et de coquillages affûtés, elle était déjà pratiquée autour du bassin méditerranéen dès l'époque néolithique.

Comme les anesthésistes ont inopinément déserté le bloc opératoire, Marsh doit se contenter d'une anesthésie locale. Cette question réglée, le chirurgien pratique un orifice dans l'os pariétal gauche. Soudain, une coupure d'électricité plonge la salle d'opération dans le noir complet. Sans se départir de son flegme, le praticien frotte une allumette et donne ses instructions à ses assistants : « Allez chercher des lampes à pétrole et la perceuse sans fil qui se trouve dans ma chambre d'hôtel. » Aussitôt dit, aussitôt fait. Quelques minutes plus tard, Marsh reprend l'opération à la lueur des lampes disposées de part et d'autre du champ opératoire, et achève la trépanation à l'aide de... sa perceuse personnelle. Aux dernières nouvelles, la patiente se porte comme un charme.

Espérons que cet exploit ne donne pas de grain à moudre à notre ministre de la Santé, dont la politique consiste déjà à réduire drastiquement les frais de fonctionnement des hôpitaux !

Avec les moyens du bord

Quel point commun y a-t-il entre un chien et un soutien-gorge ? Tous deux, dans certaines circonstances, sont capables de sauver des vies.

En Arizona, Sharon Wood, une septuagénaire souffrant d'une insuffisance cardiaque fait l'acquisition de

Brutus, un jeune berger allemand. Six mois plus tard, la malade s'effondre au milieu de son salon, terrassée par un nouvel infarctus. Comme s'il mesurait aussitôt la gravité de la situation, le chien bondit vers le téléphone et enfonce sa truffe dans la touche rouge qui relie la maison au 911, le numéro des services d'urgence. Sauvant ainsi *in extremis* la vie de sa maîtresse.

En Bavière, Jessica Brown, une touriste britannique de 24 ans, chute lourdement dans la montagne et se brise une jambe. Alors qu'elle commence à se déshydrater, la jeune femme s'aperçoit que, par chance, elle est immobilisée à proximité d'un câble que les bucherons utilisent pour le transport du bois. Elle retire son soutien-gorge et, au prix d'efforts surhumains, le noue sur le filin. Lorsque le chariot suspendu redescend, chargé de grumes, il entraîne avec lui la pièce de tissu en dentelle. Des forestiers la récupèrent dans la vallée et préviennent les secours. Quelques heures plus tard, des gendarmes repèrent la blessée et l'évacuent par hélicoptère. « J'ai pensé tout d'abord utiliser l'une de mes chaussettes. Et puis, en y réfléchissant, j'ai estimé que mon soutien-gorge motiverait davantage les bûcherons à intervenir », a expliqué la miraculée sur un lit d'hôpital.

On n'attire pas les mouches avec du vinaigre !

Un paradis perdu

Ultime possession de la Couronne britannique dans l'océan Pacifique, l'île de Pitcairn accueille depuis

1790 les descendants des célèbres mutins du *Bounty*. La cinquantaine d'habitants de ce territoire de 5 km² survit paisiblement à l'écart du monde grâce à l'émission de timbres-poste pour collectionneurs, l'élevage et la pêche traditionnelle. Jusqu'à ce qu'une journaliste anglaise, Dea Birkett, décide de lui consacrer un livre. L'ouvrage, *Un serpent au paradis,* publié à Londres en 1997, révèle que l'îlot est devenu au fil du temps un sanctuaire de mœurs dépravées. Ou idylliques selon l'idée que l'on se fait de la morale. Birkett affirme, en effet, qu'à Pitcairn « des sœurs se partagent le même mari, des adolescentes ont des relations avec des hommes mûrs, les femmes ont des enfants avec plus d'un partenaire, parfois dès l'âge de 15 ans ».

L'affaire faisant grand bruit en Angleterre, Karen Vaughan, une inspectrice de Scotland Yard, est envoyée sur place pour vérifier ces allégations. Après cinq ans d'enquête, sept hommes se retrouvent sur le banc des accusés. Bien que les îliennes prennent leur défense et clament leur innocence, la Haute Cour du Commonwealth reconnaît coupables six d'entre eux et les condamne, en octobre 2006, à des peines allant de travaux d'intérêt général à six ans de prison. Pour palier la brusque pénurie de main-d'œuvre masculine, les autorités britanniques envoient des travailleurs sociaux et décident de doter le territoire d'un minimum d'infrastructures.

L'histoire ne dit pas si les Pitcairniens ont apprécié la modernisation de leur île.

Échangistes malgré eux

Nés à un an d'intervalle, Eduardo et Carlos Lopez, des Cubains trentenaires, se ressemblent à s'y méprendre. En 1994, Eduardo, l'aîné, parvient à s'enfuir aux États-Unis sur un radeau de fortune. Après avoir obtenu le statut de réfugié politique, il devient chauffeur de taxi à Miami, se marie et fonde une famille. En 2007, il imagine un plan pour que son cadet puisse venir le rejoindre : il se rendra à La Havane *via* Mexico, et donnera à son frère sa carte de travail et son permis de conduire américains. Leur ressemblance physique et les documents officiels berneront les policiers. Une fois en sécurité sur le sol américain, Carlos renverra les papiers à Eduardo qui les utilisera à son tour pour quitter le pays, cette fois en toute légalité.

Cet habile stratagème aurait sans doute fonctionné si les Lopez ne s'étaient pas précipités pour le mettre à exécution. Car, lorsque Eduardo se présente à l'aéroport, les policiers découvrent qu'un homonyme, en tout point semblable à l'homme qu'ils ont devant eux, a déjà pris l'avion pour le Mexique, une semaine plus tôt. La supercherie démasquée, la sanction tombe : le vrai Eduardo paiera à la place du faux. Il purgera une peine de prison puis sera assigné à résidence jusqu'à la fin de ses jours.

Carlos et Eduardo vivent aujourd'hui sous le toit de leurs belles-sœurs respectives, l'un à Miami, l'autre à La Havane. Naturellement, il serait tendancieux de penser qu'après avoir malencontreusement échangé leurs lieux de résidence, ils ont par la même occasion échangé leurs épouses !

Fins stratèges

On peut s'interroger si, au-delà de certaines limites, la bêtise humaine n'atteint pas une forme de génie. Les exploits récents de malfrats amateurs confortent en tout cas cette hypothèse.

Ainsi, à Chicago, un jeune homme entre dans un garage, braque l'employé avec un pistolet et réclame l'argent du coffre. Ce dernier prétend que seul le patron connaît la combinaison et qu'il est absent.

— Note le numéro de mon téléphone portable et appelle-moi quand il sera de retour, ordonne le braqueur, en sortant sur le trottoir fumer une cigarette.

Quelques minutes plus tard, une patrouille de police, prévenue par l'employé, embarque le stratège.

À Draguignan, un cambrioleur s'introduit, la nuit, dans une boulangerie. Il subtilise tout ce qui lui tombe sous la main et rentre chez lui, sans s'apercevoir qu'il a marché dans la farine. Au matin, les gendarmes n'ont qu'à suivre les traces de ses pas pour le localiser.

Comme les vols de voitures se multiplient dans une banlieue de Londres, la police dissémine sur le bord des trottoirs plusieurs voitures banalisées équipées de caméras à infrarouge. Le lendemain matin, le délinquant est arrêté. La caméra qui l'a filmé en train de fracturer des portières a enregistré son nom et sa date de naissance, tatoués sur sa nuque !

Pour finir, n'oublions pas de mentionner cet Américain qui n'avait pas trouvé meilleure idée que de se confectionner une omelette dans la cuisine du restaurant qu'il était en train de dévaliser. Et d'appeler la police à l'aide, après s'être brûlé les mains au second degré !

Femmes à vendre

La déclassification des archives diplomatiques fournit aux historiens une manne d'informations inédites qui éclairent d'un nouveau jour des événements majeurs.

Ainsi vient-on d'apprendre la teneur de l'entretien que Mao Tsé-toung avait accordé, en 1973, à Henry Kissinger, le conseiller du président Nixon, alors que guerre froide et Révolution culturelle battent leur plein. Après avoir été forcé d'ingurgiter dès potron-minet bières et alcool de riz, Kissinger, légèrement éméché, demande à son hôte s'il redoute une invasion soviétique.

— Pas de danger, nous nous sommes préparés à cette éventualité, le rassure Mao. Mon seul problème est que pas assez de Chinoises savent combattre. Et puisque vous êtes ici pour que nous développions nos échanges commerciaux, je propose d'envoyer aux

États-Unis dix millions de nos femmes. Ça les empêchera de se reproduire ici comme des lapines, et ça vous fera de la main-d'œuvre bon marché.

Comme l'interprète chinoise s'étrangle d'indignation en traduisant ces propos, un conseiller, membre du Comité central du Parti, exige de Mao qu'il lui présente des excuses sur-le-champ. Ce dernier s'exécute de bonne grâce. En retour, Kissinger promet qu'il retirera de son rapport officiel la proposition pour le moins sexiste du Grand Timonier. Jusqu'à ce que, trente-cinq ans plus tard, ses notes confidentielles soient rendues publiques !

Village global

En 1929, le mathématicien hongrois Frigyes Karinthy établit la théorie des *six degrés de séparation*, hypothèse selon laquelle chacun d'entre nous peut être relié à n'importe quelle autre personne sur Terre *via* cinq intermédiaires. En 1967, la théorie est mise en application par Stanley Milgram, de l'université Harvard, sur un groupe de soixante-quatre personnes, chacune d'entre elles devant trouver le moyen le plus rapide d'envoyer une lettre à un inconnu de New York.

En juin 2006, cette unité de « mesure sociale » est réactualisée, mais cette fois sur grande échelle, par Eric Horvitz et Jure Leskovec. Ces chercheurs de Microsoft analysent 30 milliards de conversations électroniques sur un panel de 180 millions d'utilisateurs du logiciel *Live Messenger*, soit près de la moitié du trafic global des messageries instantanées. Naturellement, si la majeure partie des internautes est âgée d'une vingtaine d'années et se trouve concentrée dans l'hémisphère Nord, le résultat de la nouvelle étude est stupéfiant : il faut en moyenne créer des liens avec 6,6 contacts avant de pouvoir dialoguer avec une personne particulière qui ne figure pas sur sa liste de contacts. Dans 78 % des cas, sept contacts intermédiaires sont nécessaires.

On ne sait de quoi il faut davantage s'émerveiller. Que Karinthy ait conçu sa théorie à une époque où les ordinateurs n'existaient que dans l'imagination des auteurs de science-fiction ? Ou, comme l'a démontré Horvitz, qu'« il existe effectivement une connectivité sociale constante dans l'humanité » ? Qui a dit que notre planète était un « village global » ?

Choc linguistique

Lors d'une compétition sur un circuit britannique, le motard professionnel tchèque, Matej Kus, 18 ans, chute lourdement dans un virage. Incapable de l'éviter, la moto du concurrent suivant lui roule sur la tête. Aussitôt évacué de la piste et transporté à l'hôpital par hélicoptère, le jeune champion est plongé dans un profond coma. Quand il reprend conscience au bout de 45 minutes, les médecins constatent avec stupeur qu'il s'exprime couramment en anglais, alors qu'avant son accident il ne possédait pas dix mots de vocabulaire dans cette langue. « Le patient parlait d'une façon absolument parfaite, sans la moindre trace d'accent étranger. On aurait dit l'un de ces types qui lisent les nouvelles à la radio », a témoigné une infirmière.

Le miracle ne dure que 48 heures. Alors qu'il reprend des forces, Kus perd progressivement l'usage de la langue des Beatles jusqu'à devenir incapable de bredouiller autre chose que *yes* ou *no*. Selon des neurologues, le motard pourrait avoir été atteint du « syndrome de l'accent étranger », qui touche parfois les victimes d'accident ou d'attaque touchant la partie du cerveau qui contrôle la parole.

« J'espère pouvoir continuer l'apprentissage de l'anglais, a déclaré en tchèque le blessé en quittant l'hôpital. Mais sans avoir besoin qu'une moto de 180 kg me passe une nouvelle fois sur la tête, à 130 km/h ! »

Voyages immobiles

Certains Russes sont-ils enclins à étaler leur train de vie avec ostentation, comme de mauvaises langues le prétendent parfois ? Convaincu que ce travers gagne toutes les couches de la société, Dimitri Popov a créé Persée-Tour, une agence de voyages unique en son genre. Son principe est simple : procurer aux futurs nouveaux riches les « preuves » qu'ils se sont offert un voyage de rêve à l'autre bout du monde. Ainsi, pour environ 400 €, l'agence leur fournit tickets d'excursion, photos truquées, souvenirs pittoresques et récit détaillé d'aventures imaginaires. Doté de ce matériel fabriqué de toutes pièces et acheté dans des brocantes, le voyageur peut faire état auprès de son entourage d'un séjour au Brésil ou au Kenya, alors qu'en réalité il s'est morfondu dans un hôtel minable d'une banlieue de Moscou.

Ioulia, 23 ans, raconte s'être offert un « voyage » en Argentine pour se faire remarquer de son chef de service, adepte de séjours insolites. En échange de quelques centaines d'euros, Persée-Tour lui a remis cinq photographies d'elle sur fond de pampa et de cordillère, une calebasse pour préparer le maté, des aimants pour décorer son réfrigérateur et un topo dans lequel étaient consignés ses « souvenirs ». Son chef, impressionné par son sens de l'initiative, lui a offert une promotion.

La palme de la supercherie revient à un Sibérien qui, voulant épater ses amis, a prétendu avoir effectué un voyage dans l'espace. Pour satisfaire sa demande, Persée-Tour lui a acheté un scaphandre et l'a photographié flottant en apesanteur autour d'une station orbitale en carton-pâte !

Chasse à l'homme

Directives européennes obligent, certaines pratiques traditionnelles ont été progressivement frappées d'interdit. Ainsi, en Grande-Bretagne, la vénérable chasse au renard, jugée cruelle, a-t-elle été mise hors la loi en 2004. Néanmoins, pour ne pas avoir à renoncer à leur passion, quelques inconditionnels de ce sport, tel Clive Richardson, maître d'équipage, ont dû en adapter les règles.

Voici la recette de cette chasse new look : en guise de renard, prenez un jeune sportif, endurant et courageux. Mettez-le en présence des chiens de la meute, afin qu'ils s'imprègnent de son odeur. Accordez-lui cinq minutes d'avance. Puis, au son des cors et des aboiements, lancez l'équipage à sa poursuite. Le gibier franchira des haies, enjambera des fossés, cavalera à travers champs, s'essoufflera sur un parcours de 12,5 km, divisé en cinq tronçons préalablement jalonnés.

Dès lors, une question angoissante se pose : qu'adviendra-il de lui si chiens et cavaliers parviennent à l'attraper ? « Lorsqu'un fox-hound vous arrache un bras, ça ne saigne pas tant que ça », plaisante Richardson. Avant d'expliquer plus sérieusement : « J'ai expérimenté ce divertissement avec mes fils. Le seul risque encouru par l'homme-renard est de se faire lécher de la tête aux pieds par les chiens. »

La chasse à l'homme procure-t-elle des sensations analogues à celle d'autrefois ? Les avis sont partagés. « La montée d'adrénaline est la même », affirme Richardson. « Poursuivre un coureur sans pouvoir le mettre à mort, c'est trop aseptisé », regrette pour sa part un aristocrate, déçu par l'expérience.

L'eau à la bouche

Tandis que Restos du cœur et banques alimentaires ne désemplissent pas, tant les effets de la crise économique pèsent sur le porte-monnaie des ménagères les plus modestes, il est bon parfois de se délecter à distance de mets d'exception. Aussi ai-je sélectionné à votre intention quelques chefs-d'œuvre gastronomiques. À défaut de vous mettre l'eau à la bouche, ils vous confirmeront que nous vivons une époque formidable.

La chaîne de fast-food Burger King propose à son aimable clientèle le sandwich le plus cher du monde. Confectionné à base de viande de bœuf japonaise, de foie gras et de Roquefort, il se présente sous la forme d'un hamburger traditionnel et s'acquiert sur commande pour la modique somme de 110 €.

Beaucoup plus alléchant est le gâteau servi dans un restaurant new-yorkais. Pour 25 000 dollars, vous aurez droit à une crème fouettée saupoudrée de poussière d'or et surmontée d'une truffe chocolatée. Il est vrai qu'après dégustation vous pourrez emporter en souvenir la petite cuillère en or massif et la coupe rehaussée d'un diamant. Seul inconvénient : lors d'un contrôle sanitaire effectué dans l'établissement, les services de l'hygiène ont relevé la présence de mouches, de cafards et de quelques souris…

Sachez encore que le Carlton Ritz de Moscou propose des bouteilles de champagne à 20 000 € l'unité. Explication : les flacons, destinés à l'origine à la cour impériale de Russie, se trouvaient à bord d'un navire qui avait coulé, en 1906, au large de la Finlande. Avant d'être repêchés un siècle plus tard et précieusement entreposés dans les caves du palace.

Pays de cocagne

Digne de figurer dans une aventure de Tintin et Milou, la Valachie est un petit pays situé dans une région montagneuse du sud-est de la République tchèque. Imaginé en 1997 par le photographe Tomas Harabis pour attirer les touristes, ce royaume fictif remporte vite un franc succès. L'humoriste Bolek Polivka accède au trône sous le nom de Boleslav le Gracieux, tandis que Harabis occupe les fonctions de ministre des Affaires étrangères. Une monnaie de singe est émise par une imprimerie locale qui joue le rôle de banque centrale. La voiture officielle dans laquelle se déplace le souverain est une Trabant jaune de l'époque soviétique. Et le seul diplôme reconnu par l'université est celui de distillateur d'eau-de-vie.

Mais l'état de grâce est de courte durée. Confondant peu à peu fiction et réalité, Boleslav le Gracieux entend diriger seul l'économie du pays devenu prospère. En 2001, Harabis organise un coup d'État et révoque le despote au profit d'une chanteuse folklorique, qu'il nomme régente. Le roi déchu contre-attaque devant les tribunaux tchèques, bien réels cette fois, exigeant un dédommagement de 40 000 € pour services rendus. Il n'obtient pas satisfaction. Un concours mêlant chants, danses et jeux valaques est organisé pour doter le royaume d'un nouveau chef. Un ingénieur l'emporte et entre dans l'histoire de la Valachie sous le nom de Vladimir II.

« La monarchie dégénère dans le despotisme d'un seul ; l'aristocratie dans le despotisme de plusieurs ; la démocratie dans le despotisme du peuple », prophétisait Montesquieu, au milieu du XVIIIe siècle.

Une vieille dame trop digne

Après trois tentatives infructueuses, Mme Esther McMahen, 70 ans, a fini par obtenir brillamment son permis de conduire. Impatiente de mettre en pratique ses connaissances théoriques chèrement acquises, elle s'est élancée au volant de sa camionnette et s'est fondue avec dextérité dans la circulation de Toronto.

Comment expliquer, dans ces conditions, qu'à l'approche du premier feu rouge, Esther ait confondu la pédale de l'accélérateur avec celle du frein ? C'est donc à une allure assez vive que la camionnette a percuté l'arrière d'un taxi à l'arrêt. Comment justifier ensuite l'attitude apparemment indigne de la conductrice ? Au lieu de constater les dégâts et de se confondre en excuses, elle a enclenché la marche arrière, a rageusement dégagé sa camionnette du taxi embouti et déguerpi sous le regard éberlué de sa victime.

Esther s'est rendue directement au commissariat de police de son quartier pour y relater l'accident dans ses moindres détails, s'en attribuant l'entière responsabilité.

Après avoir patiemment entendu la vieille dame, les policiers l'ont inculpée de délit de fuite. Le juge chargé de l'affaire a pour sa part soupesé les faits et estimé que l'inexpérience d'Esther McMahen expliquait son excès de zèle. Verdict : un centime d'euro d'amende avec un délai de 1000 ans pour s'en acquitter !

Une vie après la mort ?

Après avoir vu au cinéma le film japonais *Une noble famille*, six jeunes Chinoises ont regagné à pied leur village de montagne, « bouleversées par les images d'intérieurs somptueux, de riches vêtements, de bals animés et d'histoires d'amour enflammées ».

Chemin faisant, une des adolescentes a assuré aux autres que selon sa grand-mère bouddhiste, une autre vie est garantie après la mort. Convaincues de « n'être pas nées au bon endroit », dépitées par leurs modestes et tristes conditions d'existence, les jeunes filles ont décidé de se donner la mort collectivement dans l'espoir de se réincarner en créatures riches et parfaites aux États-Unis, au Japon et à Hong Kong.

La police a trouvé cinq corps sans vie dans un étang proche du village. Après avoir cru tout d'abord à un quintuple meurtre, elle a conclu au suicide. Le drame a été relaté quelques jours plus tard par la sixième adolescente, qui, au dernier moment, avait renoncé à se jeter à l'eau.

Simplifions-nous la vie !

Malgré ce qu'en pensent quelques esprits chagrins, partout en Europe les usages administratifs tendent à se simplifier. Ainsi, le Conseil du comté de Gwynedd, au pays de Galles, a décidé d'abréger le toponyme d'un petit village de l'île d'Anglesey composé de 58 lettres. Incapable de se mettre d'accord sur le choix d'une nouvelle appellation un aréopage de distingués linguistes gallois et de non moins célèbres philologues venus de Londres, le Conseil a supprimé purement et simplement les 38 dernières lettres du nom de la localité.

De « Llanfairpwllgwyngyllgogerychwyrndrobwllll-tantysiliogogogoch » (en un seul mot), le village s'appellera désormais tout bonnement « Llanfair Pwll-gwyngyll » (en deux mots et comme ça se prononce) sur les documents municipaux et les panneaux de signalisation.

— Les gens sont toujours libres d'appeler le village comme ils veulent, s'est empressé de rassurer Dafydd Orwig, le président du Conseil local. De toute façon, peu de gens, à l'exception d'une poignée de vieillards conservateurs, avaient l'habitude de le prononcer en entier.

Au crédit de cette décision, il semble bien que

depuis des lustres les jeunes avaient coutume de désigner familièrement leur village du nom de « Sainte-Marie », alors que le nom complet est, bien sûr, « Église de Sainte-Marie, dans le vallon des noisetiers blancs près des tourbillons de LLantysilio, à côté de la grotte rouge ».

Jésus-Christ relaxé

Si Jésus-Christ devait comparaître aujourd'hui devant un tribunal espagnol pour délits de blasphème, rébellion et sédition, il serait relaxé. C'est du moins cette hypothèse qu'a retenue un magistrat du tribunal provincial de Grenade.

Le juge, Eduardo Rodriguez Cano, « homme très pieux et qui jouit d'un grand prestige dans la région », a décidé en effet de faire le procès en révision du Christ, plus de 2 000 ans après sa mort, pour célébrer à sa manière la Semaine sainte. Pour ce faire, il a tout d'abord attentivement épluché les griefs à l'encontre de Jésus, relatés dans les Évangiles et dans les livres d'histoire. Puis, à la lumière de la jurisprudence espagnole, il a estimé que les faits retenus contre son client n'étaient pas suffisamment étayés pour qu'il soit condamné à une lourde sanction, encore moins à la peine capitale, puisqu'elle est depuis longtemps abolie dans le droit ibérique.

Troquant ensuite symboliquement sa robe d'avocat pour celle de juge, le magistrat a rendu son verdict : la relaxe, assortie toutefois d'une légère amende pour

« outrage à agent, voie de fait et trouble de l'ordre public ».

— J'ai rédigé cette sentence comme s'il s'agissait d'une prière, d'un acte d'amour, a justifié le juge Cano. Mais, en la dictant, je me suis presque considéré comme un blasphémateur, car qui suis-je pour juger le Christ ?

Le miroir aux alouettes

Francesco Caforio, un chasseur italien de 60 ans, et sa femme, Maria, se régalent d'une fricassée d'alouettes. Leur festin achevé, les époux sont pris de violents malaises, doublés d'une sensation de froid et d'engourdissement aux bras et aux jambes. Conduits à l'hôpital dans un état alarmant, les malades subissent des examens sanguins, qui révèlent un taux élevé de ciguë et font penser à un empoisonnement. Maria reçoit des soins intensifs tandis que Francesco succombe en quelques heures à son mal mystérieux.

Subodorant un acte criminel, les médecins alertent la police qui ouvre une enquête. Elle ordonne une autopsie de la dépouille de Francesco. Le rapport du médecin légiste révèle que la ciguë, responsable du décès, provient des alouettes ingérées. Les policiers, perplexes, font alors appel à un expert de la Ligue pour la protection des oiseaux. « Il s'agit d'une sorte de vengeance posthume des alouettes, a conclu l'ornithologue consulté. Les oiseaux peuvent picorer des graines de ciguë, une plante ombellifère très répandue en Italie du Sud, sans s'intoxiquer, le poison se répandant dans leur chair et la rendant mortelle. »

On se souvient que, selon la Bible, nombre de Juifs périrent intoxiqués durant la traversée du désert, après avoir consommé de la chair de caille contaminée par la ciguë.

— L'histoire s'est répétée à l'identique, a conclu, philosophe, un éminent toxicologue. Il n'y a rien de nouveau sous le soleil !

Le pudding à l'épreuve de la science

Depuis des siècles, les ménagères britanniques se transmettent de mère en fille les secrets de fabrication du pudding, sans lequel les fêtes de Noël seraient inconcevables en Angleterre.

Constatant cependant que le temps de cuisson du célèbre gâteau variait légèrement d'une recette à l'autre, le Dr Glenn Cox, un prestigieux mathématicien de l'université d'Oxford, s'est livré à de savants calculs afin que chaque pâtissière puisse confectionner ce chef-d'œuvre de la gastronomie d'outre-Manche sans risque d'erreur.

Après avoir aligné croquis et équations, le Dr Cox a publié le résultat de ses recherches dans le *Daily Telegraph* : « Le temps de cuisson du pudding est fonction du carré du rayon du gâteau ou de son volume à la puissance deux tiers », a-t-il conclu.

Ainsi, un pudding de deux kilos doit-il impérativement rester au four 1,6 fois plus longtemps qu'un pudding d'un kilo. Le savant a ensuite affiné son argumentation : « Le pudding présente une forme sphérique. C'est un corps parfaitement homogène en dépit des groseilles et autres ingrédients décoratifs qui entrent dans sa composition. »

Les recherches de l'éminent mathématicien ont permis de confirmer ce que les ménagères anglaises savent depuis toujours : il faut huit heures pour faire cuire un bon pudding et deux heures pour le réchauffer avant de le servir à table.

3 800 km derrière un chariot

Une enquête, réalisée par Tesco, le numéro un de la distribution en Grande-Bretagne, auprès de 800 clients vient de révéler le plus sérieusement du monde que les Britanniques parcourent dans leur vie plus de 3 800 km derrière un chariot de supermarché. La vitesse moyenne des déplacements s'établit entre 3 et 5 km/h, comparable à la circulation au centre de Londres aux heures de pointe. Si les femmes déplorent la conduite « immature voire souvent irresponsable » de certains hommes : poussage ou tirage de chariot en état d'ivresse, dépassement par la droite, prise brutale de virage sans signalement, non-respect de la priorité aux croisements… 72 % de ces derniers s'estiment très bons conducteurs de chariot.

L'enquête révèle encore qu'un client sur cinq souhaite la mise en place de zones de stationnement interdit et l'instauration d'allées « à sens unique » pour fluidifier le trafic. Enfin, quelques consommateurs désirent la présence dans les rayons d'une discrète force de l'ordre, habilitée à verbaliser les conducteurs en infraction.

« Il serait grand temps de refréner l'ardeur des jeunes conducteurs. Trop d'entre eux font des pointes de vitesse à travers les magasins, dangereuses pour les hanches et les chevilles fragiles des personnes âgées. »

Porté disparu

La télévision indienne de l'État du Bangalore a diffusé pendant vingt secondes, à une heure de grande écoute, le portrait du président de la République, K.R. Narayanan, parmi les photographies de personnes portées disparues, demandant au public d'aider à le retrouver.

Face à une avalanche d'appels de téléspectateurs paniqués, le directeur de la station a dû interrompre la diffusion des programmes et présenter ses excuses en direct. « Il s'agit d'une regrettable erreur, a bafouillé M. Chanda. Le président de la République n'a nullement disparu. Il se trouve dans sa résidence de New Delhi et gouverne bel et bien le pays. »

L'histoire ne dit pas si les militants les plus radicaux des partis d'opposition ont apprécié ce démenti.

L'as du volant fait marche arrière

En un an, Éric Awori, un Kenyan d'une trentaine d'années, spécialisé dans la course en marche arrière, était devenu le premier Africain susceptible d'entrer dans la saga du sport automobile.

Après s'être distingué dans une compétition locale, Awori avait en effet remporté le titre national, en dépit de nombreuses plaintes déposées par des concurrents malchanceux, arguant que l'épreuve avait été truquée par le commissaire de course, ministre adjoint du Tourisme et par ailleurs frère du champion.

Pour mettre un terme aux calomnies et laver son honneur, Awori avait informé la presse qu'il participerait bientôt à un rallye, opposant en Nouvelle-Zélande les meilleurs spécialistes internationaux dans une course d'endurance, une fois encore en marche arrière, sa curieuse obsession. Quelques semaines plus tard, le *Daily Nation*, le quotidien de Nairobi, annonçait sur cinq colonnes que Awari avait remporté l'épreuve et avait été sacré « champion du monde de conduite en marche arrière ».

Alors que les rues de la capitale se pavoisaient déjà en l'honneur du retour au pays de l'as du volant, le *Daily Nation* publiait un démenti cinglant. Le journal affirmait, preuves à l'appui, que le chouchou national était un charlatan. Sans quitter Nairobi, Awari avait envoyé de faux télex à l'Agence officielle d'information kenyane, KNA, proclamant sa victoire et l'accueil enthousiaste que lui avait réservé le public néo-zélandais.

Rapidement déchu de sa gloire factice, l'affabulateur, tourné en ridicule, s'est réfugié en Somalie. Son frère, accusé de complicité, a perdu, quant à lui, son portefeuille de ministre adjoint du Tourisme.

Travaux d'intérêt général

Cinq détenus du pénitencier de São Paulo, la mégapole brésilienne, ont décidé de « se faire la belle ». Peu pressés par le temps car condamnés à une peine de réclusion à perpétuité, ils entreprennent de creuser un tunnel sous leur cellule. Après quatre ans d'efforts harassants, après avoir épuisé mille ruses pour se soustraire à la vigilance des gardiens, après avoir patiemment dissimulé les tonnes de terre qu'ils extraient du souterrain, ils estiment que le moment est enfin venu de tenter l'évasion. D'après leurs calculs, leur galerie doit déboucher sur un terrain vague, à 400 mètres des enceintes du pénitencier. Afin d'augmenter leurs chances, ils choisissent d'opérer le 31 décembre, à 4 heures du matin, au cœur de la nuit du réveillon.

À l'heure dite, lorsque les cinq fuyards émergent du tunnel, un flot de lumière éblouit leurs crânes rasés. Des équipes de télévision équipées de puissants projecteurs, des policiers en armes et le directeur de la prison se sont réunis au bord du trou pour les accueillir. C'est en leur tapotant affectueusement l'échine que le directeur leur a fourni une explication :

— Je connaissais votre projet depuis le début. Si je vous ai laissés le mener à bien, c'est parce que j'avais l'intention d'utiliser votre tunnel pour faire passer la canalisation d'un nouvel égout. Il contribuera à améliorer la salubrité de l'établissement. Vous avez fait du beau travail, les gars. Je vous en remercie au nom de tous vos camarades détenus.

En territoire ennemi

Penauds, ils sont penauds les époux Christiani lorsque le juge Benevento prononce le jugement de leur divorce dans l'enceinte du tribunal de Naples. Gian Franco, 58 ans, employé municipal et Emma, de trois ans sa cadette, femme au foyer, baissent la tête et écoutent la sentence.

— La disponibilité financière réduite de la famille ne permettant pas la recherche d'un second logement, la cohabitation s'impose. L'acceptez-vous ? demande le magistrat d'une voix de baryton.

Le couple acquiesce, dépité.

— J'ai étudié le plan de votre appartement et voilà ce que j'ai décidé, poursuit le juge. L'usage de la salle de séjour sera réservé au mari, l'épouse ayant la jouissance de la chambre à coucher. Pour la cuisine et la salle de bains, des tranches horaires d'utilisation seront fixées lors d'une prochaine audience.

Les époux Christiani hochent à nouveau la tête et quittent, accablés, le tribunal chacun de son côté.

Le célèbre comédien italien, Riccardo Pazzaglia,

avait obtenu un grand succès à la télévision en imaginant, quelques années auparavant, une situation de ce genre, née de la crise du logement qui sévit en Italie et des maigres ressources des gens natifs du sud. Quant à savoir comment les ex-époux négocieront au jour le jour la traversée du territoire ennemi et l'occupation des « zones franches » de l'appartement, Pazzaglia a émis les plus grandes réserves.

— Je crains le pire, a soupiré le comédien. La guerre sera psychologique. Gian Franco et Emma déploieront toutes sortes de stratégies pour s'empoisonner mutuellement l'existence. Odeur insupportable de friture dans la cuisine, salle de bains inondée, pleine de buée ou de linge sale… Croyez-moi, tous les coups seront permis pour que chacun colonise peu à peu le territoire de l'autre.

Un trou de mémoire de dix-sept ans

Un sans-domicile fixe de 51 ans, erre de ville en ville à travers les États-Unis, mendiant sa nourriture et passant ses nuits dans les foyers pour indigents. Son mutisme et son comportement lui valent un jour d'être admis à l'hôpital psychiatrique de Norfolk, en Virginie. En effet, à intervalles réguliers, l'inconnu bat des bras et sautille d'un pied sur l'autre en faisant claquer sauvagement ses mâchoires. Un médecin commence sa consultation.

— Qui êtes-vous ?

L'homme réfléchit intensément et secoue ses avant-bras frénétiquement.

— Une poule ?

L'amnésique fait la moue.

— Un oiseau ?

Il hoche la tête et un sourire s'épanouit sur son visage.

— Un pigeon, une mouette ?

Le malade se redresse d'un bond et hurle à travers la pièce :

— Newport ! Je viens de Newport, là où il y a des mouettes, et je m'appelle Frank Caswell.

En possession du nom du malade et de celui de sa ville d'origine, le psychiatre ne tarde pas à contacter un membre de sa famille.

Frank Caswell avait quitté Newport dix-sept ans plus tôt pour voyager sans but à travers le pays. Bien que son état psychique nécessite toujours des soins, les médecins ne désespèrent pas le voir un jour reprendre une vie normale.

Une erreur de jugement

Selon ses supérieurs hiérarchiques, John Baron, un agent de police britannique, a poussé le zèle un peu loin en collant une contravention sur le pare-brise d'un… bombardier, stationné sur le bord d'une route nationale après un atterrissage forcé.

Pris dans une violente tempête, le Viking, un appareil américain spécialisé dans la chasse anti-sous-marine, avait dû atterrir en catastrophe, à quelques kilomètres de la base militaire d'Abington, dans le sud de l'Angleterre. Le pilote était parvenu à rétablir miraculeusement son engin déstabilisé et à le poser sur un tronçon de route désert. Dans la crainte d'une collision, il l'avait ensuite garé sur l'accotement et coupé les moteurs.

Non loin de là, tapi dans sa voiture banalisée, les yeux rivés sur son écran radar, à l'affût des chauffards, John Baron n'avait rien perdu de la manœuvre. L'estimant contraire au code de la route, le policier s'était porté à la hauteur du Vicking pour dresser contravention.

— Vous n'êtes pas autorisé à circuler sur cette route, encore moins à y stationner.

Après avoir mis plusieurs minutes avant de comprendre que le policier ne plaisantait pas, le pilote a vivement protesté, invoquant un cas de force majeure.

— Auriez-vous préféré que je m'écrase sur le village ?

— Je ne veux rien savoir, vous êtes en infraction, s'est entêté le policier en rédigeant son procès-verbal, notant sous la rubrique « marque et type du véhicule », « bombardier bimoteur Viking ».

Se hissant sur la pointe des pieds, Baron a tendu ensuite au pilote médusé une contravention de 20 €.

L'anecdote, relayée dans la gazette locale, *Thames News*, a indigné le chef de la police. Il a immédiatement fait annuler l'amende et suspendu trois jours l'agent trop zélé pour « erreur de jugement ayant ridiculisé la police royale ».

Carburant bio

À la fin de ce siècle, les énergies fossiles auront probablement disparu de la surface de la planète, et la plupart des pays n'auront pas eu le temps ou les moyens de trouver des carburants de substitution. À moins que les futurologues ne s'inspirent de l'expérience réalisée avec succès par M. Korchevnikov, un ancien ingénieur de la Défense soviétique.

En juin 2008, M. et Mme Korchevnikov doivent se rendre en voiture à Astana, la capitale du Kazakhstan, pour réconforter et complimenter leur fille unique qui vient d'accoucher. Or deux obstacles s'opposent radicalement à ce projet : le couple n'a plus un sou vaillant, ayant englouti toutes ses économies pour payer les frais de maternité. Et il n'y a plus une goutte d'essence à la pompe de la station-service du village. L'ingénieur réfléchit longuement. Puis il s'empare d'un seau et d'une corde, et se rend dans les toilettes publiques. Flageolant sur la margelle du trou nauséabond, il plonge son récipient et le remplit de la couche supérieure des matières fermentées. Après avoir filtré le contenu de son seau et l'avoir dilué avec de l'alcool à 90°, il bricole le carburateur de sa voiture. Miracle ! Non seulement le tacot consent à démarrer, mais il parcourt vaillamment une trentaine de kilomètres, ne tombant en panne qu'à l'approche de l'hôpital. L'ingénieur à la retraite s'est expliqué dans un journal kazakh : « Seule la couche supérieure du mélange fait office de carburant, le reste n'étant que de l'eau. » Aujourd'hui, une rumeur prétend que nombre d'automobilistes rôdent avec convoitise autour des toilettes publiques du village des Korchevnikov !

Le divin régime

On ne cesse de le dire et de le répéter : l'obésité est le fléau du siècle. La preuve : l'Organisation mondiale de la santé la considère comme une épidémie, estimant que, dans le monde, 300 millions d'adultes sont en surcharge pondérale. Ainsi, par exemple, la masse corporelle globale des Californiens a-t-elle augmenté de 180 000 tonnes durant la dernière décennie !

À l'intention des déçus des régimes amaigrissants traditionnels, une poignée de nutritionnistes américains fait aujourd'hui appel aux valeurs chrétiennes pour inciter leurs patients à perdre du poids. Sur le thème « adoptez la silhouette Jésus », Jordan Rubin a vendu plus d'un million d'exemplaires de son livre le *Régime du Créateur*, dans lequel il recommande de consommer une nourriture proche de celle dont aurait pu se nourrir le Christ. Et dans *Les Sept Piliers de la santé*, Don Colbert pose la question suivante : avant de vous mettre à table, demandez-vous si Jésus aurait partagé votre repas ? Si on conçoit sans peine que ce dernier ait rarement eu l'occasion de s'empiffrer de pizzas et de hamburgers, il est tout aussi malaisé d'imaginer des Américains se délecter de criquets et de sauterelles, aliments riches en protéines et que mentionne la Bible. En fait, associant obésité à vie de péché et taille fine à spiritualité, les auteurs se contentent de recycler le bon vieux « régime crétois », à base de céréales, de poissons, d'olives et d'un verre de vin.

Selon les évangélistes, Jésus a accompli le miracle de multiplier les pains. Selon les éditeurs, les nutritionnistes se font du blé avec des recettes miracles.

Bonjour les dégâts !

Un peu partout dans le monde, des campagnes de sécurité routière tentent de combattre l'alcoolisation des conducteurs.

À Vienne, en Autriche, depuis que le cocher d'un fiacre pris de boisson a entraîné une touriste et ses enfants dans une course folle, les autorités s'interrogent sur l'opportunité de soumettre les postillons de la capitale à des contrôles d'alcoolémie inopinés.

Plus prosaïque, l'Irlande envisage de ramener à 0,5 g d'alcool par litre de sang le taux autorisé. Une mesure salutaire mais qui n'est pas sans conséquences dans ce pays très catholique. En effet, le manque de prêtres dans les zones rurales les oblige à célébrer cinq à six messes chaque jour dans des églises distantes de plusieurs kilomètres. Or, après avoir lampé moult calices, les curés ne vont-ils pas se trouver en infraction ? « Ne pas boire le vin de messe est un blasphème », argumentent les intéressés. Obliger les officiants à se faire véhiculer par leurs ouailles ou leur accorder des dérogations, le gouvernement de Dublin n'a pas tranché.

Enfin, sachant que les vendredis et samedis soir, les piétons en état d'ébriété ralentissent la circulation des passants sobres de 10 à 40 %, la municipalité de Cardiff a demandé à une équipe scientifique de réaliser une modélisation informatique du centre-ville. « Pour réduire l'agressivité des uns et des autres, nous cherchons à supprimer les obstacles qui entravent le flux des buveurs, comme certaines pièces de mobilier urbain », a indiqué le responsable de l'étude.

« Servez-leur du bon vin, ils vous feront de bonnes lois », recommandait pour sa part le bon Montaigne.

L'autre moitié du Ciel

Luo Cuifen, une Chinoise pauvre de 30 ans, souffre depuis l'enfance d'un mal mystérieux. Névralgies, douleurs cervicales, pointes de feu dans les reins et la poitrine la clouent au lit une partie de l'année. En 2004, elle passe enfin une visite médicale gratuite à Kunming, le chef-lieu de sa province. Stupeur des médecins : vingt-six traits blancs sont visibles sur les radiographies du ventre, de la tête, du dos et des poumons. Ce sont des aiguilles à coudre, longues de 4 à 5 cm. De quelle manière ont-elles pénétré et envahi l'organisme de la patiente ? Après enquête, les policiers découvrent que ce sont ses grands-parents paternels qui les lui ont glissées sous la peau, à l'insu de sa mère, dans le but de la tuer au berceau. Depuis qu'en Chine une loi limite la fécondité des femmes à un enfant unique, l'élimination des bébés de sexe féminin est monnaie courante. Car, donner naissance à une fille, dit-on dans les campagnes, c'est cultiver « une terre sans semis », puisque, une fois mariée, elle appartiendra à sa belle-famille et délaissera ses vieux parents, souvent privés de ressources.

Comment Cuifen a-t-elle survécu à ce traitement barbare ? Les médecins ne se l'expliquent pas. Par contre, les démographes estiment que plus de 30 millions de petites filles ont été sacrifiées depuis la promulgation de la loi. Conséquence de cette hécatombe : en 2020, le ratio homme-femme accusera un déficit de 40 %, la Chine comptant 140 garçons en âge de se marier pour 100 filles nubiles.

En qualifiant autrefois les femmes d'« autre moitié du Ciel », Mao Tsé-toung avait-il imaginé que son slogan serait tragiquement pris au pied de la lettre ?

Un poids sur l'estomac

Amarendranath Ghosh, un malfrat indien, compte à son actif les braquages de plusieurs grandes banques de son pays. Après les avoir délestées de plus de 5 millions d'€, il s'enfuit à Daubai puis au Vanuatu où il se lie d'amitié avec le Premier ministre, qu'il escroque à son tour en détournant à son profit des milliers d'obligations de la banque centrale.

Rapidement démasqué, Ghosh se réfugie en Allemagne et y coule des jours heureux, avant d'être interpellé par Interpol. Afin d'éviter d'être expulsé vers son pays d'origine, il avale un couteau à pain long de

10 cm. Refusant obstinément toute intervention chirurgicale, il est jugé intransportable. Après quatre ans de tergiversations, les autorités allemandes décident néanmoins de le rapatrier en avion sanitaire, sous la garde d'un médecin, de deux chirurgiens et de policiers.

Une question récurrente se pose désormais : comment l'aigrefin, qui croupit maintenant dans une prison de New Delhi, parvient-il à s'accommoder du couteau qui lui pèse sur l'estomac depuis des années ? « C'est très simple, explique l'intéressé, je pratique le pranayama tous les matins dans ma cellule. » Cette technique de yoga, basée notamment sur le contrôle de la respiration, semble efficace. Puisque, non content de survivre, Gosh affiche un sourire radieux à chacune de ses comparutions devant le tribunal.

La ville dont le maire est lycéen

Pourquoi, dans la classe de terminale du lycée de Hillsdale, une bourgade du Michigan de 8 500 habitants, un professeur interroge-t-il l'un de ses élèves avec un brin de déférence ? Parce que Michael Sessions, 18 ans, n'est autre que le maire de la ville !

Le 22 septembre 2005, Michael fête ses 18 ans et accède ainsi à la majorité légale. Ce jour-là, il s'inscrit *in extremis* sur les listes électorales. Et décide du même coup de déposer sa candidature aux élections pour le poste de maire. N'ayant pas les moyens de s'offrir affiches et espaces publicitaires dans la presse locale, il se contente d'investir ses économies – 700 dollars durement gagnés en vendant des glaces après les cours – dans l'impression de cartes de visite, qu'il distribue sans compter pendant les sept semaines que dure la campagne.

À la surprise générale, Michael remporte les élections avec soixante-quatre voix d'avance sur son rival, Doug Ingles, 51 ans, le maire sortant. « Les habitants de Hillsdale subissent de plein fouet la crise qui frappe l'industrie automobile, explique un journaliste. Avec des mots simples et beaucoup de bon sens, Michael a su convaincre les électeurs de voter pour lui. »

Bien que, à peine élu, le lycéen n'ait rien changé à son rythme de vie, sa mère s'inquiète de le voir quitter la maison, tard le soir, pour présider le conseil municipal. « En hiver, je vérifie que mon fils n'oublie pas ses gants et son écharpe. Il ne manquerait plus que le premier magistrat de la ville attrape un mauvais rhume ! »

Ô temps ! suspends ton vol

À Londres, en 1943, une fillette de 4 ans, Elizabeth Hyde, est blessée par une bombe allemande. Elle est conduite à l'hôpital où elle reçoit la visite de la reine Elizabeth, surnommée *Queen Mum,* la mère de l'actuelle souveraine britannique. La « reine maman » s'apitoie sur le sort de la petite patiente et lui offre deux bananes, des fruits d'une extrême rareté à l'époque.

Le temps passe. Naturellement, Mme Hyde n'a pas

oublié « le quart d'heure de gloire » qui a marqué sa vie. Soixante-cinq ans plus tard, elle apprend que, par le plus grand hasard, Elizabeth II, descendante de sa bienfaitrice, doit visiter l'hôpital dans lequel elle a été admise pour soigner un cancer. Elle demande aussitôt à sa fille de faire un saut à l'épicerie du coin et d'acheter… deux bananes, qu'elle offre à la souveraine. Si tous les sujets de Sa Gracieuse Majesté restituent ce qu'ils ont reçu un jour du Royaume, il n'est pas étonnant que la reine d'Angleterre soit l'une des personnes les plus riches du monde !

Autre histoire qui défie le temps. En 1941, un croiseur de la Royal Navy entre dans le port de Gibraltar. Au cours de la manœuvre d'accostage, la montre du lieutenant Teddy Bacon se détache de son poignet et tombe à l'eau. En dépit des efforts des plongeurs, elle demeure introuvable. En 2007, soixante-six ans plus tard, une pelleteuse qui drague le port remonte l'objet à la surface. On retrouve dans les archives de la capitainerie la déclaration de perte de Bacon, et, après avoir transité d'adresse en adresse, la toquante lui est enfin restituée. Bonne surprise : une fois son ressort remonté, elle marche encore !

Doux dingues d'outre-Manche

À l'heure où pensée unique, codes vestimentaires et culture globale uniformisent tristement les Terriens, la fantaisie de nos amis britanniques nous offre de rafraîchissants dérivatifs. Jugez-en plutôt à travers ce florilège.

Alice Newstead, une artiste londonienne, s'est fait suspendre en public à des crochets de boucher, plantés dans son dos. Crise mystique ? Défi sportif ? Non point. La jeune femme a voulu protester à sa manière contre la cruauté de la chasse aux requins. En effet, la pratique consiste à pendre les squales à des crocs pour leur couper les ailerons dont se délectent les Chinois, puis à les rejeter à la mer où, se vidant de leur sang et incapables de nager, ils sont dévorés vivants par leurs congénères.

Pour s'opposer au projet de construction d'une troisième piste à l'aéroport d'Heathrow, Dan Glass, un militant écologiste, s'est rendu au 10, Downing Street. Quand Gordon Brown a quitté sa résidence, Glass s'est enduit la main de Super Glue et lui a fermement empoigné le bras. Si le Premier ministre a perdu la première manche (de sa veste), l'agresseur a, lui, perdu la partie, puisqu'il a été condamné à purger une peine de deux mois de prison.

Enfin, pour perfectionner l'arsenal militaire de Sa Majesté, sir John Pendry, un ingénieur du ministère de la Défense, vient d'inventer le char invisible. Recette : des caméras et des écrans plasma font apparaître sur les flancs du blindé des images du paysage environnant. « C'est incroyable, a sobrement commenté un officier. Je ne voyais que de l'herbe et des arbres, alors qu'il y avait en réalité un canon braqué sur moi. » Une illusion parfaite, digne des fantasmagories imaginées jadis par le grand Shakespeare !

Aux grands maux, les grands remèdes

Halit et Selma Terzi occupent un appartement au cinquième étage d'un immeuble de Cinarcik, un port niché dans une crique de la mer de Marmara, en Turquie. Dans la nuit du 17 août 1999, le couple est profondément endormi lorsqu'un bruit épouvantable et une secousse d'une formidable violence le réveillent en sursaut. Le tremblement de terre est d'une telle ampleur que, quelques minutes plus tard, l'immeuble s'écroule, entraînant dans sa chute les époux accrochés à leur matelas. « J'ai compté dans ma tête les étages qui nous séparaient du sol, a raconté plus tard Selma. Quand j'ai ouvert les yeux, j'étais vivante et mon mari était couché à mes côtés. On n'était même pas blessés. »

Le couple est sain et sauf, mais coincé sous les décombres. L'obscurité est totale. L'espace réduit à une poche d'air surchauffée. « Nous étions sûrs que les sauveteurs ne nous trouveraient pas à temps, poursuit Selma. Alors, on a parlé. On ne s'est plus arrêté. On s'est raconté toutes les bêtises et les méchancetés que l'on avait pu faire et se dire en trente ans de mariage. On s'est tout pardonné. On a prié et attendu en paix que la mort vienne nous cueillir. »

Dix-huit heures plus tard, un miracle se produit. Le visage d'un voisin apparaît à la lumière d'une lampe de poche. Sauvés ! Les Terzi sont extraits de leur trou, placés sous perfusion et conduits sur un navire-hôpital, ancré dans la baie. « Avant la catastrophe, notre couple battait de l'aile, confesse Halit. Aujourd'hui, Selma et moi, nous ne nous quittons plus d'une semelle. »

Aux grands maux, les grands remèdes !

Lenteur administrative

L'Administration indienne est-elle, comme on le prétend parfois, la plus lente et labyrinthique du monde ? Le calvaire enduré par Mrinal Singh, un paysan du Kerala, nous encourage à le penser. Jugez-en plutôt. En 1951, alors qu'il est âgé de 22 ans, la police l'arrête et le jette en prison, l'accusant d'être coupable de « coups et blessures ». Comme Singh nie farouchement les faits, un juge l'expédie dans un hôpital psychiatrique. Il y croupit pendant seize ans. En 1967, les médecins, qui n'ont détecté aucune anomalie dans son comportement, le relâchent afin que la justice puisse suivre son cours. Cependant, faute de procès-verbal et de dossier à instruire, le détenu est renvoyé à l'asile où il trompe trente nouvelles années d'ennui en soignant les massifs de fleurs qui embellissent l'établissement.

En 2005, le cas du malheureux attire enfin l'attention d'un inspecteur de la Commission nationale indienne des droits de l'homme. Singh est remis en liberté à la condition expresse qu'il s'acquitte d'une caution de 2 centimes d'euro, puisqu'au regard de la loi il est toujours inculpé. Un an plus tard, la Cour suprême annule l'accusation sous la pression d'une campagne de presse. Singh reçoit 6 000 € en compensation des cinquante-quatre ans passés en détention et 20 € de pension mensuelle. Ayant regagné son village et retrouvé des petits-neveux, l'ex-détenu coule aujourd'hui des jours heureux. Et ne semble pas tenir rigueur aux policiers d'avoir brisé sa vie.

À la lumière de cette histoire, aurons-nous encore le cœur de nous plaindre des pesanteurs de nos services administratifs ?

Piégés par l'odeur

Les services de renseignements électroniques du Royaume-Uni testent depuis quelques années des techniques biométriques en vue d'une éventuelle utilisation dans les domaines civils et militaires. Car, si nos empreintes digitales et notre signature ADN sont uniques, nombre d'autres critères anatomiques et biologiques nous individualisent également sans risque d'erreur. La reconnaissance faciale et vocale, l'iridologie, la géométrie palmaire et digitale, l'analyse de la démarche, l'examen de la forme des oreilles, la « résonance crânienne », seront demain capables d'identifier terroristes et criminels.

Parmi ces nouvelles techniques, l'étude des odeurs corporelles semble la plus prometteuse. En effet, nous dégageons tous un fumet spécifique ayant sa propre formule chimique. Ces effluves proviennent des bactéries de la peau et des phéromones, ces substances que nous émettons pour signaler notre présence à nos congénères. Selon les experts, il existe plusieurs méthodes de capture olfactive. La plus pratique consiste à placer la paume de la main du sujet sur un capteur qui enregistre son odeur et la décompose en un algorithme complexe qui peut être porté ensuite sur un passeport ou sur une carte de crédit. Et les déodorants les plus agressifs s'avèrent incapables de masquer cette empreinte puisqu'elle nous est consubstantielle.

Ainsi peut-on imaginer que, bien que gantés et cagoulés, les malfrats du futur n'échapperont plus aux limiers des services scientifiques. D'autant qu'en proie à la peur, à l'excitation ou à l'avidité, ils auront laissé derrière eux un abondant fumet compromettant !

La clé du drame ?

Alors que l'on s'apprête à célébrer tristement le centenaire du naufrage du *Titanic*, des questions récurrentes sur les causes de la catastrophe hantent toujours les esprits.

Une petite clé, mise en vente aux enchères en 2007, a relancé la polémique. Cette clé permettait d'ouvrir le coffre renfermant la paire de jumelles du poste de vigie, un instrument indispensable pour détecter les obstacles qui menaçaient le navire, le sonar n'existant pas en 1912. Confiée aux bons soins de David Blair, le 2e officier de pont, la clé devait impérativement se trouver à bord lors du voyage inaugural. Or, la veille du départ, la White Star Line préféra remplacer Blair par Charles Lightoller, un officier plus aguerri. Dans la précipitation, Blair oublia de lui remettre la précieuse clé. Privés de la paire de jumelles, les hommes de quart du *Titanic* avaient été incapables de détecter l'iceberg à temps pour faire une manœuvre d'évitement. Lors de l'enquête officielle, Fred Fleet, l'un des veilleurs qui survécut à la tragédie, confirma le fait.

Charles Lightoller, l'officier remplaçant, figura au nombre des 1 522 victimes. Quelques années plus tard, David Blair obtint la médaille de la Bravoure pour s'être jeté à l'eau au beau milieu de l'Atlantique, afin de secourir un homme d'équipage. Puis il légua la clé à sa fille qui en fit don à la Société des gens de mer britannique.

En 2008, pour payer les frais de sa maison de retraite, Millvina Dean, âgée de 97 ans, la dernière survivante du naufrage, avait mis aux enchères la valise de vêtements que sa famille avait reçue d'une association caritative américaine.

Révolution pédagogique

Constatant qu'en dehors des téléphones portables et des consoles de jeux, seul le football parvenait encore à accaparer l'attention de ses élèves, Lucy Tandon, responsable de l'enseignement scientifique dans un collège de Londres, a décidé de faire table rase des vieilles méthodes pédagogiques. Dorénavant, l'étude des sciences sera exclusivement transmise par le football. Ainsi les élèves visionneront-ils des vidéos de matchs pour comprendre les lois de l'aérodynamique, lorsque, par exemple, Dennis Bergkamp marque un but spectaculaire. Puis ils se rendront sur la pelouse du stade de l'Arsenal pour étudier le processus de la photosynthèse. Autres expériences prévues au programme : la forme des chaussures influe-t-elle sur la vitesse et la trajectoire du ballon, quand Thierry Henry tire un penalty ? Comment fonctionne le corps humain soumis à un effort intense ? Que doit consommer un attaquant avant un match pour bien assimiler les sucres lents ? Quels produits chimiques contient la lessive utilisée pour laver les maillots des joueurs ?

Quelques esprits chagrins sont rétifs à soutenir l'innovation. « C'est encore un gadget à la New Labour », a ronchonné un ancien inspecteur de l'enseignement. D'autres pédagogues l'ont encouragée sans réserve, puisque « les grands joueurs sont des modèles positifs pour la jeunesse ».

Lorsque la curiosité des collégiens anglais aura été suffisamment stimulée par l'expérience, oseront-ils demander à leurs profs de sciences pourquoi ils ne gagnent « que » 43 640 € par an ? Moins que ce que certains footballeurs empochent en une semaine !

Sur la frontière

Onze millions de Mexicains vivent aux États-Unis, dont la moitié illégalement. Luis Hernandez, un paysan pauvre a, pour sa part, renoncé à franchir la frontière après cinq tentatives infructueuses. Qu'à cela ne tienne. À défaut d'Eldorado et faisant contre mauvaise fortune bon cœur, il a créé à El Alberto, la bourgade qu'il habite au Mexique, la *Caminata noctura*, la « promenade nocturne ».

Dans ce parc d'attractions rudimentaire, Hernandez a reconstitué de façon réaliste les conditions dans lesquelles les clandestins tentent de traverser la clôture fortifiée qui sépare le Mexique des États-Unis. Pour la somme de 20 dollars, et emportant pour tout bagage une bouteille d'eau, les touristes sont répartis en petits groupes sous la conduite d'un passeur. Après une heure de marche dans la nuit glaciale, ils se retrouvent face au danger. Vociférations, aboiements, flashes, coups de feu tirés à blanc : tout est organisé pour terroriser les participants. Certains se blessent en cherchant à s'enfuir. D'autres tombent dans la rivière. D'autres encore sont arrêtés et rudoyés par des villageois déguisés en gardes-frontière.

Au matin, au terme de l'exercice qui a duré cinq heures, Hernandez décerne une carte de séjour factice aux touristes qui ont réussi à entrer aux « États-Unis » sans se faire prendre.

— J'ai effectué le parcours avec mon fils de 12 ans, a déclaré une mère de famille du New Jersey. Je veux qu'il considère désormais les migrants clandestins comme les héros des temps modernes, et non plus comme des parias.

Vu à la télé

À quoi rêverions-nous si l'univers magique de la téléréalité n'existait pas ? Comment supporterions-nous nos existences sans relief, qui consistent pour certains à écouter Bach ou à relire l'*Iliade* ? Fort heureusement, des programmes comme « Le regard des homos sur un hétéro » ou « Faiseurs de miracles » proposent, aux États-Unis, une vision du monde plus réconfortante. Ainsi « Changement radical », une émission qui s'adresse à tous ceux qui ont besoin d'une prothèse, qui ont survécu à un cancer ou qui ont été abandonnés par leurs conjoints pour des femmes ou des hommes plus séduisants, réunit-elle chaque semaine plus de 12 millions de téléspectateurs.

Et les chaînes de télévision européennes ne sont pas en reste. Dernière trouvaille : « Le Show du grand Donneur ». Dans cette téléréalité néerlandaise, Lisa, une patiente de 37 ans en phase terminale d'une maladie incurable, doit choisir entre trois jeunes malades, tous atteints d'insuffisance rénale, celui auquel elle léguera l'un de ses reins après sa mort.

En dépit de la réprobation que suscite l'émission, sa programmation est maintenue et l'audience qu'elle obtient pulvérise tous les records. Et puis, coup de théâtre ! Laurens Drillich, le directeur de la chaîne émettrice, annonce qu'il s'agit d'un canular.

— J'ai voulu éveiller les consciences sur l'insuffisance des dons d'organes aux Pays-Bas, a-t-il expliqué à l'antenne. D'ailleurs Bart De Graaft, mon prédécesseur, est mort à 35 ans d'une insuffisance rénale, faute de greffe disponible.

Après cette mystification d'un goût douteux, serions-nous déjà entrés dans l'ère de la « télésurréalité » ?

Lobotomisé à 11 ans

Depuis le décès de sa mère, Howard Dully, 11 ans, est un gamin malheureux et irritable. Exaspérée par son comportement, convaincue que son instabilité émotionnelle est la conséquence d'une maladie mentale, sa belle-mère consulte, en novembre 1960, le Dr Walter Freeman. Diagnostiquant à la hâte un cas de schizophrénie, ce dernier décide de pratiquer une lobotomie. Howard reçoit une série de chocs électriques en guise d'anesthésie. Puis, sans prendre la précaution de se laver les mains et tout en mâchant du chewing-gum, le neurologue lui enfonce un pic à glace de 12 cm dans les orbites oculaires et détruit ainsi irrémédiablement les connexions cérébrales de ses lobes frontaux.

D'une barbarie inconcevable, la lobotomie fut d'un usage courant aux États-Unis au cours des années 1930-1960. Plus de 50 000 personnes en ont été victimes, la plupart payant l'intervention de leur vie ou se retrouvant ensuite lourdement handicapées.

Howard Dully n'a appris la vérité qu'en 2003, en ayant accès par hasard à son dossier médical. « Je comprends mieux maintenant pourquoi ma vie a été aussi chaotique, a-t-il confié dans un documentaire télévisé. Entre prison et hôpital psychiatrique, j'ai été sans-abri, alcoolique, toxicomane et petit délinquant. »

Âgé aujourd'hui d'une soixantaine d'années et en relative bonne santé, Dully est chauffeur de bus scolaire, marié et père de famille. « Ma belle-mère voulait se débarrasser de moi, a conclu le miraculé. Pour mon malheur, sa route a croisé celle du Dr Freeman. »

Flagrants délires

Dire que les Américains sont de redoutables procéduriers est devenu un pléonasme. En effet, chaque année, des milliers de consommateurs sans scrupules harcèlent les tribunaux, exigeant des dédommagements phénoménaux pour les incidents les plus futiles. Ces quelques exemples donnent le vertige.

Ainsi Meredith Berckman ne réclame pas moins de 50 millions de dollars de dommages-intérêts au fabricant du *Pirate's Booty*, une barre chocolatée, pour « prise de poids et souffrance mentale ». Après analyse dans un laboratoire, sa friandise contenait 8,5 grammes de matières grasses, soit trois fois plus que la quantité mentionnée sur l'étiquette. Jugement en attente.

Encore plus fort ! Kathleen Robertson vient de s'enrichir de 78 000 dollars en attaquant en justice le magasin de meubles, dans lequel elle s'était brisé une cheville après avoir trébuché sur un gamin turbulent. Bobby, le garçon responsable de l'accident, n'était autre que le propre fils de la plaignante !

Mieux encore ! Amber Carson a obtenu pour sa part la coquette somme de 113 500 dollars d'un restaurant de Lancaster, en Pennsylvanie, pour s'être cassé le coccyx en glissant sur une flaque de soda. L'avocat du restaurateur avait pourtant plaidé que, si la boisson incriminée s'était répandue sur le sol, c'était parce que, quelques secondes plus tôt, Mlle Carson avait fracassé sa bouteille sur le dos de son petit ami !

Enfin on atteint les sommets de la mauvaise foi avec Stella Liebeck qui a soutiré près de 3 millions de dollars à McDonald's après s'être ébouillantée avec le contenu de son gobelet de café ! Ce jugement aberrant a d'ailleurs valu à cette grand-mère de 72 ans l'honneur de donner son nom à un prix, le *Stella Award*, qui récompense la poursuite judiciaire la plus extravagante et la plus stupide de l'année.

Le nez et les oreilles

Haji Yameen, un Pakistanais reconnu coupable de contrebande de 5 kilos d'héroïne a été arrêté par la police et présenté devant Prentice Marshall, un juge de Chicago. Le prévenu a reconnu les faits, mais a fait savoir qu'il ne supporterait pas d'être incarcéré.

— Il y a d'autres solutions. Nous pouvons en discuter, a-t-il bredouillé à la barre dans son accent inimitable.

— Que voulez-vous dire ? a questionné le juge.

— Je préfère me faire couper le nez plutôt que d'aller en prison. C'est une sentence qui se pratique couramment dans mon pays.

— Pas aux États-Unis, l'a interrompu le magistrat, horrifié.

— Le nez et les oreilles, a marchandé le trafiquant.

— Vous êtes fou, pas question.

— Bon, alors, le nez, les oreilles et les doigts.

— Taisez-vous, la mutilation n'est pas une peine acceptable dans ce pays, a tranché Marshall. Je vous condamne à cinq ans de réclusion.

Haji Yameen a poursuivi sans s'émouvoir la négociation.

— J'accepte à l'unique condition que l'on fasse venir ma famille du Pakistan pour qu'elle partage ma cellule.

Le juge n'ayant pas cédé, Yameen purge sa peine, sans le soutien des siens, dans un pénitencier fédéral.

Le voleur porte plainte

Terence Dickson vient de cambrioler une villa dans un quartier résidentiel de Bristol, en Pennsylvanie. Par souci de discrétion, il décide de s'éclipser avec son butin par le garage. Quand il s'y trouve, il tripote des boutons, s'acharne sur les interrupteurs. En vain. Il doit se rendre à l'évidence : le mécanisme est hors d'usage ou il a été neutralisé. Le cambrioleur rebrousse chemin et se dirige vers la porte qui mène à l'étage. Elle s'est verrouillée derrière lui. Alors que son inquiétude tourne à la panique, Dickson recense les objets qui l'entourent. Des cannes à pêche usagées, un train de pneus, une caisse de boissons gazeuses et un sac de croquettes pour chien. Rien qui puisse lui permettre de fracturer l'une des deux portes. Prisonnier du garage, le voleur n'a plus qu'à attendre, la rage au cœur, le retour des propriétaires. Si la chance lui sourit, il réussira à s'enfuir. Dans le cas contraire, son aventure se terminera derrière les barreaux d'une cellule.

Quarante-huit heures s'écoulent sans que les occupants des lieux se manifestent. Pour se désaltérer, Dickson puise dans la caisse de boissons gazeuses. Lorsque la faim lui devient insupportable, il s'attaque avec dégoût aux croquettes pour chien. Il survit ainsi 8 jours, avant d'être délivré par les propriétaires de la villa.

Arrêté et condamné à purger une peine de cinq ans de prison, Terence Dickson stupéfie le juge en portant plainte contre ses victimes « pour cruauté mentale ».

— J'ai vécu une situation traumatisante et j'ai consommé de la nourriture pour chien pendant une semaine, a plaidé le voleur.

Sensible à cet argument, la cour a maintenu sa sentence, mais a ordonné à la compagnie d'assurances des propriétaires de la maison de verser au voleur 500 000 dollars de dommages et intérêts.

Des arguments tranchants

Généralement pleines d'attention et de délicatesse à l'égard de leurs amants, les femmes asiatiques peuvent, dit-on, faire montre d'une détermination hors du commun si elles s'estiment bafouées.

Ainsi, le *Bangkok Post* vient de révéler la punition infligée par Sirilok, une coiffeuse de 27 ans, à Kim, son compagnon volage. Un soir, sans rien laisser entrevoir de ses intentions, Sirilok accueille l'infidèle avec effusion. Pour la circonstance, elle a préparé une table de fête. Kim se délecte du festin, se grise d'alcool de riz et, sitôt la dernière bouchée engloutie, entraîne prestement sa maîtresse vers la chambre à coucher. Au terme d'ébats débridés, Kim s'endort, repu d'amour. Sirilok s'empare d'un couteau et tranche le pénis du félon, dont elle se débarrasse dans le broyeur domestique de la cuisine. L'homme décède tandis que la belle jalouse est conduite en prison.

Si, pour assouvir pleinement sa vengeance, Sirilok avait pris soin de réduire en charpie le membre coupable, c'est qu'elle n'ignorait pas que le Dr Surasak était capable de contrarier son plan. En effet, ce spécialiste du « rattachement du pénis » avait depuis peu fêté son 34e « raccommodage », ce qui avait donné prétexte à publication de statistiques. Sachez donc que, dans 75 % des cas, l'amputation se pratique à la lame de rasoir. Que presque toujours la femme fait l'amour avec sa future victime, obtenant ainsi la satisfaction d'être la dernière à jouir du membre viril incriminé. Sachez encore que l'opération de remise en état dure entre six et neuf heures et que le pénis met entre six et douze mois pour assurer la quasi-totalité de ses fonctions initiales. Sachez enfin que, très souvent, le pénis tranché est jeté aux toilettes et disparaît à tout jamais avec les eaux usées !

Une mangeuse d'hommes

Lorsqu'ils apprennent qu'une douzaine de cadavres, entreposés à la morgue municipale, ont été atrocement mutilés, les habitants de la petite ville de Rousaevka, en Russie, sont en état de choc. Une rumeur laisse entendre qu'un dangereux maniaque se laisserait enfermer la nuit dans la chambre froide pour s'adonner à ces profanations sadiques. Un journaliste soutient quant à lui qu'on aurait affaire à un réseau mafieux, qui prélèverait les iris des morts pour les vendre à une banque des yeux afin d'être transplantés. Experts et médecins légistes concluent que l'auteur de ces actes barbares porte des coups légers mais précis sur les paupières avec un objet dur et mal aiguisé. Pour surprendre l'intrus, des policiers dissimulent des caméras de surveillance face aux portes des réfrigérateurs. Sans résultat. Alors un inspecteur courageux se couche à côté d'un cadavre et bientôt la vérité éclate. « Vers minuit, le silence de la morgue a été troublé par un étrange couinement. Le maniaque trottinait avec insolence sur le sol puis il sauta sur un cadavre et s'accrocha à sa paupière. La souris, puisque c'était bien une souris, est parvenue à s'échapper ! »

Pressé de questions, le procureur chargé de l'affaire a avancé une explication : « Il ne s'agit pas d'un rongeur ordinaire, a-t-il déclaré. C'est un mutant, une mangeuse d'hommes. Elle ne touche pas à la nourriture dont se régalent habituellement ses congénères. Autrefois, non loin de la morgue, se trouvait un container dans lequel l'hôpital jetait les reliquats gynécologiques des avortements. La souris mutante avait dû prendre goût à se nourrir de chair humaine. Après la fermeture de l'hôpital, elle aura reporté son appétit sur les yeux des cadavres ! » La souris n'a jamais été attrapée.

N'est pas miss qui veut !

Si vous pensez que les concours de beauté prêtent à sourire, que les élections de miss sont des mascarades kitch, tout juste bonnes à émoustiller les sens des téléspectateurs machistes, détrompez-vous. Les jolies filles qui s'adonnent à ces compétitions doivent répondre à des critères de sélection draconiens, qui méritent le respect. Jugez-en plutôt.

Pour faciliter le choix de sa candidate à l'élection de Miss Monde, le comité de Miss Zimbabwe a édité un guide dans lequel on peut lire : « Si la concurrente a des cuisses plus courtes que les jambes, elle doit quand même les avoir suffisamment longues. Des chevilles et des genoux fins et bien articulés autour de la rotule. Les muscles des mollets pas trop saillants. Le cou délié et gracieux. Les jambes, les bras et les aisselles épilés. Pas de poils sur le visage. Pas de perruque. La concurrente doit respecter l'étiquette, c'est-à-dire ne pas jouer avec ses seins, éviter tout gloussement vulgaire et inopportun, mettre un mouchoir sur sa bouche avant de tousser, ne pas frétiller de la croupe, ne pas claquer des doigts, ne pas aguicher le public avec des œillades suggestives, ne pas sentir fort. »

Heureusement, les recommandations du comité de sélection du Zimbabwe ne portent pas exclusivement sur des critères physiques. Des qualités morales et intellectuelles sont également indispensables pour autoriser l'élue à se pavaner sur un podium. Ainsi, le manuel stipule que la candidate devra « être une patriote soucieuse de l'environnement, des droits de l'homme, de ceux des animaux, et faire preuve de capacités cognitives lui permettant d'appréhender l'avenir de l'humanité » !

Sachant maintenant quelles épreuves les miss doivent surmonter avant d'arborer fièrement les couleurs de leur pays, aurez-vous encore l'ingratitude de les prendre uniquement pour de belles potiches à la tête vide ?

Seize échecs pour un mariage

Jamil Butho, un infirmier pakistanais, fête tristement son 30e anniversaire en compagnie d'une poignée d'amis. « Que souhaites-tu qu'il t'arrive cette année ? » lui demande ironiquement l'un d'entre eux. Jamil tourne la paume de ses mains vers le ciel en signe d'imploration et murmure : « Me marier une bonne fois pour toutes, inch'Allah ! »

Jamil Butho a déjà essayé à seize reprises de convoler en justes noces, chaque tentative s'étant soldée par un fiasco.

Ainsi, pour manifester son allégresse au cours de l'une de ses tentatives, le frère de Jamil avait tiré des coups de feu en l'air, tuant maladroitement le père de la mariée. L'année suivante, c'est l'oncle de sa future épouse qui avait interrompu la cérémonie, lui braquant un fusil sur la poitrine, exigeant que la jeune fille épouse son propre fils. Prenant la menace au sérieux ou profitant de l'aubaine, la fiancée s'était exécutée. Une autre fois, alors que l'imam s'apprêtait à unir le couple, un incendie s'était déclaré sous le toit de la mosquée.

Accablé par ses échecs à répétition et précédé d'une détestable réputation, Jamil décide de se marier dans le plus grand secret. Il négocie avec un voisin la main de sa fille et promet en échange de lui donner sa sœur en mariage. Le marché conclu, la cérémonie se déroule pour une fois sans le moindre incident. Mais, alors que Jamil regagne son domicile au bras de sa dulcinée, sa sœur fait irruption pour lui dire, éplorée, qu'elle refuse d'épouser un homme vieux et malade, annulant du même coup la validité du mariage.

Selon l'imam consulté, la dix-septième tentative devant être la bonne, Jamil s'est mis sans tarder en quête de sa future compagne !

Des journées bien remplies

À travers films et romans, les Américains nous apparaissent doués d'une énergie inépuisable. Mais qu'en est-il réellement ? Comment nos amis outre-Atlantique emploient-ils leurs journées ? Pour le savoir de façon scientifique, Tom Parker, un sociologue new-yorkais, a longuement enquêté sur l'emploi du temps de ses 300 millions de concitoyens. Voici un résumé de ses conclusions.

Tandis que, comme la majorité des êtres humains, les Américains fabriquent au cours de leur vie 18 kilomètres de peau, ils parcourent 52 millions de kilomètres en joggant. Plus de 8 000 femmes découvrent chaque jour qu'elles sont enceintes sans l'avoir souhaité et 4 hommes qu'ils sont atteints de malaria, sans avoir quitté leur domicile. 10 font une overdose de vitamines, 3 changent de sexe, tandis que 126 perdent la vue.

Alors qu'en 24 heures, 150 kilos de cocaïne disparaissent dans les narines américaines, les pesticides tuent 50 chiens, 30 chats, 10 chevaux, 6 000 poissons et intoxiquent 125 personnes. Au moins une espèce d'insecte inédite est découverte chaque jour, et les usines d'armement fabriquent 5 nouvelles armes nucléaires. Enfin, le téléspectateur moyen est exposé à 1 600 écrans publicitaires, en mémorise 80 et ne réagit par un acte d'achat qu'à 12 d'entre eux.

Par contre, ne s'étant pas penché sur les pratiques

alimentaires, Tom Parker ne nous dit pas combien de tonnes de sucre, de graisse, de milk-shake et de soda, englouties chaque jour, modèrent l'activité débordante de ses contemporains !

Un abordage bestial

En 1998, quatre hommes pêchent au large des côtes japonaises. La mer est calme et les prises s'accumulent dans le fond du petit bateau. Soudain, alors qu'aucun phénomène météorologique extraordinaire ne survient, la barque est violemment soulevée. Projetée vers le ciel, elle se disloque en retombant. Les pêcheurs, indemnes, barbotent autour de l'épave. Jusqu'à ce qu'un chalutier les repère et donne l'alerte. Peu après, une vedette des garde-côtes repêche les malheureux.

— Que vous est-il arrivé ? s'enquiert l'officier.

— Une vache est tombée du ciel et a coulé le bateau, répond le plus âgé des pêcheurs.

Pensant que l'homme a perdu la raison, l'officier interroge les trois autres et obtient d'eux la même réponse extravagante. Le commandant regagne le port, furieux, et fait jeter les pêcheurs en prison pour « insolence envers un officier et entrave à l'enquête ».

Tandis que les quatre hommes croupissent dans une geôle, un message officiel parvient de Russie à l'état-major de la Marine japonaise. Les autorités de Vladivostok s'excusent pour « la conduite inqualifiable de quelques-uns de ses soldats ». Dans le but d'améliorer leur ordinaire, des militaires avaient, en effet, volé une vache dans une ferme proche de l'aéroport, qu'ils avaient hissée à bord de l'avion qui devait les ramener à leur base. L'animal, appréciant modérément son baptême de l'air, n'avait cessé de meugler et de se débattre. Tant et si bien que les soldats s'étaient résignés à s'en débarrasser au-dessus du Pacifique. La malchance avait voulu qu'elle atterrisse sur la barque des pêcheurs. Sitôt la vérité connue, ces derniers ont été remis en liberté. Ils ont ensuite demandé réparation à l'aéronavale russe pour « destruction de matériel de pêche par largage d'un projectile d'origine animale » !

Royales tricheries

Tout au long de la décennie 1950, les directeurs des casinos de la Côte d'Azur tremblaient de peur et d'excitation lorsque le roi Farouk jetait son dévolu sur leur établissement. En misant des sommes mirobolantes sur une simple carte ou sur un coup de dé, le souverain saoudien, joueur impénitent, pouvait tour à tour remplir les caisses ou faire sauter la banque.

En dépit des fortunes qu'il pouvait engloutir en quelques heures sans manifester la moindre émotion, le roi, d'un caractère ombrageux, ne pouvait s'empêcher de tricher lorsque la chance tournait à son désavantage. Pour ne pas créer d'incident, étiquette royale oblige, les croupiers avaient ordre de ne pas appliquer à Farouk les stricts règlements du casino. Ils se contentaient, généralement terrorisés, de supporter les caprices de leur prestigieux client. Ainsi, lorsque le monarque annonçait un point gagnant au baccara, refusait-il parfois de montrer ses cartes, se contentant de déclarer laconiquement « parole de roi ! ».

Au poker, on le vit un jour s'approprier un énorme pot après avoir annoncé « carré de rois ». Face à l'incrédulité des autres joueurs, le directeur de la table avait fini par bafouiller :

— Majesté, serait-il désobligeant de vous demander… de voir votre jeu ?

Farouk avait battu ses cartes sans sourciller.

— Trois rois et moi, ça fait quatre, avait-il annoncé en empochant la mise sous le regard médusé de l'assistance.

En 1992, un majordome italien, sans doute encouragé par un si bel exemple, tenta de réitérer l'exploit au casino de Venise, en annonçant : « Carré de valets : trois valets et moi, ça fait quatre ! » Ce trait d'humour valut au tricheur d'être expulsé sur-le-champ de la salle de jeu, de voir sa mise confisquée, et d'être frappé d'une interdiction à vie de fréquenter le casino !

Napoléon transsexuel ?

La défaite de Waterloo, la chute impériale, en 1815, et la relégation sur l'île de Sainte-Hélène ont, bien involontairement, sauvé Napoléon 1er d'une déchéance physique annoncée. Telle est la thèse stupéfiante soutenue par le Dr Robert Greenblatt et citée par le journal londonien, *The Guardian*. Selon celle-ci, l'Empereur était atteint du « syndrome de Zollinger-Ellison », qui déréglait son fonctionnement glandulaire et modifiait lentement son sexe. Grâce aux travaux de cet éminent médecin américain, on apprend en effet que si Napoléon n'avait pas été déporté à l'abri des regards à l'autre bout du monde, il aurait été dans l'impossibilité de dissimuler très longtemps à son peuple les métamorphoses physiologiques qu'entraînait sa maladie.

Pour étayer son étude, le Dr Greenblatt a établi que divers symptômes étaient apparus 12 ans avant le décès de l'Empereur, reléguant ainsi aux oubliettes les hypothèses selon lesquelles il aurait succombé à un cancer, un empoisonnement à l'arsenic ou à une maladie hormonale.

Premier indice : l'étonnante léthargie de l'Empereur, ses difficultés à uriner lors du siège de Moscou et ses jambes enflées avant la bataille de la Moskova. Seconde indication : ses violents maux d'estomac à Dresde, sa fatigue et les douleurs qu'il avait ressenties à Leipzig. Enfin, comment expliquer son manque d'initiative et son indolence à Waterloo ? Autant de signes tangibles de l'évolution de la maladie, affirme le médecin. Napoléon était bel et bien en train de changer de sexe. Il n'avait d'ailleurs pas cessé de prendre du poids, sa silhouette s'étant peu à peu arrondie en courbes féminines et, dernier détail révélateur, ses testicules avaient commencé à s'atrophier vers l'âge de 40 ans.

Fort de cette révélation, il est plaisant d'imaginer aujourd'hui que, si Napoléon avait prolongé de quelques années son impériale carrière, l'Europe aurait pu être gouvernée pour la première fois de son histoire par une femme. Ou, à défaut, par un transsexuel !

Tous les moyens sont bons

Roger Joanes, un Anglais de 67 ans, est l'heureux propriétaire d'une maisonnette et d'un jardin attenant. Tout irait pour le mieux dans le meilleur des mondes si la propriété du retraité n'était menacée par la construction d'une nouvelle route. Joanes recourt à toutes les procédures habituelles pour conserver son bien. Rien n'y fait. L'avis d'expropriation est prononcé et une date fixée pour l'arrivée des premiers bulldozers. C'est alors que Roger Joanes trouve une parade. Il divise son jardin en 500 lots d'une superficie de 926 cm² chacun et les vend par petites annonces à des acquéreurs domiciliés dans les endroits les plus éloignés de la planète. Contre la somme de 3 livres sterlings, les nouveaux copropriétaires de son jardin reçoivent un acte de propriété en bonne et due forme.

Pour parvenir à ses fins, Joanes n'avait pas lésiné sur la dépense. Dans un premier temps, il avait dressé la liste des principaux journaux en circulation dans une cinquantaine de pays lointains. Ensuite, avec l'aide d'une équipe de traducteurs, il avait rédigé des annonces dans les langues locales pour expliquer aux lecteurs sa situation et convaincre les futurs acquéreurs. Les frais d'actes notariés avaient achevé d'écorner ses économies. Pour autant, l'astucieux retraité se réjouit aujourd'hui du bon tour joué à l'Administration.

— La vente de mon jardin en 500 parcelles ne m'a rapporté que 1 500 livres et j'ai dépensé trois fois cette somme dans l'opération. Peu importe, j'ai réussi : les travaux sont suspendus.

Certaines satisfactions n'ont pas de prix !

Est-ce ainsi que les hommes vivent ?

Face à la barbarie de certains actes, les mots nous manquent pour traduire notre révolte et notre… crédulité. Ainsi l'histoire qui suit, et qui se déroule aux États-Unis, nous laisse-t-elle désemparés.

John et Julia Gavis, des frère et sœur âgés d'une vingtaine d'années, vivotent de petits métiers. Leur père, John, a été sauvagement assassiné cinq ans plus tôt par un frère aîné, et enterré dans le jardin de la propriété familiale. Une nuit, John et Julia décident de profaner la tombe paternelle, afin de vérifier une rumeur aussi persistante que dénuée de fondement : leur père se serait fait graver sur une dent le numéro d'un compte bancaire en Suisse.

Sans se formaliser davantage de commettre un sacrilège, le sympathique duo creuse le sol pour atteindre le cercueil. Ayant exhumé le corps, il force la bouche du défunt, qui a été cousue et paraffinée par un embaumeur, brise les mâchoires et s'emparent des dents aurifères.

Le lendemain dès potron-minet, frère et sœur se

rendent chez un bijoutier et lui demandent d'examiner leur butin. Naturellement, aucun numéro de compte bancaire ne figure sur les dents paternelles. Déçus mais non résignés, les jeunes gens font monter les reliques en bijoux, afin de les porter en sautoirs. Ainsi parés, ils quittent le magasin tandis que le bijoutier alerte la police.

« Poupées de cire, poupées de son »

Trois étudiantes américaines désargentées s'ennuient dans leur morne banlieue. Que faire pour concilier passe-temps et argent de poche ? Livreuses de pizzas, pompistes, employées de fast-food ? Un matin, Kathy, l'une d'entre elles, extrait de son sac une poupée désarticulée.

— Vous savez réparer ça, vous ? lance-t-elle à ses amies. Ma petite sœur est désespérée depuis que mon père a écrasé sa poupée par inadvertance.

Les filles font la moue. Jane, une petite brune espiègle, retourne l'objet brisé entre ses doigts, l'air songeur.

— J'ai une idée, nous allons faire une colonie de vacances pour poupées !

Aussitôt dit, aussitôt fait. C'est ainsi que naît avec succès, en 2002, le premier établissement spécialisé. Les trois partenaires créent un site Internet, « Dolly Star », à destination des jeunes « mamans » de 3 à 10 ans qui s'apprêtent à partir en vacances. Après s'être acquittées de 50 dollars de frais de pension, les petites filles enverront par la poste leur chère progéniture en porcelaine ou en chiffon. En échange, les poupées bénéficieront du climat vivifiant de la campagne, d'une ambiance musicale dans le dortoir, d'une heure de lecture chaque soir et d'une visite du parc municipal en landau. Mieux encore : chaque pensionnaire recevra un certificat de natation, signé par un authentique maître nageur. En outre, que « les parents » se rassurent, une assistance médicale à domicile veillera sur la santé des vacancières !

Au terme de l'expérience, les étudiantes, leurs tirelires bien remplies, ont renvoyé aux « mamans » leurs poupées par colis recommandés.

Une petite fille ravie a même écrit aux directrices de la colonie.

— Quand je suis rentrée de vacances, j'ai retrouvé ma poupée en pleine forme. Je vous la renverrai l'année prochaine.

Mal mystérieux

Le 1er avril 2002, Andrew Goff, un Australien de 31 ans, déambule dans une rue piétonne de Sydney. Soudain, il se frappe la poitrine, vacille et s'affale sur le sol. Des passants se précipitent aussitôt. Le jeune homme semble plongé dans un profond coma. On lui soulève la tête, on défait sa cravate, on l'évente avec un journal. Une femme, qui se prétend secouriste, pratique un bouche-à-bouche, tandis qu'une autre, affolée, appelle police secours sur son téléphone portable.

Quelques minutes plus tard, un médecin urgentiste et un infirmier surgissent d'une ambulance. Le premier, diagnostiquant un malaise cardiaque, fait une injection d'adrénaline, le second pose un masque à oxygène sur le visage. Lorsqu'ils l'estiment stabilisé, les soignants transportent le malade vers l'hôpital le plus proche.

Bien que le service des urgences soit bondé, le médecin exige que son patient soit soigné en priorité, tant il estime son cas critique. En effet, le visage d'Andrew Goff est parcouru d'affreuses grimaces qui lui tordent la bouche. Abandonnant un instant une femme sur le point d'accoucher, une équipe de réanimation est réquisitionnée. Par prudence, elle décide de transférer sans tarder le jeune homme au bloc opératoire.

Alors que l'anesthésiste est déjà sur le point de l'endormir, Andrew Goff se redresse d'un bond, arrache sa perfusion et éclate d'un rire sonore.

— Poisson d'avril ! hurle-t-il à la face des médecins abasourdis. Je n'ai rien du tout, je vous ai bien fait marcher !

Prix à payer pour cette farce de mauvais goût : trois mois de prison avec sursis et 6 000 € d'amende !

Cent fois marié, jamais comblé

À 54 ans, Giovanni Vigliotto n'a rien perdu de sa superbe. Portant beau, les tempes argentées, la musculature déliée, ce fringant Américain comparaît devant le tribunal de Phœnix, en Arizona. Chef d'inculpation :

abandon du domicile conjugal et escroqueries aggravées. Vigliotto s'est, en effet, éclipsé après la nuit de noces, empochant les économies de sa nouvelle épouse. Cette dernière, bafouée et furieuse, s'était lancée à sa poursuite et avait fini par le faire arrêter, 4 mois, 12 États et 16 000 km plus loin. « Quelle est votre profession ? demande le juge. – Commerçant, répond le bellâtre. Je vends, j'achète, je gagne ma vie ici et là. »

Le juge poursuit son interrogatoire sans beaucoup d'efforts, car Giovanni n'est pas avare de confidences. « Combien de fois avez-vous changé de nom ? – Difficile à dire. J'ai commencé mes errances à l'âge de 8 ans, après la mort de mes parents. Du Brésil à la Corée, j'ai arpenté la planète. Dans tous les pays où j'ai séjourné, j'ai changé de nom et de…femme ! – Que voulez-vous dire ? demande le magistrat, intrigué. – B'en, que je me suis marié dans tous les pays dans lesquels je suis passé », précise Giovanni.

Et le prévenu raconte devant le tribunal éberlué qu'il a effectivement épousé une bonne centaine de femmes dans une trentaine de pays. « Et, j'imagine que vous avez soulagé toutes vos femmes de leurs économies ? – Ah non, monsieur le juge, proteste le don Juan. Pas toutes ! J'ai même un témoin à décharge. »

Après enquête, on retrouve effectivement une certaine Jenny Paterson, que Vigliotto a épousée deux fois en Floride et à laquelle il n'a rien volé. « Pourquoi l'avoir épargnée, elle, et pas les autres ? demande le magistrat. – Je suis sentimental et Jenny était sans le sou ! »

Le mystère d'Archimède

En 2004, une série d'incendies spontanés se déclare dans le village de Canneto di Caronia, en Sicile. Plus de 180 appareils électroménagers non branchés s'enflamment spontanément ; les GPS fondent sans raison et les téléphones portables sont pris de folie. Aussitôt, chercheurs italiens et étrangers accourent au village pour tenter de comprendre le phénomène. En vain. L'année suivante, Silvio Berlusconi réunit agents de la protection civile, enquêteurs de l'armée et chercheurs de la NASA. Cette fois, l'investigation est élargie aux 309 épisodes inexpliqués observés le long de la côte tyrrhénienne. Les experts constatent la présence d'ondes électromagnétiques d'origine artificielle, capables de générer une puissance très concentrée. Dans l'impossibilité de localiser la source de l'émission, ils concluent : « Des technologies militaires évoluées, éventuellement d'origine non terrestre, pourraient à l'avenir exposer des populations entières à des conséquences non désirées. »

De petits hommes verts s'apprêtent-ils à faire main basse sur l'Italie ? La découverte non loin du village d'une empreinte carbonisée de forme rectangulaire, longue de 40 mètres, conforte cette hypothèse extravagante. Et les habitants de Canneto affirment recevoir régulièrement la visite d'objets volants luminescents, auxquels ils attribuent les flammes qui ravagent fréquemment matelas et rideaux.

Après tout, n'est-ce pas en Sicile que, selon la légende, Archimède utilisa des miroirs géants pour brûler les voiles de la flotte romaine ?

La valeur attend le nombre des années

À l'aune de quelques exploits individuels, l'humanité vieillit et vieillit bien. Ainsi le Britannique Buster Martin, 101 ans, est-il toujours en jambes. En mars 2008, ce père de dix-sept enfants, laveur de camionnettes dans une entreprise de plomberie, a couru un semi-marathon en 5 heures et 13 minutes. Naturellement le compétiteur aurait pu améliorer sa performance s'il ne s'était pas accordé une petite pause à la terrasse d'un café pour boire une bière et griller une cigarette !

Le Japonais Yuichiro Miura vient, quant à lui, de grimper au sommet de l'Everest – 8 848 mètres – à l'âge de 75 ans, en dépit de deux opérations du cœur. Rappelons pour mémoire qu'en 2003 son père avait dévalé à ski la mythique Vallée blanche de Chamonix, à l'âge de 99 ans.

Et les artistes ne sont pas en reste. En 2008, pour fêter son centième anniversaire, le cinéaste portugais Manoel de Oliveira a signé avec brio son quarante-cinquième film, *Christophe Colomb, l'énigme*.

La France compte aujourd'hui plus de 20 000 centenaires et, selon les démographes, ce chiffre sera multiplié par sept au milieu de ce siècle. Arthur Richier, 86 ans, maire de Faucon-du-Caire et le plus vieux maire de France, a brigué un onzième mandat. Élu sans discontinuer depuis 1947, sa popularité n'a jamais fléchi auprès de ses quarante-cinq électeurs. Il faut dire qu'après avoir apporté l'électricité et le tout-à-l'égout au village, en 1954, il entend bien, aujourd'hui, le doter de l'Internet à haut débit !

T'as de beaux yeux bleus, tu sais ?

L'amour est une alchimie complexe, nul ne l'ignore. Mais gènes et hormones interfèrent-ils dans notre organisme pour nous attirer vers les partenaires avec lesquels la reproduction offre les meilleures garanties ?

Une étude menée par des chercheurs de l'université de Tromsø, en Norvège, répond à cette question par l'affirmative. Pour conduire leur expérience, des psychologues ont demandé à quatre-vingt-huit étudiants des deux sexes d'accorder une note de 1 à 5 à 120 portraits de jeunes gens en fonction de leur degré de séduction. À l'aide d'un logiciel de traitement d'images, ils ont doté d'yeux bleus et d'yeux bruns quelques sujets figurant sur les photos à évaluer. Résultat : la majorité des garçons aux yeux bleus ont marqué une nette préférence pour les filles aux yeux bleus. Par contre, les filles se sont montrées indifférentes à cette particularité. Explication des scientifiques : le relâchement des mœurs, qui prévalait semble-t-il à l'époque préhistorique, n'offrait aucune garantie aux hommes de s'assurer de leur paternité. D'autant que, dans la plupart des cas, une femme aux yeux bruns s'accouplant avec un homme aux yeux bleus donne naissance à un enfant aux yeux bruns. En prenant pour mère de ses futurs enfants une femme aux yeux bleus, l'homme aux yeux de la même couleur réduirait ainsi le risque de devoir élever la progéniture d'un autre. « Les hommes sont obsédés depuis la nuit des temps par la transmission de leur patrimoine génétique. Ce doute persiste encore chez les plus jeunes de nos contemporains », ont conclu les chercheurs à l'issue du test.

Les liens du sang

Deux petites Anglaises, Amy et Gwendolyn, sont séparées et confiées à des familles d'accueil, à la suite du décès accidentel de leurs parents. La première est âgée de deux mois, la seconde d'un an et demi quand le drame se produit. Portant le nom de leurs familles d'adoption respectives et ignorant l'existence de l'autre, les fillettes grandissent chacune à un bout du pays.

Alors qu'elles sont âgées d'une vingtaine d'années, un hasard extraordinaire fait qu'elles se retrouvent employées, à Londres, dans le même supermarché. Se découvrant des traits communs et d'étranges affinités, les jeunes filles sympathisent et deviennent amies. Plus tard, elles se marient à quelques semaines d'intervalle et décident d'habiter dans le même quartier. À la naissance de leur premier enfant, elles se choisissent mutuellement pour marraine. Le temps passe. En 2008, elles sont grands-mères presque en même temps, quand une certaine Jennifer Morton les contacte séparément.

— Je suis votre sœur aînée, leur annonce-t-elle, bouleversée. Pendant des années, j'ai mené une enquête auprès de l'Assistance publique pour vous retrouver.

Jennifer tombe des nues, lorsqu'elle découvre que, non seulement Amy et Gwendolyn se connaissent déjà, mais que, depuis plus de trois décennies, elles sont les meilleures amies du monde.

« Gwendolyn et moi, nous nous sommes toujours considérées comme des sœurs, a rapporté Amy au quotidien *The Sun*. Jennifer a confirmé ce que nous savions d'instinct. »

Si tous les frères et sœurs élevés ensemble pouvaient partager cette connivence !

Auberge espagnole

Véritables cauchemars informatiques, les *spams* engorgent et parasitent les boîtes de réception des courriers électroniques des Internautes. Mais combien de ces « pourriels » atteignent-ils leur but commercial ? Pour le savoir, des chercheurs en informatique de l'université de Berkeley, en Californie, se sont livrés à une expérience originale.

Proposant un faux site de produits aphrodisiaques, ils ont infiltré le réseau Storm et piraté près de

76 000 ordinateurs personnels. Après avoir expédié près de 350 millions de messages en moins d'un mois, ils n'ont obtenu que vingt-huit réponses positives. Conclusion : l'impact réel des « pourriels » est de l'ordre de 0,00001 %. Autrement dit, il faut envoyer près de 13 millions de courriels aléatoires pour vendre une seule boîte de poudre de perlimpinpin. Les chercheurs estiment néanmoins qu'un réseau de la taille de Storm génère un chiffre d'affaires de 3,5 millions de dollars par an. Une raison de plus pour jeter vos *spams* à la poubelle !

Employé positivement, le Web peut aussi, fort heureusement, se transformer en outil d'utilité publique. Ainsi, la fondation humanitaire de Google a-t-elle lancé aux États-Unis un programme de recherche pour s'attaquer au virus de la grippe. En analysant des mots-clés comme « symptôme de la grippe » tapés par les Internautes et en couplant ces informations avec la situation géographique des usagers, le moteur de recherche a suivi en temps réel la propagation de la maladie et alerté les services sanitaires. Avec quinze jours d'avance sur les systèmes de surveillance traditionnels !

Qui a dit qu'Internet était une auberge espagnole ?

Intelligence animale

Inépuisable source d'émerveillement, l'intelligence animale nous réserve bien des surprises.

Au terme d'une carrière bien remplie entre courses et rodéos, Alfred, un mustang de 23 ans, se consacre aujourd'hui à la peinture abstraite. Sa vocation artistique est née le jour où son maître, repeignant son paddock, a laissé traîner un pinceau. L'animal s'en est emparé avec les dents, l'a trempé dans le seau de peinture, et s'est exprimé sur une cloison. Avec désinvolture mais talent. Son propriétaire, sidéré, s'est alors empressé de mettre à sa disposition une toile blanche et un assortiment de couleurs. Depuis ce jour, l'artiste répète son exploit avec plaisir. Ses œuvres ont d'ailleurs séduit bon nombre de collectionneurs, et une galerie de Venise a pris l'animal sous contrat, négociant plus de 2 000 € ses tableaux les plus réussis. « Alfred n'imite le style d'aucun peintre et choisit ses couleurs avec discernement », a même écrit un critique d'art italien.

Une question se pose néanmoins : une activité cérébrale accrue est-elle bien tolérée par certains animaux ? Pour le savoir, des chercheurs de l'université de Lausanne ont partagé en deux un groupe de mouches. Tandis que les unes sont restées à l'état naturel, les autres ont été soumises à un apprentissage intensif. Les chercheurs leur ont appris, par exemple, à associer une odeur de nourriture à un goût plaisant ou à lier un choc à un parfum désagréable. Au terme de l'expérience, les biologistes se sont aperçus que les mouches instruites avaient une espérance de vie 10 à 15 % inférieure à celles des autres, laissées dans l'ignorance. En d'autres termes, l'intelligence accélère le vieillissement. Du moins chez les insectes. Heureux les simples d'esprit !

Parents en culottes courtes

En février 2008, le tabloïd anglais *The Sun* révèle en première page que la petite Maisie Roxanne est née de parents âgés respectivement de 13 et 15 ans. Le père, Alfie Patten, mesure 1,22 mètre et sa voix n'a pas encore mué. Quand on lui demande comment il compte prendre en charge financièrement son enfant, il répond : « Ça veut dire quoi *financièrement* ? » Au Royaume-Uni, le taux de grossesses juvéniles est un problème de société, puisque plus de 2 500 jeunes filles de moins de 16 ans accouchent chaque année. Et le phénomène s'étend à l'ensemble des pays industrialisés.

Pour sensibiliser les élèves aux risques d'une sexualité précoce et incontrôlée, les services sociaux d'un collège berlinois leur distribuent des poupées bourrées d'électronique. Sur le modèle des Tamagotchis japonais, ces ersatz de nourrissons réclament des soins constants. Si, par exemple, une mère de substitution ne donne pas à son nouveau-né ses biberons à heures fixes, une horloge interne le fait pleurer. Et elle doit veiller à son hygiène corporelle et à son équilibre affectif sous peine de le voir rapidement dépérir. L'expérience a, semble-t-il, porté ses fruits. « Au bout d'une semaine de stage, quand j'ai dû rendre le bébé, je me suis sentie désemparée, se souvient Jessica. Mais j'ai aussi compris que je n'étais pas mûre pour élever un enfant.

Quant au petit ami de la gamine, en dépit de ses promesses de lui prêter main-forte, il l'a laissée se débrouiller seule avec les couches et les biberons. « Heureusement que ma fille était en plastique, a conclu Jessica avec soulagement, car notre relation n'a pas résisté à l'expérience. »

Caprices de stars

Il y a quelques années, Liza Minnelli descend dans un palace londonien. Vers une heure du matin, David Gest, son mari de l'époque, est pris d'une soif inextinguible. Réclame-t-il à la réception du champagne, une eau minérale exotique ou un cocktail compliqué ? Que nenni. Il exige une pinte de lait de zèbre. N'ayant pas cette boisson à disposition, le directeur lui propose laits de vache, de chèvre, de brebis ou de soja. Le client ne voulant rien entendre, un groom est envoyé au zoo de Londres réveiller le gardien. Manque de chance : aucune femelle zèbre n'allaite de petits. En désespoir de cause, vers sept heures du matin, un employé de l'hôtel parvient à dégotter dans une supérette africaine un pack du précieux lait congelé. Gest déguste le breuvage. Puis téléphone, furieux, à la réception pour se plaindre d'avoir dû patienter.

Agacés de perdre leur temps dans les embouteillages pour rejoindre leurs trois jets privés, Larry Page et Sergey Brin, les jeunes patrons de Google, ont loué à la NASA la piste d'atterrissage qui jouxte leur immeuble de bureaux, près de San Francisco. Coût des places de parking : 3 000 € par jour !

Enfin, en 2009, pour un peu moins de 230 millions d'€, le milliardaire russe Abramovitch a commandé aux chantiers navals de Hambourg un nouveau yacht, l'*éclipse*. Long de 167 m, équipé d'une coque blindée, d'un détecteur de missiles, d'un hélicoptère et d'un sous-marin de poche, le navire est conçu pour acheminer son propriétaire en Afrique du Sud, afin qu'il puisse assister dans de bonnes conditions à la Coupe du Monde de football. On lui souhaite bon vent.

À la recherche de ses racines

En 2005, une passionnante exposition est organisée à la Société d'histoire de New York. Intitulée « À la recherche de Priscilla, les racines et les ramifications de l'esclavage », elle présente les travaux de l'anthropologue Joseph Opala et de l'écrivain Edward Ball. Après vingt ans de recherche en Afrique et aux États-Unis, ils sont parvenus à établir l'arbre généalogique de Priscilla, une Sierra-Léonaise déportée en 1756, l'une des 18 millions de victimes du trafic du « bois d'ébène ».

Âgée de dix ans à l'époque des faits, la fillette avait été transportée en Amérique à bord du *Hare*, un navire négrier, et vendue avec quatre autres enfants à un riche fermier pour la somme de 600 livres sterling. Après avoir travaillé sa vie durant dans une plantation et donné le jour à dix enfants, la malheureuse était décédée à l'âge de 65 ans. Plus extraordinaire encore : Opala et Ball ont réussi à identifier les descendants de Priscilla sur sept générations. Et à localiser Thomalind Polite, une orthophoniste de 31 ans, dernière représentante de la lignée.

Peu après, Joseph Opala donne une conférence à Newport, le port d'attache du *Hare* au XVIIIe siècle. Bouleversés par le récit de l'anthropologue, des étudiants collectent 10 000 dollars auprès des habitants de la ville pour permettre à Thomalind de se rendre en Sierra Leone. Pari tenu. « Au cours de mon voyage, j'ai mesuré quelles épreuves avait dû endurer mon aïeule pour survivre et faire souche aux États-Unis », a déclaré la jeune femme à son retour d'Afrique.

Diagnostics empiriques

Grâce, notamment, à la biologie moléculaire couplée à l'informatique, la médecine moderne progresse à pas de géant. Pour autant, de graves pathologies échappent encore à la vigilance des spécialistes. Dans ce cas, il ne reste plus aux malades qu'à s'en remettre à des techniques de diagnostic plus empiriques.

Une Américaine obèse est harcelée par son médecin qui l'exhorte à perdre du poids. Mais, en dépit d'un régime alimentaire drastique, elle n'obtient aucun résultat. Quelques mois plus tard, elle consulte un autre médecin pour se faire soigner d'une banale gastro-entérite. Le praticien l'ausculte et constate qu'une tumeur abdominale de… 63 kg s'est développée dans son organisme depuis une quinzaine d'années. Une fois opérée avec succès, la patiente a retrouvé taille de guêpe et joie de vivre.

Sarah Kerr, une Écossaise d'une trentaine d'années, se promène dans un pré, dans lequel paissent des vaches. Soudain, l'une d'entre elles la charge sans sommation et lui assène un violent coup de tête dans le ventre. La malheureuse est transportée d'urgence à l'hôpital où elle subit un scanner de la région abdominale. Hormis de légères contusions, un radiologue détecte une tumeur maligne en formation. Au terme d'une intervention chirurgicale, la malade est déclarée hors de danger. « Si la vache ne m'avait pas attaquée, le cancer se serait développé à mon insu, et j'en serais sans doute morte », s'est réjouie la miraculée. Qui collectionne depuis les objets en tout genre à l'effigie de sa bienfaitrice !

Le mystère de la chambre 311

Dans un hôpital municipal de Cape Town, en Afrique du Sud, une patiente décède, un matin, dans la chambre 311. L'événement est malheureusement banal dans cette unité de soins intensifs. Ce qui l'est moins, c'est que, durant plusieurs semaines, le phénomène se répète à l'identique. Comme s'ils étaient frappés de malédiction, les occupants de cette chambre passent tous de vie à trépas chaque vendredi matin.

Pour stopper l'hécatombe, le directeur de l'établissement décrète l'état d'urgence sanitaire. La chambre est nettoyée et aseptisée de fond en comble. L'air et l'eau sont analysés pour détecter une éventuelle contamination bactériologique. Sans succès : les patients ne sont pas victimes d'une infection nosocomiale.

Comme le phénomène perdure, plusieurs familles de patients décédés portent plainte contre l'hôpital, et la police sud-africaine est saisie de l'affaire. Déguisés en infirmiers et en aides-soignants, des inspecteurs surveillent dès lors jour et nuit les abords de la chambre maudite.

Le vendredi suivant, à 6 heures du matin, une femme de ménage pénètre dans la chambre comme à son habitude. Sous un prétexte quelconque, un policier en blouse blanche lui emboîte le pas. Il ne tarde pas à découvrir la vérité. En branchant son aspirateur sur l'unique prise disponible, la femme coupe par inadvertance le respirateur qui alimente le malade en oxygène ! Après l'intervention du policier, la chambre 311 est mise hors service. Le temps qu'un électricien l'équipe d'une seconde prise électrique !

Laissez parler les petits papiers !

E-mails et textos ont progressivement relégué au rayon des accessoires billets doux et lettres d'amour. Dommage, car les correspondances épistolaires d'autrefois ne manquaient pas de charme.

Muté par son entreprise à l'autre bout du pays, Xi

promet à Su Ping, sa fiancée, de venir la rejoindre à Pékin à l'occasion des fêtes du Nouvel An chinois. Malheureusement, un contretemps l'oblige à annuler son voyage la veille du départ. Sous le coup de la colère et de la déception, Su Ping lui adresse une lettre de rupture. Qu'elle regrette aussitôt. Elle essaie en vain de récupérer sa missive au bureau de poste, puis, paniquée, saute dans le premier avion en partance pour la ville lointaine qu'habite son amoureux. « Je suis arrivée juste à temps pour intercepter ma lettre, et sauver ma relation avec Xi », a raconté la jeune femme sur son blog.

Pendant sept ans, Ted Howard, un ingénieur britannique, bombarde son épouse, Moly, de lettres enflammées, dès qu'il se rend à l'étranger. Quand elle décède à l'âge de 72 ans, Ted découvre que, doutant à tort de sa fidélité, elle les a déchirées au fur et à mesure qu'elle les recevait, tout en conservant précieusement les morceaux. Le veuf a déjà consacré quinze ans de sa vie à reconstituer les 2 000 minuscules fragments de sa correspondance. « Moly me manque terriblement, s'est-il expliqué. En employant tous mes loisirs à reconstituer ce puzzle géant, j'ai l'impression qu'elle est toujours à mes côtés. »

Des cannibales sont parmi nous

Souvenez-vous. Le 12 octobre 1972, une équipe de rugby uruguayenne se déplace au Chili pour disputer un match amical. Leur avion s'écrase dans la cordillère des Andes, à 4 000 mètres d'altitude. Le calvaire des seize rescapés s'éternise pendant 72 jours. Des années plus tard, les langues se délient. Pour survivre, les naufragés se sont nourris de la chair des cadavres.

Considérée comme l'un des tabous les plus solidement ancrés dans les consciences collectives, l'anthropophagie n'en demeure pas moins une pratique qui resurgit de temps à autre. En avril 2008, deux couples d'Ukrainiens invitent à dîner un ami commun. En guise de bienvenue, ils lui assènent de violents coups de marteau sur le crâne. Puis ils dépècent sa dépouille et font griller des morceaux sur un barbecue. Avant de s'en repaître, accompagnés de généreuses rasades de vodka. Arrêtés quelques jours plus tard, les cannibales avouent avoir cédé à la curiosité : « Nous voulions simplement découvrir le goût de la chair humaine, confessent-ils au juge. Avec une sauce aigre-douce, c'est délicieux. »

En Slovénie, un médecin se rend à la cantine de l'hôpital où il travaille. Il commande un risotto au poulet et s'étonne rapidement de la consistance de la viande. Intrigué, il apporte un échantillon au laboratoire et le fait analyser. C'est un morceau de langue humaine ! Comme l'affaire fait scandale, la direction de l'hôpital publie un communiqué dans lequel elle affirme « ne pas utiliser les organes des patients décédés pour confectionner les repas servis à la cantine ». Bon appétit !

Les voies du Seigneur

À travers ses prises de position radicales, on a bien compris que le pape Benoît XVI exige de ses ouailles qu'elles se conforment aux règles de la morale et des bonnes mœurs. Mais les curés de terrain italiens partagent-ils la rigueur du Saint-Père ? Pour le savoir, un reporter de l'hebdomadaire l'*Expresso* a enquêté dans vingt-quatre paroisses rurales où, se faisant passer tour à tour pour un médecin et le principal d'un collège, il s'est confessé de péchés imaginaires. Il s'avère que la tolérance du clergé transalpin dépasse les espérances. Ainsi lorsque le journaliste avoue avoir débranché le respirateur d'un patient en fin de vie, le prêtre approuve-t-il son choix sans réserve. Lorsqu'il confesse ensuite entretenir une passion consommée avec une élève mineure, le curé lui donne l'absolution, après lui avoir néanmoins conseillé de « laisser le fruit mûrir ». Le faux médecin est-il homosexuel ? Des prêtres le sont aussi et les sœurs lesbiennes sont légion dans les couvents. Usage de haschich et de cocaïne ? Il n'est pas interdit de s'accorder de temps à autre un petit stimulant pour combattre le stress de la vie moderne.

L'*Osservatore romano*, le quotidien du Vatican, a dénoncé une enquête « écœurante, indigne et irrespectueuse ».

Les voies du Seigneur étant impénétrables, les Italiens ne savent plus aujourd'hui à quel saint se vouer.

Doivent-ils se conformer aux directives du Saint-Siège ou à celles, nettement moins contraignantes, des curés de campagne ?

À la recherche d'OVNIS, il pirate le Pentagone

Suite à un mandat d'arrêt international lancé conjointement par le FBI et la CIA, Garry McKinnon, un informaticien anglais de 42 ans, est arrêté à Londres en 2002. La justice américaine l'accuse d'être l'auteur du « plus grand piratage informatique militaire de tous les temps », estimé à plus de 700 000 dollars de dommages. Utilisant de petits programmes lui permettant de décrypter des mots de passe, McKinnon a pillé pendant deux ans de leurs contenus des dizaines d'ordinateurs des forces armées du Pentagone et de la NASA, sans jamais avoir quitté son appartement londonien.

L'informaticien génial est-il affilié à un réseau terroriste ? Est-il un hacker malveillant ou le militant d'une cause pacifiste ? Rien de tout cela. Il est tout simplement convaincu « qu'il y a ou qu'il y a eu dans le passé des vaisseaux spatiaux qui circulent sur Terre sans que le public soit au courant ». Et, sacrifiant à sa cause son emploi et sa fiancée, c'est pour vérifier cette hypothèse qu'il a consacré son temps à sonder les fichiers top secret de la Défense américaine.

En 2008, la Chambre des lords a donné son feu vert à l'extradition de McKinnon vers les États-Unis, où il risque 70 ans de prison et des amendes allant jusqu'à 2 millions de dollars. Espérons que la justice se montrera clémente à son égard. Après tout, les héros de la série télévisée « X-Files » partageaient la curiosité du pirate et n'hésitaient pas à utiliser, eux aussi, les grands moyens pour la satisfaire !

Une femme pressée

Tom Bradley, un policier motocycliste, effectue un contrôle sur le bord d'une autoroute américaine. Constatant qu'un bolide vient de filer à plus de 160 km/h, il enfourche sa moto et se lance à sa poursuite. Bientôt parvenu à la hauteur du véhicule, le policier n'en croit pas ses yeux : non seulement la conductrice dépasse de 50 km/h la vitesse autorisée, mais elle donne le sein à un bébé, téléphone d'une main et prend des notes de l'autre, un carnet et le bébé coincés contre le volant. Bradley active sirène et gyrophares et, par gestes, intime à la contrevenante l'ordre de ralentir et de se ranger sur le bas-côté. La jeune femme obtempère. Elle ralentit, abrège le repas de son enfant et coupe son téléphone mais refuse de s'arrêter. Elle n'est interceptée qu'au péage, 20 kilomètres plus loin, et immédiatement traduite devant un tribunal.

— Pourquoi avez-vous pris la fuite ? demande le juge.

— J'ai été agressée par un officier de police l'année dernière, plaide Catherine Donkers. Après cela, mon mari m'avait recommandé de m'arrêter uniquement dans un endroit fréquenté. J'ai donc attendu d'atteindre le péage.

— Soit ! concède le juge. Pour autant vous conduisiez en excès de vitesse, en allaitant un enfant, en téléphonant et en prenant des notes. Qu'avez-vous à dire pour votre défense ?

— Que je suis épouse, mère de famille et institutrice, réplique la jeune femme, imperturbable. J'ai un emploi du temps très chargé.

Le visage du juge s'éclaire d'un grand sourire.

— Madame, cela fait des années que j'attends qu'une institutrice comparaisse devant ce tribunal. Je vous condamne tout d'abord à une amende de 3 000 dollars. Ensuite, asseyez-vous à cette table et écrivez 500 fois : « Ce n'est pas parce que je suis pressée que je dois mettre ma vie en péril, celle de mon enfant et celle des autres. »

Acharnement post mortem

Les services de recouvrement de certaines entreprises font parfois montre d'un acharnement et d'un manque de discernement consternants. Par exemple, la compagnie téléphonique de Sprint, dans le Massachusetts, aux États-Unis, n'abandonne jamais les relances lorsqu'il s'agit de factures impayées. C'est ainsi que David Towles a reçu un commandement à payer la somme de 12 cents (10 centimes d'€) pour une communication passée cinq ans après son décès ! L'entreprise ne pouvait ignorer l'état de son ex-abonné puisqu'elle avait bien adressé la facture à sa dernière adresse connue : « Cimetière de Hillside, section Evergreen, Auburn, Massachusetts.

Le responsable du cimetière, qui a révélé le fait à la presse, n'a pas caché son étonnement :

— Nos clients ne reçoivent généralement pas de courrier. Mais je me demande maintenant si je ne devrais pas installer des boîtes aux lettres à côté des pierres tombales, a-t-il déclaré.

Le père Karl Terhorst, de l'église catholique de Ramsdorf, en Allemagne, est une autre victime de ces stupides persécutions. En janvier 2003, il reçoit une seconde mise en demeure, menaçant Mme Walburge S. T, gracieusement hébergée par la paroisse, de poursuites judiciaires et de 1 000 € d'amende si cette dernière ne s'acquitte pas de sa redevance télé. Le prêtre informe alors l'organe de collecte que « Mme Walburge, née en Angleterre, abbesse supérieure de monastère, éminent personnage de l'Église francisque de Saint-Boniface, n'est plus de ce monde depuis un certain temps, puisqu'elle a été canonisée par le Vatican en l'an… 880 !

— Il s'agit d'une regrettable erreur. Les fonctionnaires ne font pas de miracle, a reconnu Eckland Ohliger, le directeur du ministère chargé du recouvrement de la taxe.

Des pauvres millionnaires

Les splendeurs innombrables, les trésors archéologiques et artistiques qui embellissent la ville de Naples ne peuvent pas faire oublier la misère des quartiers populaires. Sachant cela, on comprend mieux l'étonnement des policiers de la brigade antifraudes lorsque, en menant une vaste opération de contrôle, ils découvrent que la plupart des yachts les plus luxueux appartiennent à des ménagères sans ressources ou à des marchands ambulants des faubourgs.

Fort de cette ahurissante constatation, le ministre de l'Économie dépêche 170 hommes de la Garde des finances, 18 unités garde-côtes et 2 hélicoptères pour systématiser ses investigations. 212 embarcations de plus de 12 mètres et d'une valeur supérieure à 350 000 € sont contrôlées. Allant de surprise en surprise, les enquêteurs établissent qu'un voilier, d'une valeur de 420 000 €, appartient en toute propriété à un vendeur de fleurs, qui possède par ailleurs une minuscule échoppe dans une ruelle du vieux port, et qu'une dizaine d'autres navires tout aussi coûteux enrichissent le patrimoine de ménagères vivant d'aides sociales. Moins surprenant : l'enquête révèle par ailleurs que bon nombre de yachts ont été enregistrés au nom de sociétés fictives.

— Naples est l'une des villes les plus pauvres d'Italie. En termes de revenu, elle se situe au 86e rang, mais elle occupe aussi l'une des premières places pour la consommation, a expliqué Vittorio Sbordone, le juge en charge de la coordination de l'opération. La Camorra, la mafia napolitaine, contrôle toute une économie parallèle. Elle recrute des gens parmi les plus pauvres pour servir de prête-noms pour blanchir l'argent de la drogue. S'en prendre à eux ne résoudrait rien, a ajouté le juge. Nous devons frapper à la tête de l'organisation. En attendant, les bateaux sont confisqués et je ne suis pas sûr que le ministère ait les moyens de les entretenir convenablement…

Un scientifique « plume » son budget

À l'étude de quels phénomènes sont consacrés les budgets scientifiques ? À en juger par le choix de quelques chercheurs audacieux, nous sommes parfois en droit de nous interroger. Ainsi Bernard Vannegut, de l'université d'État d'Albany, aux États-Unis, vient-il de publier les résultats de tests longs et coûteux, menés des années durant avec de l'argent public. Objet de ses recherches : comment utiliser des poulets comme unité de mesure des forces dégagées par une tornade !

Après avoir exposé sur plus de 200 pages, couvertes de graphiques et d'équations, les aspects théoriques de son étude, le savant est entré dans le vif du sujet : Attrapez un poulet vivant qui a toutes ses plumes et fixez-lui un émetteur. Introduisez-le ensuite dans un « pistolet à poulet », destiné à envoyer la volaille au cœur de la tornade à une hauteur raisonnable. Attendez qu'il redescende. Récupérez-le grâce à son émetteur et observez. Les dégâts constatés sur le plumage du gallinacé sont proportionnels à la puissance des vents, dont la vitesse est alors lisible sur un tableau de concordance. Ainsi un poulet est totalement déplumé lorsque la vitesse du vent est supérieure à 200 km/h. Le poitrail, le dos et le croupion se dégarnissent entre 140 et 155 km/h.

En scientifique rigoureux, le professeur Vannegut a ensuite nuancé ses conclusions, en introduisant des facteurs plus suggestifs, susceptibles de modifier l'interprétation des résultats.

— Naturellement mes conclusions ne sont valables que si l'état mental des poulets n'est pas affecté par des troubles psychologiques, a précisé le chercheur devant un parterre d'étudiants médusés. Un poulet de batterie stressé perd plus facilement ses plumes qu'un poulet de grain élevé en plein air.

Ces travaux ont valu à ce physicien de haut niveau d'être candidat au prestigieux « Ignoble Nobel », le prix qui récompense chaque année l'étude scientifique la plus farfelue.

De la suite dans les idées

Pinedo Arsenik, un Espagnol de 27 ans, erre dans les rues de Valence, dans la Drôme, avec une idée en tête : rejoindre à Marseille le plus vite possible la jeune fille dont il est amoureux. Réaliser son projet ne serait pas insurmontable s'il n'était pas sans domicile fixe et sans le sou. Quand il va se poster à l'embranchement de l'autoroute, dans l'espoir d'être pris en auto-stop, sa tenue négligée contrarie son plan. Après deux heures de vaine attente, il décide de changer de stratégie. Il retourne dans le centre, vole une voiture et prend la route en direction du sud. N'étant pas un conducteur très expérimenté et ayant une connaissance approximative du code de la route, le jeune homme brûle un feu rouge et emboutit un autocar. Animé d'un réflexe salvateur, il abandonne la voiture endommagée et s'enfuit sans être inquiété. Il récidive une heure plus tard. Le style inimitable de sa conduite lui vaut d'être rapidement arrêté par les forces de l'ordre et conduit à la gendarmerie. Jugé un peu « simple » par l'officier qui l'interroge, il est sermonné et remis en liberté.

Tenant sa promesse, Pinedo part alors à pied vers Bourg-lès-Valence. Longeant la voie ferrée, il découvre un drapeau rouge dans un cabanon de la SNCF et s'en sert pour arrêter le rapide Lyon-Marseille, exigeant du conducteur qu'il le prenne à son bord jusqu'au terminus. Persuadé d'avoir affaire à un dangereux déséquilibré, le machiniste feint d'accepter mais dépose son encombrant passager à la gare suivante, après avoir discrètement actionné un signal de détresse.

Inculpé d'« entrave à la circulation des trains » et écroué à Valence, Pinedo Arsenik devra patienter trois mois en cellule avant d'imaginer une autre manœuvre pour tenter de rejoindre sa belle !

La magistrate et le voyou

Une affaire peu banale défraie la chronique dans la presse allemande à sensation. Devant le tribunal de Hambourg, Mme Anna von Blick, procureur de la République, vient d'être inculpée et condamnée à deux ans de prison avec sursis pour « association de malfaiteurs et vols aggravés ».

Voilà son histoire. En 1984, la ravissante magistrate, âgée de 33 ans, spécialisée dans les cas de délinquance juvénile, fait la connaissance de Johan, un garçon de 12 ans, poursuivi pour « vols à la tire ». Au début, par « engagement social », Anna tente d'alléger les charges retenues contre lui. Elle lui rend fréquemment visite dans le foyer surveillé, dans lequel il est condamné à séjourner trois ans. Au fil des rencontres, une étrange passion amoureuse naît entre le procureur et le délinquant, à peine sorti de l'adolescence. Envoûtée par son nouvel amant, Anna von Blick n'a de cesse de combler ses désirs les plus coûteux. Vêtements de luxe, gadgets électroniques, puis, quand le garçon est remis en liberté, week-ends de rêve à Paris et à Rome. À ce rythme, quelques mois plus tard, la magistrate a épuisé ses dernières ressources. Elle échafaude alors des projets de cambriolages, qu'exécutera son protégé. Elle se fait inviter chez des collègues afin d'étudier la disposition de leur appartement et recenser leurs objets de valeur. Mise en alerte, la police de Hambourg focalise son enquête sur le personnel du palais de justice.

Sur Anna en particulier, lorsqu'un inspecteur découvre sa liaison avec Johan. Quelques semaines plus tard, le couple est arrêté, pris en flagrant délit.

Devant le tribunal, la jeune femme plaide « la folie passagère ». L'amour étant enfant de bohème, ses pairs, peu rancuniers, se montrent cléments, la condamnant à une peine légère. Quant à son insatiable amant, il s'empresse de rompre et va vendre à un journal à grand tirage le récit de sa scabreuse aventure !

Qu'importe le flacon

Roger Doudna, 56 ans, peut se prévaloir d'un curriculum vitae impressionnant. Il est en effet docteur en philosophie, diplômé de l'université du Kansas et ancien professeur de l'université de San Francisco. Adulé par ses étudiants, respecté de ses collègues, reconnu par l'Académie, Doudna aurait pu être un homme comblé si un néfaste penchant pour le whisky n'avait peu à peu embrumé son esprit et contrarié sa carrière. Après plusieurs cures de désintoxication infructueuses, le philosophe avait réfléchi à un autre moyen, radicalement différent, pour venir à bout de sa dipsomanie.

Après avoir retourné la question en tous sens, Doudna décide de se rendre en Écosse où, dans une distillerie de whisky, il fait l'acquisition d'un tonneau de 9 m de diamètre et de 2,40 m de hauteur. Le philosophe transporte son bien sur une lande déserte face à la mer et l'aménage confortablement, le dotant du chauffage électrique, de l'eau courante et d'une ligne téléphonique, reliée à Internet. Une cuisine et une salle de bains adjacentes complètent la nouvelle demeure et, pour parfaire l'habitacle de 28 m², une mezzanine tient lieu de chambre à coucher. Coût total de l'opération : 65 000 €.

— Certains philosophes ont avancé l'hypothèse que la forme de l'habitat pouvait modifier la conscience, a confié Doudna à un journaliste venu l'interviewer. Je ne sais pas quelle forme procure le bien-être maximum, mais j'aime beaucoup vivre et travailler dans mon tonneau comme Diogène le Cynique qui avait réalisé cette expérience 2 300 ans avant moi.

— Êtes-vous guéri ? lui a demandé le reporter.

— Effectivement, depuis que je vis du matin au soir dans les effluves du whisky, j'ai définitivement cessé de boire !

Humour anglais

Le Home Office, le ministère britannique de l'Intérieur, vient de déclasser des archives, jusqu'à présent tenues secrètes. Au nombre des documents accessibles au public figure une longue correspondance administrative qui en dit long sur les mœurs saugrenues de nos voisins d'outre-Manche.

Par courrier en date du 3 juin 1929, le trésorier du ministère accorde un crédit spécial destiné à entretenir un « chat efficace » pour dératiser les bâtiments. Peter, c'est le nom de la recrue, s'acquitte si bien de sa tâche que, trois ans plus tard, son allocation est multipliée par six. Ayant atteint l'âge de la retraite après dix-sept ans de loyaux services, il est envoyé *ad patres* pour solde de tout compte. Il est aussitôt remplacé dans ses fonctions par un autre chat, prénommé également Peter en l'honneur du cher disparu. À un admirateur qui s'enquiert de la taille du cou de l'animal pour lui offrir un collier, le ministère répond, en 1958, que le chat étant « un fonctionnaire à part entière », il n'est « pas autorisé à recevoir de cadeaux ». À un autre qui, plus tard, sollicite que le félin soit « reclassé et promu » pour services rendus à la Couronne, la hiérarchie fait savoir par écrit que « la modestie de la fonction de chasseur de rats rend cette promotion impossible ».

À l'heure des compressions budgétaires dans les services publics de Sa Majesté, on ignore si le poste occupé par les successeurs de Peter a été maintenu. Quoi qu'il en soit, cette correspondance porte bien la griffe de l'humour britannique !

Des blouses pas très blanches

Ce petit hôpital de Belo Horizonte, au Brésil, bénéficie d'une réputation suffisamment bien établie pour attirer et satisfaire la clientèle. Pourtant, lorsqu'un ingénieur décède après avoir été admis dans le service des soins intensifs de l'établissement, la famille du disparu exige une autopsie et des explications. Comme l'hôpital refuse catégoriquement d'accéder à la requête, les proches portent plainte. La police ouvre une enquête et fait bientôt une stupéfiante découverte. Aucun des vingt-cinq médecins qui exercent dans l'hôpital n'est docteur en médecine ! Deux pseudo-chirurgiens sont chauffeurs de taxi. Un soi-disant anesthésiste est télégraphiste et celui qui se prétend obstétricien est un chauffagiste !

Et les révélations de la police ne s'arrêtent pas là. En plus de jouer illégalement de la seringue et du bistouri, les usurpateurs fraudent le fisc, fabriquant des faux certificats de retraite et organisant un trafic lucratif de médicaments périmés. Croulant sous les chefs d'accusation, les vingt-cinq faux médecins sont jugés et condamnés à de lourdes peines et l'hôpital fermé. Intrigué, le procureur questionne un inculpé plus en détail.

— En sept ans d'exercice illégal de la médecine et sans avoir la moindre compétence, comment avez-vous pu éviter de provoquer une hécatombe dans votre établissement ?

— En fait, on intervenait le moins possible, a prudemment répondu le chauffagiste. Avec un peu d'eau fraîche, de l'aspirine et des paroles encourageantes, la plupart des gens retrouvent la santé sans l'aide de médecin.

Quand les Américains exagèrent !

À défaut de nous faire toujours rire, les Américains n'ont pas fini de nous surprendre. Ces anecdotes, recueillies dans les colonnes de la presse locale d'outre-Atlantique, sont, en effet, déconcertantes.

Waynetta Nohan, une Texane de 37 ans, a été lourdement condamnée pour avoir brisé les deux jambes et le bassin de la gérante d'un fast-food, en lui roulant sur le corps avec sa camionnette. La victime a fait le récit de l'agression :

— Comme une triple ration de mayonnaise ne suffisait pas à satisfaire ma cliente, qui m'en réclamait toujours davantage, elle m'a lancé son cheeseburger au visage. Quand je suis sortie de ma guérite pour relever le numéro d'immatriculation de sa voiture, elle m'a foncé dessus sans la moindre hésitation.

Souhaitons que dans la prison où elle purge une peine de dix ans de réclusion, Mlle Nohan se soit mise au régime !

Autre exemple. Il y a quelques semaines, quand une poubelle s'est mise à bourdonner furieusement, tout le personnel et des centaines de passagers ont dû évacuer d'urgence l'aérogare de Philadelphie. La police était sur le point de faire appel aux démineurs du FBI, lorsqu'un voyageur s'est piteusement présenté pour identifier le paquet suspect, dont l'agitation frénétique avait redoublé. Vérification faite, il s'agissait d'un vibromasseur, « un article de fantaisie pour adultes », a cru bon de préciser le porte-parole de la police, en escamotant pudiquement l'objet responsable du début de panique.

Des escrocs très « branchés »

Flegmatiques, courtois, souvent candides, les Japonais sont les proies désignées d'une nouvelle forme d'arnaque téléphonique, déjà baptisée : « Allô, c'est moi ! » Le principe est simple. L'escroc téléphone au hasard à une abonnée, généralement entre 10 et 14 heures, au moment où la plupart des femmes sont seules à la maison. Se faisant passer pour un collègue du mari ou pour un policier, il annonce à la ménagère qu'une catastrophe vient de se produire dans la famille. « Votre mari a été arrêté pour attentat à la pudeur » ou : « Votre fille vient de se faire prendre en flagrant délit de vol dans un magasin ». Profitant du désarroi de sa victime, le filou propose de tout arranger discrètement en échange du versement immédiat d'un dédommagement. L'arnaqueur n'ignore pas, bien sûr, que, si le virement est effectué à partir d'un guichet automatique avant 15 heures, il pourra toucher l'argent dans l'après-midi. Au fil du temps, les techniques utilisées sont devenues de plus en plus sophistiquées. Par exemple, pour régler à l'amiable un prétendu accident de la circulation, les escrocs, organisés en bande, se distribuent les rôles. Un policier, un avocat, un assureur et un garagiste – tous faux naturellement – se relaient au téléphone et font pression sur la victime.

Ainsi, en l'espace de huit mois, la police japonaise a-t-elle enregistré plus de 5 500 plaintes pour un préjudice supérieur à 74 millions d'€.

Élémentaire, mon cher Watson !

Le 27 mars 2004, le cadavre de Richard Green est retrouvé dans son appartement londonien, entouré d'animaux en peluche et de bouteilles de gin, le cou garrotté par un lacet. Meurtre ou suicide ?

Le magistrat chargé de l'enquête peine à se prononcer. L'affaire, déjà passablement énigmatique, se complique encore lorsqu'on sait que Green était l'ancien président de la Société Sherlock Holmes et le spécialiste incontesté de l'œuvre de Conan Doyle. Colin Berry, le médecin légiste, qui pratique l'autopsie, déclare : « L'autostrangulation par garrot est très inhabituelle. Je n'ai vu qu'un cas en 30 ans. »

La police et les amis du disparu continuent néanmoins à privilégier la thèse du suicide. Pour se donner la mort, Green se serait inspiré d'une nouvelle de Conan Doyle, *Le Problème du pont de Thor*, dans laquelle l'épouse d'un magnat organise son suicide pour faire accuser sa gouvernante.

Fait troublant : peu de temps avant sa mort, Green avait essayé de s'opposer à la vente aux enchères des archives de l'écrivain, qu'il avait mis 20 ans à rassembler. L'idée de les voir vendues par lots et dispersées à travers le monde lui était insupportable. La vente a pourtant eu lieu et a rapporté 1,4 million d'euros.

À la veille de sa mort, Richard Green avait remplacé le message de son répondeur téléphonique par une voix à l'accent américain et confié à sa sœur une liste de trois noms, qualifiée de top secret. Ce qui accrédite la thèse du suicide maquillé en homicide.

Dommage que Sherlock Holmes ne soit plus des nôtres pour démêler cette ténébreuse affaire !

Dites-le avec une fleur

Un Terrien sur quatre possède un téléphone portable et le nombre des utilisateurs, porté par les grands pays émergents, ne cesse d'augmenter. C'est pourquoi, le phénomène devenant planétaire, des scientifiques s'interrogent sur les risques sanitaires et environnementaux générés par cette nouvelle technologie.

Sur le plan écologique, une nouvelle réconfortante vient de nous parvenir de l'université de Warwick, en Grande-Bretagne. Des chercheurs y ont mis au point le premier téléphone portable biodégradable. Conçu en collaboration avec une société de haute technologie et un fabricant américain, l'appareil est fabriqué à partir de polymères qui se transforment en poussière lorsqu'ils sont enterrés dans du compost.

Ainsi si d'aventure des familles souhaitent que leur téléphone portable accompagne leurs chers disparus dans leur dernière demeure, une graine pourra être insérée dans le corps du combiné et fleurir sur leur tombe. Au terme de deux ans de recherche, l'équipe du Dr Kerry Kinwan a estimé que la plante qui avait le plus de chance de remplir cette poétique fonction était le tournesol.

Jupon et homme de robe

Pierre Vasseur, 47 ans, procureur de la République dans une ville du sud-ouest de la France, se rend à Cologne pour participer à un congrès sur la réforme de la justice dans les pays européens. Quelques mois plus tard, sur ordre de la Chancellerie, Vasseur est mis en examen pour vol aggravé. Il encourt une peine pouvant aller jusqu'à trois ans d'emprisonnement et 45 000 € d'amende. De quelle faute ce respectable homme de robe s'est-il rendu coupable ?

Tout commence lorsqu'une magistrate allemande signale à la police que, durant le congrès, sa carte bancaire lui a été dérobée et qu'une somme importante a été débitée sur son compte. La police enquête et retrouve la carte en question dans un bar malfamé.

— Le client français qui s'en est servi a fait un scandale dans mon établissement, explique le tenancier. Comme il refusait de payer l'hôtesse qui lui avait tenu compagnie toute la soirée, je l'ai jeté dehors et j'ai confisqué sa carte.

Le gérant du bar et la prostituée identifient Pierre Vasseur sur des photographies, et la magistrate porte plainte. Le parquet de Cologne transmet le dossier au garde des Sceaux français qui, à son tour, saisit le Conseil supérieur de la magistrature. Une demande de suspension provisoire du procureur est prononcée.

Lors du congrès de Cologne, Pierre Vasseur avait pris la parole devant ses collègues pour affirmer avec force que « les principes du code déontologique ne doivent pas concerner uniquement les comportements professionnels, ils doivent également être visibles dans l'attitude individuelle de chaque magistrat ».

Des chiens pour détecter les cancers

On ne finirait pas de dresser la liste des services rendus à l'humanité par les chiens depuis la nuit des temps. Bergers, gardiens, guides pour aveugles, sauveteurs ou détecteurs de drogue et d'explosif, nos fidèles compagnons ajoutent aujourd'hui une nouvelle aptitude à leurs vertus déjà nombreuses.

Le *British Journal of Medicine* affirme, en effet, que les truffes canines peuvent détecter des cancers grâce aux effluves des protéines contaminées qu'ils dégagent. Le principe n'est pas nouveau. Déjà, en 1989, une femme de 44 ans avait été littéralement harcelée par son chien, qui ne cessait de renifler le grain de beauté qu'elle portait sur la cuisse. Quand l'animal avait tenté de la mordre à cet endroit, elle s'était enfin décidée à consulter un dermatologue. Résultat de l'analyse : un début de mélanome.

En systématisant l'expérience, les chercheurs ont établi la preuve que certains chiens, entraînés à humer des échantillons d'urine humaine, sont capables, dans 41 % des cas, de détecter des tumeurs malignes. Dans cet exercice épidémiologique, toutes les races ne possèdent pas les mêmes talents. Si les bâtards sont, semble-t-il, peu doués pour la médecine, les cockers, en revanche, sont pour la plupart dignes d'Hippocrate.

Hors de ses gonds

Après avoir chroniqué avec brio et pondération près de 2 000 matchs de football, Huang Jianxiang, le commentateur sportif vedette de la chaîne de télévision chinoise CCTV, est envoyé en Allemagne, en 2006, pour y rendre compte de la Coupe du Monde.

Tout se déroule à merveille jusqu'au match de huitième de finale qui oppose les équipes d'Australie et d'Italie. À l'ultime minute du temps additionnel, le score est toujours vierge. Légèrement bousculé par un joueur australien, Francesco Totti s'écroule théâtralement dans la surface de réparation. Bien que, de l'avis général, l'Italien ait feint l'agression, l'arbitre accorde un penalty, que Totti transforme en but et en victoire. À cet instant, et pour une raison qui nous échappe, Huang sort de ses gonds : « Vive l'Italie ! se met-il à hurler, au bord de l'hystérie. À la maison, les Australiens ! Au revoir ! Rentrez chez vous ! »

Dès la fin du match, la rédaction demande à Huang de s'expliquer sur son étrange comportement, sans s'apercevoir que ses propos sont toujours relayés en direct sur l'antenne. « Je me réjouis du résultat, persiste le journaliste. Les Australiens ont une équipe de merde. »

Comme les commentaires de Huang soulèvent un tollé général, le directeur de la CCTV présente des excuses au public pour les propos « biaisés et inappropriés » de son reporter, obligé de faire lui aussi amende honorable. Quelques mois plus tard, lorsque le Premier ministre australien effectue une visite officielle à Pékin, Huang est discrètement prié d'aller exercer ses talents sur une obscure chaîne de télévision de Hong Kong.

L'œuf et le bœuf

« Voler dix sous est toujours voler ; mais faire disparaître 100 millions n'est point voler », écrivait Guy de Maupassant dans un article, en 1882.

Cette réflexion prophétique est plus que jamais d'actualité à l'aune de deux affaires récentes. En décembre 2008, Bernard Madoff, ancien président du Nasdaq, la Bourse américaine des valeurs technologiques, est poursuivi pour être à l'origine d'une fraude évaluée à plus de 60 milliards de dollars. En dépit de l'alliance internationale de 35 cabinets regroupant 5 000 avocats de 22 pays chargés de suivre 22 000 plaintes potentielles, il sort libre du tribunal, après avoir versé une caution de 10 millions de dollars, soit un 1/5000e seulement de la somme qu'il a soustraite à ses investisseurs. Avant, il est vrai, d'être placé sous écrou et de risquer une peine d'un siècle et demi de détention.

Quelques mois plus tard, Barbara Volker, caissière d'un supermarché de Berlin, est poursuivie en justice par son employeur pour avoir indûment empoché deux bons de consigne d'une valeur globale de 1,30 €. Bien que son licenciement suscite un tollé dans l'opinion publique, la malheureuse, âgée de 50 ans, est congédiée au terme d'un humiliant procès.

Cette pitoyable histoire illustre une formule, toujours appréciée paraît-il des élèves de l'École nationale de la magistrature : « Le Code pénal est ce qui empêche les pauvres de voler les riches. Le Code civil est ce qui permet aux riches de voler les pauvres. »

Voyages à hauts risques

Les risques encourus par les quelque 2 300 000 000 de Terriens qui empruntent chaque année les transports aériens sont presque nuls, l'avion étant 200 fois moins dangereux que l'automobile. En dépit des incartades de certains pilotes facétieux…

Ainsi, en 2007, un avion moyen-courrier indien fait route vers Bombay. À l'approche de l'aéroport, le contrôleur aérien prend un contact de routine avec l'équipage. Silence radio. Il insiste. Toujours rien. L'avion a-t-il été détourné, puisqu'il s'éloigne maintenant vers le sud, en direction du Sri Lanka ? Craignant le pire, l'aiguilleur du ciel actionne l'alarme de bord. D'une voix ensommeillée, le commandant répond enfin à l'appel. Il fait demi-tour et pose son appareil sans encombre. Au terme d'une rapide enquête, il s'avère que les pilotes étaient profondément endormis, l'avion poursuivant tranquillement sa route en mode automatique.

Un Boeing 757 de la compagnie Nepal Airlines multiplie les avaries, sans que les mécaniciens ne parviennent à détecter la cause de la panne. Après dix jours d'immobilisation et des dizaines de milliers d'euros perdus, la direction de la compagnie décide d'employer les grands moyens. Elle fait appel à un prêtre qui sacrifie deux chèvres sur le tarmac, au pied de l'avion. Akash Bhairab, le dieu hindou du ciel, a-t-il été apaisé ? Malgré deux tentatives de décollage infructueuses, le Boeing réussit à atteindre Hong Kong.

Ces incidents ne doivent pas nous faire oublier que 6 millions de passagers aériens parviennent chaque jour à bon port. Enfin presque tous !

Pas tous en même temps !

La finale du Superbowl, le championnat de football américain, est sans conteste l'événement qui mobilise le plus grand nombre de téléspectateurs dans l'année aux États-Unis. En effet, près du tiers de la population, soit 90 millions de passionnés, assistent au match, rivés à leur petit écran.

Conséquence inattendue de cette mobilisation : outre le fait d'ingurgiter en chœur des milliers de tonnes de pizzas et des hectolitres de bière, les aficionados profitent tous de la mi-temps pour satisfaire leurs besoins naturels, d'où le risque d'engorger les égouts du pays. « Cela serait mieux pour nous si les gens pouvaient aller aux toilettes avant ou juste après la pause », a fermement recommandé Frank Calderon, le porte-parole du service de la voirie de Miami, la ville qui accueillait le Superbowl en 2007. Les ingénieurs ont, en effet, calculé que si 90 millions d'Américains se soulagent en même temps à travers le pays, cela représente 1,3 milliard de litres d'eau transitant des toilettes aux canalisations, soit autant que la quantité d'eau tombant des chutes du Niagara en 39 minutes !

Afin d'encourager chacun à s'abstenir de « pause-pipi » durant la mi-temps, les organisateurs du championnat ont fait appel au chanteur Prince pour animer ce quart d'heure de tous les dangers. Mission accomplie : la star de la scène est parvenue à retenir l'attention de suffisamment de téléspectateurs pour éviter la catastrophe !

À ramasser à la petite cuillère

Une voix sourde et angoissée parvient au standard du poste de police de la ville d'Oak Park, dans le Michigan :

— Je me suis endormi dans une poubelle que les éboueurs ont ramassée et vidée à l'arrière de leur camion, gémit le correspondant.

— Où êtes-vous ? demande le lieutenant Pousak à l'autre bout du fil.

L'homme est juste capable de dire à quelle intersection de rues il s'était endormi, avant d'être cueilli par la benne. Puis la batterie de son téléphone tombant en panne, son appel s'achève par une plainte angoissée :

— Faites vite, le broyeur s'est mis en marche ! Je vais mourir déchiqueté !

L'officier mobilise ses agents qui aussitôt quadrillent la ville, dans l'espoir de retrouver le camion chargé de son contenu humain. Ils y parviennent, ordonnent au chauffeur de stopper l'opération de broyage et de vider la benne sur un parking. Un homme indemne mais nauséabond, hagard et en loques émerge des détritus.

— Je ne suis ni SDF ni poivrot, explique-t-il aux policiers. Je suis agent de change. J'ai perdu mon emploi et, pour survivre, je ramasse, la nuit, les bouteilles consignées dans les poubelles. Je me suis endormi, épuisé après une longue tournée.

— Si j'étais vous, a répliqué le lieutenant Pousak, j'irais à l'église remercier Dieu. Je jouerais à la loterie et je me mettrais en quête d'un job moins périlleux !

Malraux, chef de gang ?

Le 26 juillet 1944, plusieurs groupes de la Résistance périgourdine attaquent le train Périgueux-Bordeaux en gare de Neuvic-sur-l'Isle et dérobent 150 sacs de jute contenant la somme fabuleuse de 2 280 000 000 de francs qui appartiennent à la Banque de France, soit l'équivalent d'environ 450 millions d'€.

S'il est avéré que le commando a bénéficié de la complicité du personnel de la banque et des quatre inspecteurs de police chargés du convoyage, la destination et l'utilisation finale de ce trésor de guerre n'ont jamais pu être clairement établies. Il semblerait que 20 % seulement du butin ait été utilisé par la Résistance, 9 millions ayant été par ailleurs ponctionnés par l'Armée sécrète gaulliste pour libérer André Malraux, alias le colonel Berger, détenu dans la prison Saint-Michel de Toulouse.

Mais qu'est-il advenu du reste de l'argent ? Le journaliste et écrivain Olivier Todd, qui a enquêté sur ce vol à main armée « le plus important de tous les temps », mentionne dans un livre qu'au lendemain de la guerre, le train de vie de Malraux « ne correspondait pas à son traitement de ministre ni à celui que pouvaient lui procurer ses droits d'auteur », puisque, dans son luxueux duplex parisien, l'auteur de *La Voie royale* disposait d'une douzaine de domestiques, dont un valet de chambre, une cuisinière et un maître d'hôtel. Todd suggère ainsi que Malraux aurait organisé depuis sa cellule l'attaque du train par des maquisards fidèles à sa cause, et qu'il aurait ensuite fait main basse sur une partie de l'argent.

De quoi assurer confortablement sa condition humaine jusqu'à la fin de ses jours !

Résurrection expresse

Au son d'une musique solennelle, une trentaine de personnes vêtues de robes traditionnelles en chanvre lisent à haute voix leur testament. Plusieurs d'entre elles sanglotent, gagnées par l'émotion. La scène est d'autant plus saisissante que le sol de la vaste pièce est couvert de cercueils ouverts, à côté desquels trônent des portraits funéraires. Ko Min-su, le maître de cérémonie, invite ensuite les participants à s'allonger dans les cercueils. Des croque-morts posent les couvercles, les clouent, déversent dessus de la terre et des pierres, puis quittent la salle plongée dans la pénombre. Cinq minutes s'écoulent avant qu'ils ne reviennent déclouer les couvercles et libérer les morts vivants.

Cet étrange rituel se déroule à Séoul, en Corée du Sud. Son but consiste paradoxalement à réconforter une population déprimée qui détient le triste record du taux de suicide le plus élevé du monde. « J'ai vraiment eu l'impression de ressusciter », témoigne Mme Soon, l'une des 50 000 Coréennes à avoir déjà participé au psychodrame. Ko Min-su, le fondateur de la société qui organise ces fausses mais lucratives funérailles, constate qu'« à l'issue de la séance, les gens deviennent altruistes et attachent davantage de valeur à leur existence ». Avis que ne partage pas Chung Hong-jin, un neuropsychiatre : « Pour combattre le suicide, il faut traiter les causes fondamentales de la dépression et des comportements impulsifs. »

À l'heure actuelle, aucune statistique ne nous est parvenue pour juger du bien-fondé de l'expérience.

Une relique douteuse vendue aux enchères

C'est bien connu : on trouve de tout sur les sites Internet de vente en ligne. Dernier objet insolite mis aux enchères : un drapeau américain censé avoir flotté au-dessus du Pentagone, à Washington, le jour des attentats terroristes, en septembre 2001.

La relique est proposée pour la somme de 302 500 € par David Nicholson, un internaute qui prétend l'avoir reçue des mains d'un ami entrepreneur qui l'a lui-même décrochée du sommet d'une grue installée au-dessus du ministère américain de la Défense, au moment de l'attaque. Nicholson, atteint d'un cancer, souhaite s'en débarrasser pour faire face à ses frais médicaux et assurer un pécule à sa famille.

Comme aucun acheteur ne se manifeste, le vendeur cède la bannière pour 20 000 € à John Andrews. Ce dernier l'offre aussitôt à un nouvel établissement scolaire baptisé Newton-Lee, des noms de deux passagers du vol 77 d'American Airlines qui s'était écrasé sur le bâtiment. Mais, constatant que le drapeau est en nylon, les membres du conseil d'administration du collège doutent de son authenticité. Andrews, vexé, le brûle en place publique pour mettre fin à un début de polémique.

Résultat de cette étrange transaction : en quelques secondes, 20 000 € sont partis en fumée. Sans que quiconque n'ait pensé à vérifier sur les innombrables photos publiées à l'époque si une bannière étoilée flottait réellement au faîte d'une grue posée sur le toit du Pentagone un certain 11 septembre 2001 !

Un trésor enfoui sur l'île de Robinson ?

Huit cents tonnes d'or, des joyaux, les anneaux papaux, une partie du trésor inca, une émeraude nommée Rose des Vents... un fabuleux trésor, estimé à 10 milliards de dollars, a été découvert, en septembre 2007, dans l'archipel Juan Fernandez, sur l'île de Robinson Crusoé, à 600 km au large des côtes chiliennes. C'est du moins ce qu'affirme la société Wagner Tecnologicas qui est parvenue à localiser le trésor grâce à *TR-Araña*, un robot ultrasophistiqué de 50 cm sur 65, qui aurait sondé l'île à plus de 3 mètres sous terre sur 9700 hectares durant trois jours.

La nouvelle enflamme la presse chilienne. Car si le butin, que personne n'a d'ailleurs vu, se trouve effectivement dans le coffre-fort d'un notaire de Santiago, chacun réclame déjà sa part. L'entreprise en exige 50 % et l'État, propriétaire du terrain, en revendique la totalité au nom de la loi régissant le patrimoine archéologique. Comme la polémique s'envenime, scientifiques et journalistes demandent instamment à voir le robot, d'autant que l'ingénieur qui l'a conçu prétend avoir été « illuminé par le Seigneur » ! Invité par l'université Santa Maria, le directeur de Wagner Tecnologicas s'y rend les mains vides et se ridiculise en fournissant des explications fumeuses et contradictoires, le « géo-radar » et le fabuleux trésor n'ayant de toute évidence jamais existé.

Une question se pose néanmoins : pourquoi une

firme industrielle réputée sérieuse a-t-elle lancé cet énorme canular, au risque d'y perdre sa crédibilité ? Nul n'a encore été capable de le dire !

Des mères pas comme les autres

Mme Adalgisa Bono, une Milanaise de 46 ans, a donné naissance à neuf enfants sans jamais avoir été enceinte, du moins d'après les examens gynécologiques auxquels elle s'était prêtée. À chaque consultation, les médecins n'avaient détecté aucun symptôme de grossesse et lui avaient conseillé de suivre une cure d'amaigrissement. Voire un traitement psychiatrique. Alors qu'elle attend son dixième enfant, un médecin de campagne l'ausculte à nouveau et trouve enfin l'explication : la patiente possède deux utérus identiques. Lorsque l'un des deux organes accueille l'embryon, l'autre continue de fonctionner comme si elle n'était pas enceinte.

Plus étrange encore : Thomas Beatie, un Américain d'une trentaine d'années portant barbe et moustache, constate avec satisfaction que sa taille s'arrondit agréablement. Comme celle de Marcello Mastroianni dans le film *L'événement le plus important depuis que l'homme a marché sur la Lune*. Explication : Beatie est transsexuel. S'il possède une reconstitution de l'appareil génital masculin qui lui a permis de se marier, les chirurgiens ont conservé son utérus. Sa femme étant stérile, Thomas s'est fait inséminer et porte aujourd'hui l'enfant du couple. Les médecins estiment que la grossesse se déroule normalement et que « le » futur maman accouchera à la date prévue. Par césarienne, il va sans dire !

Un musée sous bonne garde

Les gardiens de l'Ermitage, le prestigieux musée de Saint-Pétersbourg, parviendraient-ils à sauvegarder les 3 millions de chefs-d'œuvre dont ils ont la charge, s'ils ne bénéficiaient pas de l'aide précieuse d'une escouade de chats dératiseurs ? Assurément non.

Introduites dans les réserves du musée au XVIIIe siècle par l'impératrice Catherine II, des dizaines de générations de chats d'origine persane ont survécu héroïquement aux soubresauts de l'Histoire. Aujourd'hui au nombre d'une cinquantaine, les félins sont nourris et soignés grâce aux quelques roubles que chaque gardien prélève chaque mois sur son salaire. Et une exposition de peintures les représentant a été organisée en 1999, le produit de la vente des tickets ayant été intégralement consacré à l'achat de colliers antipuces et de sacs de croquettes. Par ailleurs, si certains supplétifs à quatre pattes se contentent d'un sobriquet, d'autres jouissent d'un prestige particulier. Ainsi Van Dyck a-t-il acquis son patronyme après être resté coincé plusieurs jours dans une canalisation de la salle dédiée aux œuvres du maître flamand.

À l'heure où les musées se délocalisent – le Guggenheim à Bilbao, le Louvre dans le golfe Persique –, l'Ermitage envisage-t-il d'exporter ses experts pour protéger le patrimoine artistique aux quatre coins du monde ?

Des vacances mémorables

Épuisés au terme d'une année de dur labeur, John et Meryl Highfield, un couple d'Irlandais, décide de s'offrir une semaine de vacances bien méritée en Bulgarie, en compagnie d'Ingrid, leur fille âgée de 12 ans.

Le premier repas pris au restaurant de l'hôtel cloue les trois membres de la famille au lit pendant 24 heures, à la suite d'une intoxication alimentaire. Le surlendemain, alors qu'ils attendent dans le lobby qu'un autocar les emmènent en excursion, une violente dispute éclate entre les agents de sécurité et un groupe de touristes, accusés de s'éclipser avec les serviettes de bain de la piscine. Lorsque la porte d'entrée vole en éclats, Meryl est touchée à l'arcade sourcilière par un bout de verre et saigne abondamment. John ordonne alors aux siens de se réfugier sur la mezzanine. Nouvelle déconvenue : une équipe est en train d'y tourner un film pornographique, et la fillette a le temps d'apercevoir deux blondes plantureuses et un individu couvert de poils en pleine action.

La famille patiente une dizaine d'heures dans le service des urgences d'un l'hôpital afin que Meryl s'y fasse soigner, puis regagne l'hôtel, bien décidée à profiter en paix de son avant-dernier jour de vacances. Peine perdue. Un incendie se déclare à l'étage inférieur. Les Highfield sont évacués et logés provisoirement dans un hangar désaffecté, sans eau ni nourriture.

— L'agent de voyages nous avait garanti un séjour inoubliable. Il a tenu sa promesse bien au-delà de nos espérances, a déclaré John au *Sunday Mail*.

Un innocent enlevé et torturé par la CIA

En 2005, un scandale éclate au sein de l'hebdomadaire américain *Newsweek* : des hommes suspectés sans preuve d'activités terroristes sont kidnappés à travers le monde et transportés à bord d'avions appartenant à la CIA. Cette information inouïe a été corroborée par Kaled el-Masri, un vendeur de voitures d'origine libanaise, père de famille et naturalisé allemand depuis une dizaine d'années.

En 2003, El-Masri quitte la ville d'Ulm où il habite pour se rendre en autocar en Macédoine. Arrêté au passage de la frontière, il est conduit dans un hôtel où il subit 23 jours d'interrogatoire musclé, les hommes masqués qui le harcèlent lui demandant d'avouer qu'il appartient à Al-Qaeda. Comme El-Masri clame son innocence, ses geôliers lui injectent un soporifique, lui enfoncent la tête dans un sac et le jettent, enchaîné, dans la soute d'un avion. Le prisonnier se réveille deux jours plus tard dans une geôle afghane où il est à nouveau torturé sans relâche pendant des mois. Au terme d'une grève de la faim, il est finalement abandonné en rase campagne, en Albanie. Il regagne péniblement l'Allemagne par ses propres moyens, porte plainte contre X, alerte Amnesty International et révèle à la presse son histoire rocambolesque. « L'idée est de faire disparaître des soi-disant suspects de terrorisme pour les faire torturer dans des pays alliés, parce que, naturellement, ce serait anticonstitutionnel aux États-Unis », assure Scott Horton, le président de l'Association des avocats new-yorkais.

Le président Obama mettra-t-il un terme à ces pratiques barbares ?

Suicide assisté

À Ceres, une petite ville californienne, Andres Raya, 19 ans, entre en chancelant dans un magasin de vins et spiritueux.

— Vite, j'ai besoin d'aide ! implore-t-il. Appelez la police. Je viens de me faire agresser sur le parking.

Le vendeur se jette sur son téléphone. Lorsque deux policiers se présentent, Raya sort le fusil d'assaut qu'il dissimulait sous son manteau et fait feu. Un agent s'effondre, tué sur le coup ; l'autre est grièvement blessé. Raya prend la fuite. Une gigantesque chasse à l'homme s'organise aussitôt à travers la ville. Trois heures plus tard et contre toute attente, le fugitif réapparaît aux abords de la boutique et tire à nouveau sur d'autres policiers qui sécurisent la scène de crime. Ces derniers répliquent et abattent le jeune homme sans sommation.

Une enquête révèle qu'Andres Raya est un Marine qui combat en Irak depuis 7 mois. Bénéficiant d'une permission, il passait les fêtes de fin d'année en famille. Pour expliquer le geste de son fils, le père de Raya évoque son état dépressif et son désir de désertion. La police avance alors une hypothèse : n'ayant pas le courage de mettre fin à ses jours, le soldat aurait volontairement bravé les policiers dans le but de se faire tuer.

Le *suicide by cop* ou « suicide par flics interposés » est un phénomène qui se répand aux États-Unis. Puisque, aujourd'hui, 20 % des victimes de la police sont des provocateurs.

Extension territoriale

À Metz, Éric Combert, 28 ans, tourne tristement en rond dans son minuscule studio. D'autant que ses faibles revenus le privent de tout confort. Aucun appareil électroménager ne trône dans la kitchenette et le reste de la pièce, qui tient lieu de salon/chambre à coucher/salle à manger/bureau, ressemble à la cellule d'un moine. Son voisin d'à côté, qu'il n'a jamais vu, dispose, lui, d'un vaste appartement, d'où s'échappe parfois le ronronnement d'une machine à laver ou les pétarades d'une alléchante série télévisée.

Un matin, Éric s'arme d'un marteau et d'un tournevis et s'attaque à la cloison qui le sépare de son voisin. Il perce un trou de 80 cm sur 50 cm, pénètre dans l'appartement et s'enquiert aussitôt de l'aspirateur pour faire disparaître les traces de poussières et de débris. Puis, il transporte son linge sale chez son voisin et fait une petite lessive. Après quoi, tout en écoutant de la musique sur la chaîne hi-fi, il arrose les plantes, se fait mijoter le contenu d'une boîte de cassoulet qu'il déguste, nonchalamment installé devant le poste de télévision.

C'est ainsi que son voisin le découvre, le soir, en rentrant du travail. Éric se montre affable et accueillant, prêt à partager la soirée avec son nouvel ami. Ce dernier ne l'entend pas de cette oreille et appelle la police.

— Je me suis pris pour un pharaon dans le labyrinthe d'une pyramide, a expliqué le squatter lors de son admission au service psychiatrique de l'hôpital de Metz.

Autres temps, autres mœurs

Ces dernières années, le téléphone portable et les gadgets électroniques qui les complètent ont bouleversé les mœurs de nos contemporains. Au-delà parfois de l'imaginable. À preuve, ces deux histoires édifiantes et authentiques.

« Au secours papa, Maura me tue. » Ce SMS tragique a été composé et envoyé par Stéphanie Mulder, 18 ans, une heure avant sa mort. Cette jeune fille de Malines, en Belgique, avait été agressée dans son sommeil par sa belle-mère. Violemment frappée à la tête d'un coup de batte de base-ball, jetée dans les escaliers de la maison familiale, enfermée ensuite dans le coffre de la voiture, Stéphanie avait envoyé son message de détresse avant de succomber à ses blessures. Durant le drame, Gilbert, le père de la victime et compagnon de la meurtrière, était en vacances. Il dit aujourd'hui ne pas comprendre le geste intempestif de sa concubine ni pourquoi sa fille lui a envoyé un SMS plutôt que de lui parler au téléphone.

Autre exemple. En Arabie Saoudite, la mixité est bannie et l'usage des téléphones cellulaires munis de caméras strictement prohibé. Lors d'un mariage, une invitée se risque à braver l'interdit et photographie discrètement des femmes dévoilées dans la salle qui leur est réservée. L'écho de cet acte sacrilège gagne rapidement la salle des hommes, interrompt brutalement la fête, et provoque une bagarre générale, faisant plusieurs dizaines de blessés.

Une vie libre après la mort ?

En s'enfuyant de la banque qu'il vient de cambrioler, Richard Prince, 47 ans, fait feu à deux reprises sur un vigile qui tente de s'interposer. Quelques mois plus tard, le gangster récidive. Mais, cette fois, il se fait prendre et est expédié devant un juge. Pour éviter une condamnation à la peine capitale, Prince plaide coupable. Le magistrat lui inflige d'emblée une peine de prison à perpétuité et énonce sa sentence en utilisant la formule consacrée par le code pénal de l'État du Missouri. « L'accusé sera emprisonné jusqu'à la fin de sa vie naturelle. »

Après une dizaine d'années de réclusion au pénitencier de Saint Louis, l'état de santé de Prince se détériore. Il subit deux interventions cardiaques et reçoit un pacemaker. À peine rétabli, le prisonnier porte plainte contre le procureur pour « détention abusive ».

— Vous m'avez condamné à la prison jusqu'à « la fin de ma vie naturelle », écrit-il au magistrat. Or mon existence naturelle s'est terminée il y a deux mois à la suite de deux infarctus du myocarde. Depuis que je suis équipé d'un pacemaker, je suis maintenu en vie artificiellement. Je ne réponds donc plus aux critères du verdict. C'est pourquoi vous devez me libérer ou me dédommager, à partir de maintenant, pour chaque nouvelle journée passée en prison.

Le procureur n'a pas daigné répondre au courrier du gangster. Par contre, flairant l'affaire juteuse, plusieurs avocats lui ont déjà proposé leurs services !

Vengeance tardive !

Quelques jours après avoir organisé un goûter en faveur des personnes âgées, le responsable d'une association philanthropique d'Alice Springs, en Australie, où avait eu lieu la fête, a publié dans le journal local la lettre de remerciements qu'Edna Johnson, l'une des participantes, lui a adressée.

« Cher Monsieur,

Que Dieu vous bénisse pour le magnifique poste de radio que vous m'avez offert à l'occasion du goûter pour les gens du troisième âge. J'ai 94 ans et je vis dans une maison de retraite. Depuis quatorze ans, je partage ma chambre avec Maggie Cook. Elle a toujours possédé un poste de radio, alors que je n'en avais pas. Elle l'écoute habituellement avec une oreillette ou à un volume très bas pour que je ne puisse pas en profiter. L'autre jour, pour une raison qui m'échappe, Maggie a malencontreusement renversé son récepteur du haut d'une étagère et il s'est brisé en mille morceaux. Aujourd'hui, elle ne cesse de me demander en pleurant d'écouter le mien. Mais, naturellement, je lui dis d'aller se faire f…

Que Dieu vous bénisse !

Edna Johnson. »

Cette lettre en dit long sur l'atmosphère d'entraide et de franche camaraderie qui doit régner dans la maison de retraite. Que Dieu bénisse les vieilles dames !

Marin d'eau douce

Quand Franck Malebranche monte à bord du voilier de 6 m qu'il a loué pour la journée, il n'imagine pas que sa balade en mer va rapidement tourner au cauchemar. Certes, cet homme de 36 ans est un marin peu aguerri, mais, au large des calanques marseillaises, la mer est d'huile et le temps magnifique.

Après s'être éloigné d'un mile, Malebranche découvre avec surprise que la Méditerranée est une mer capricieuse. Un coup de vent brutal déchire la grand-voile et pousse l'embarcation sur la crête des vagues. Puis, c'est au tour de l'étai du foc de se briser. Peu après, le moteur hoquette et tombe en panne. Le moral du skipper faiblit encore, lorsque, une heure plus tard, à 500 m de la côte, il constate que la coque prend l'eau et que son téléphone portable flotte dans la cale. En agitant les bras comme un sémaphore détraqué, le naufragé s'attire l'indifférence des Terriens et le mépris des mouettes.

Bientôt la nuit tombe. Malebranche, les pieds dans l'eau, ouvre son unique boîte de lentilles, puis il déclenche par deux fois un feu de détresse. Résultat : il se brûle la main sans être vu.

Quatre jours plus tard, les sauveteurs le découvrent, déshydraté et comateux, gisant sur le pont de son voilier. Admis dans un hôpital de Marseille, Malebranche a commenté son aventure avec philosophie.

— Je ne suis qu'un Auvergnat après tout. Cette balade en mer m'a confirmé que je n'avais pas le pied marin !

Sauvé par le gong !

Nous sommes en Angleterre, au cœur du XIXe siècle. Durant la nuit, un vendredi 13, le soldat Hatfield monte la garde devant le palais de Buckingham, à Londres. Au matin, accusé de s'être endormi et d'avoir ainsi mis en péril la sécurité de la reine Victoria, Hatfield est traduit en conseil de guerre et condamné à mort. Alors qu'un gibet est dressé dans la cour de la prison et que sa pendaison est imminente, le condamné se souvient d'un détail.

— Attendez, cette nuit-là, je me rappelle parfaitement avoir entendu l'horloge du Parlement sonner treize coups, à minuit.

Le juge fait surseoir à l'exécution et ordonne un complément d'enquête. Des témoins corroborent le fait et un expert constate qu'effectivement un ressort de l'horloge s'est déplacé. Ainsi, le coup marquant une heure du matin a-t-il sonné immédiatement après les douze coups de minuit. Conclusion : si Hatfield ne s'est pas endormi profondément, sa faute ne mérite pas la peine capitale.

Le soldat miraculé accède au grade de brigadier et vit paisiblement jusqu'à l'âge de 100 ans. Sur son cercueil, selon ses dernières volontés, on a gravé un nombre en chiffres dorés : le 13 !

Souvenirs macabres

Par un matin de printemps, Fredo Zapatto traîne son désœuvrement dans les bas quartiers de Naples. Dans ces années d'après-guerre, il ne fait pas bon être chômeur et vagabond en Italie. Tout en flânant, Fredo jette un coup d'œil dans les poubelles qui encombrent les rues. Quand son regard est attiré par une superbe côtelette, il s'en saisit sans hésiter et se dit que Casino, son chien, appréciera ce festin. De retour dans son gourbi, le clochard se ravise. Il nettoie l'os méthodiquement, le fait bouillir dans une mixture de sa composition, le fait sécher et l'astique à l'encaustique. Puis, se parant de sa plus belle chemise, il va frapper à la porte d'une comtesse, dont le mari a été fusillé à la Libération. Une heure plus tard, après avoir échangé sa côtelette contre 5 billets de 1 000 lires, notre astucieux vagabond quitte le salon de la dame en se frottant les mains. Le lendemain il récidive, proposant un autre os à un autre Napolitain sentimental et argenté.

Cet étrange trafic prospère à tel point que Fredo s'acoquine bientôt avec une horde de traîne-savates, qu'il charge de le ravitailler en vieilles côtelettes. Trois ans plus tard, alors qu'il roule dans une voiture américaine d'occasion, il est arrêté pour escroquerie. La police a, en effet, découvert que l'ex-chômeur se livrait à un commerce macabre et nostalgique. Zapatto fournissait des « reliques » à une clientèle d'anciens fascistes, des os qu'il prétendait avoir subtilisés sur le cadavre de Mussolini. (Le cadavre du Duce, comme on le sait, avait été suspendu à un crochet de boucher, en 1945.)

Amour virtuel

Depuis des mois, le keffieh brûle entre Ziad et Jamilia, un couple de professeurs jordaniens. À tel point que lorsque les époux décident de se séparer, Jamilia retourne provisoirement vivre chez ses parents. Triste et désœuvrée, elle emploie ses soirées solitaires à surfer sur Internet. Naviguant entre sites et forums, elle fréquente assidûment les « chats » de rencontres et correspond bientôt avec un certain Zafar. Sous le pseudonyme de Sanaa, Jamilia se décrit comme une jolie célibataire, pieuse musulmane, aimant la lecture et les sciences sociales. Zafar, célibataire lui aussi, partage ses goûts et ses idées. Le cyberamour grandit au fil des jours et les jeunes gens décident de se rencontrer. Rendez-vous est fixé dans un discret salon de thé d'Amman.

Arrive le jour J et c'est le choc. Lorsque Ziad, alias Zafar, se retrouve face à Jamilia, alias Sanaa, son sang ne fait qu'un tour.

— Comment oses-tu me tromper, femme infidèle ? Tu es divorcée, divorcée, divorcée !

Comme on le sait, cette formule traditionnelle, répétée trois fois, signifie la répudiation dans la religion musulmane. Jamilia plaide sa cause. Elle bredouille que, puisqu'ils sont retombés amoureux par écran interposé, la reprise de la vie commune est encore possible. Jugeant l'argument irrecevable, Ziad se drape dans sa djellaba et dans sa dignité froissée, et quitte le café, bien décidé à répudier sur-le-champ… son abonnement à Internet !

Le braqueur repentant

Dans une Amérique puritaine où religion et moralité sont érigées en règle de vie, le poids du péché peut s'avérer parfois lourd à porter. C'est ce qui est advenu à Tom Benett, un citoyen de Miami. À l'âge de 48 ans, ayant perdu sa famille et son emploi, il décide, pour honorer ses traites, de s'attaquer à la succursale bancaire de son quartier. En dépit d'une préparation hâtive, le hold-up se déroule sans incident. (Benett avait pris la précaution de s'armer d'un pistolet en plastique et de s'être couvert le visage d'un caleçon de taille XXL, dans lequel il avait percé deux trous à la place des yeux.)

Ayant empoché 12 000 dollars, le chômeur se débarrasse de ses accessoires, rentre chez lui et allume son poste de télévision pour assister au récit de son forfait. Il apprend de la bouche d'un reporter qu'il a terrorisé une demi-douzaine d'honnêtes citoyens et qu'une femme âgée a été conduite à l'hôpital, à la suite d'une défaillance cardiaque. Pris de remords, le gangster amateur se précipite au poste de police le plus proche pour avouer son crime, restituer l'argent volé et se constituer prisonnier. À sa stupéfaction, il se fait vertement sermonner par l'officier de service, qui le prie d'aller se faire arrêter ailleurs. Tom, convaincu que sa rédemption exige des efforts, récidive dans un autre commissariat où il se fait à nouveau éconduire.

— J'ai pas de temps à perdre avec les dingues de votre espèce, allez vous faire soigner ! lui conseille le policier.

Sans se décourager, Benett fait une troisième tentative, au siège central de la police cette fois. Là, un inspecteur plus compatissant consent enfin à lui passer les menottes aux poignets, à confisquer l'argent volé, et à le mettre en cellule. On ne sait pas si l'attitude repentante de Tom lui vaudra l'indulgence de la justice…

Des faussaires de génie

La scène se déroule à Londres, en 1924, dans les bureaux de la firme Melton & Sons, une imprimerie spécialisée dans l'impression de billets de banque pour le compte des pays qui ne disposent pas de la technologie suffisante. Un certain Van Goyen est reçu par M. Melton, le directeur. Lettre à l'appui, le visiteur explique qu'il est chargé par le gouvernement de Lisbonne d'une mission ultraconfidentielle : renflouer artificiellement l'économie de l'Angola, alors colonie portugaise. Pour ce faire, il demande à l'imprimeur de fabriquer des billets de 500 escudos pour un montant de 2,5 millions. M. Melton, fournisseur du Trésor portugais, ne voit aucune objection à honorer la commande. Mais Van Goyen exige, par mesure de discrétion, que des numéros de série appartenant à des billets déjà mis en circulation soient attribués aux nouvelles coupures. L'imprimeur accepte cette clause peu banale, à la condition d'en avoir confirmation écrite du gouverneur de la banque centrale. Van Goyen accède à la requête et rapporte l'ordre écrit quelques jours plus tard.

C'est ainsi que s'est déroulée l'une des plus extraordinaires arnaques imaginées par des faussaires. En effet, grâce à ce stratagème, les aigrefins se sont procuré des billets authentiques, au lieu de prendre le risque de les contrefaire.

La supercherie est découverte quelques semaines

plus tard, lorsqu'un banquier de Porto constate par hasard que deux coupures identiques, l'une neuve, l'autre usagée, portent le même numéro de série. Contacté par Interpol, M. Melton plaide la bonne foi en exhibant le bon de commande du gouverneur. Quant aux astucieux faussaires, dénoncés par des complices, ils ont été arrêtés et lourdement condamnés !

Sauvé par son téléphone portable !

Avant de se mettre à ses fourneaux, Matthew Stevens, un cuisinier britannique de 23 ans, décide de faire un sérieux ménage dans la réserve où il stocke les vivres. À l'aube, un grossiste lui a livré des cageots de fruits et de légumes. Matthew commence par ranger dans son armoire frigorifique les denrées les plus fragiles, lorsqu'une douleur aiguë lui arrache un cri. Une énorme araignée velue, dissimulée dans un régime de bananes, vient de lui piquer la main. Curieusement, le premier réflexe du cuisinier n'est pas de se précipiter dans une pharmacie, mais de prendre une photo du monstre, à l'aide de son téléphone portable. Puis Matthew se fait conduire à l'hôpital où un médecin le rassure.

— Tout va rentrer dans l'ordre, ne vous inquiétez pas.

Mais, à peine le jeune homme a-t-il regagné son restaurant que son état s'aggrave. Il est pris de suffocations et d'étourdissements. Un collègue le ramène d'urgence à l'hôpital et, cette fois, le médecin s'affole.

— Je dois vous administrer un antidote au plus vite, car le venin va vous bloquer la cage thoracique et vous mourrez asphyxié. Avez-vous la moindre idée de l'espèce à laquelle appartenait l'araignée qui vous a piqué ?

Matthew, qui sombre dans le coma, a juste la force de montrer la photo de la bête, enregistrée sur son portable. Le médecin la transmet par Internet au zoo de Bristol où un spécialiste identifie l'araignée comme étant une *phoneutria*, une espèce extrêmement venimeuse. Fort de cette information, le médecin procède à l'injection d'un antidote approprié et sauve son patient de justesse.

Une fois rétabli, Matthew Stevens a fait imprimer un poster géant de l'araignée tueuse, qu'il a placardé dans la cuisine du restaurant. Il a également fait la promesse de ne plus jamais se séparer de son téléphone portable !

Petites causes, grands effets

Les 26 et 27 août 1813, la bataille de Dresde fait rage et porte un rude coup à la coalition européenne. Estimant que la victoire est à sa portée, Napoléon ordonne à sa garde de prêter main-forte à Vandamme, qui a mis les Autrichiens en déroute. Mais, tandis qu'il chevauche vers son triomphe, l'empereur est pris de violentes douleurs d'estomac. Il pose pied à terre et se fait évacuer vers l'arrière sur un brancard. Se croyant empoisonné, Napoléon s'abandonne déjà à son destin funeste, lorsque le médecin qui l'ausculte, s'approchant de sa bouche, détecte une forte odeur d'ail. Renseignement pris, un ragoût de mouton, assaisonné à l'ail, a été servi au malade quelques heures plus tôt. L'empereur, allergique à cette plante depuis toujours, a été victime d'une indigestion aiguë mais sans gravité.

Dans le même temps, Vandamme, se croyant soutenu par la garde impériale, s'est imprudemment engagé dans les défilés de Bohême et s'est laissé surprendre à Kulm. Il bat piteusement en retraite et perd une bataille décisive.

Sans ail dans le ragoût de l'empereur, sans brûlures d'estomac, un nouvel Austerlitz aurait-il changé le cours de l'histoire ? Peut-on imaginer qu'il n'y ait pas eu de Waterloo, d'abdication et d'île de Sainte-Hélène ? Nul n'est en mesure de le dire. Mais une chose est sûre : un méchant ragoût a été indirectement à l'origine de la chute de Napoléon. Petites causes, grands effets !

Une arnaque imparable !

John et Carol Sime, de Santa Barbara, en Californie, sont enchantés de leur nouvelle acquisition : une superbe villa de style mexicain, avec piscine et jardin couvert de fleurs. Pour fêter leur installation, ils invitent quelques amis à pendre la crémaillère. Tandis que saucisses et pièces de bœuf grillent sur le barbecue, un coup de vent rabat dangereusement les flammes vers la maison. Quelques seaux d'eau, jetés à la hâte sur la balustrade, parviennent à éteindre à temps un début d'incendie. Après cet incident, les Sime décident de se doter au plus vite d'un système de sécurité anti-incendie. M. Roberston, un entrepreneur spécialisé, propose au couple de barder la maison de détecteurs et d'équiper chaque pièce de faux plafonds garnis de réservoirs. Le devis est exorbitant mais les propriétaires n'entendent pas lésiner sur la sécurité. Profitant de leur absence, Roberston exécute les travaux. Les voisins et amis s'extasient devant l'installation et passent commande à leur tour.

Deux ans s'écoulent. John et Carol Sime dorment sur leurs deux oreilles, persuadés d'être parfaitement protégés. Jusqu'au jour où un mégot mal éteint transforme bientôt la maison en brasier. Quand la villa est réduite à un tas de cendres, les propriétaires, furieux, exigent une expertise de leur assureur. Elle révèle que tout le système antifeu était factice : arrivées d'eau, détecteurs de fumée, réservoirs et arrosoirs automatiques.

Après avoir vendu à prix d'or ses fausses installations, Roberston s'était volatilisé. Sans doute, pour escroquer ailleurs, sous un autre nom, d'autres propriétaires naïfs. L'arnaque n'était-elle pas imparable ? En effet, qui n'a jamais eu l'idée d'inonder volontairement son salon, en faisant fonctionner son système d'extinction d'incendie, juste pour vérifier son bon fonctionnement ?

La présentatrice est « au parfum »

Erin Weber, ex-présentatrice radio d'une émission populaire, vient d'être licenciée de la station du Michigan qui l'employait après s'être plainte d'avoir été exposée au parfum que portait Linda Lee, l'animatrice d'un programme concurrent.

— Les premières allergies se sont manifestées quand Linda a renversé le contenu de son flacon de parfum dans mon studio. J'ai immédiatement ressenti un choc électrique à travers le corps, puis des brûlures des voies respiratoires, un œdème des cordes vocales et une laryngite, a déclaré la plaignante à la barre du tribunal. Les médecins consultés ont effectivement diagnostiqué chez Erin Weber une allergie grave aux fragrances, pourtant décrites par le fabricant comme « romantiques, sensuelles et chargées d'émotion ».

Pour éviter un nouvel incident, la direction de la station avait modifié sa grille des programmes afin que les deux animatrices n'aient plus l'occasion de se croiser. Vaine précaution. Lors d'un concert de musique country, Mme Weber avait affirmé que sa collègue l'avait frôlée intentionnellement.

— Quand j'ai été enveloppée dans un nuage de parfum, j'ai compris que Linda cherchait à attenter à mes jours pour prendre ma place. Par mesure de sécurité, j'ai cessé depuis de présenter mes émissions et je suis sans travail depuis un an, a plaidé l'animatrice.

Licenciée en septembre 2001 pour abandon de

poste, Erin Weber a porté plainte pour tentative d'homicide par empoisonnement. Le jury a délibéré pendant 8 jours avant d'accorder à la plaignante 1,3 million d'€ d'indemnités, 6 millions de dommages et intérêts et 1,6 million de dommages psychologiques. Une somme astronomique qui a mis en péril l'avenir de la station de radio.

Qui a dit que l'argent n'avait pas d'odeur ?

Overdose de bonbons

En 2001, Fabrice Didon décide de cesser de fumer. Pour compenser le manque de nicotine et se procurer un innocent dérivatif, il croque et suce de petites douceurs suisses, dont la publicité vante « les vertus curatives ». Certes, le fabricant a pris soin d'indiquer sur l'emballage que, consommées à haute dose, ces friandises peuvent avoir un effet laxatif mais, comme chaque paquet garantit « le respect de vos dents », Fabrice s'en délecte sans modération. Ainsi, de juin 2001 à mars 2002, en ingurgite-il plus d'une vingtaine de kilos, soit l'équivalent d'environ 8 000 pastilles. Ses dents ne le supportent pas. Ses molaires s'aiguisent dangereusement. Devenues tranchantes comme des lames de rasoir, elles lui coupent les lèvres et l'intérieur des joues. Évitant de parler pour ne pas se blesser, contraint de devoir s'alimenter à l'aide d'une paille, perdant du poids, Fabrice consulte un dentiste pour mettre un terme à son calvaire. Le coût des travaux s'élevant à 15 000 €, il renonce à se faire soigner et attaque en justice la société qui distribue les friandises « parce qu'elles n'offrent pas la sécurité à laquelle on peut légitimement s'attendre ».

Affecté par ailleurs d'un diabète et d'un ulcère de l'estomac, Fabrice décède en juillet 2003, et la procédure est poursuivie par la veuve et le fils du défunt, qui réclament au confiseur le versement de 92 000 € de dommages et intérêts. En vain, la justice a la dent dure ! Les avocats de la défense prouvent sans grande difficulté que les bonbons incriminés sont « inoffensifs à l'exception de l'acide citrique dont l'effet déminéralisant des structures dentaires est bien connu » et demandent à leur tour 1 million d'euros à titre de dédommagement pour la mauvaise publicité faite autour de leurs célèbres pastilles.

Curés cascadeurs

Plus proches sans doute du divin que la plupart des mortels ordinaires, les prêtres n'hésitent pas parfois à transgresser les principes élémentaires de précaution. Et dans ces cas qui nous occupent, les conséquences de leurs initiatives glacent le sang !

Prosélyte impénitent, Teddy Woo, un missionnaire catholique taïwanais, conçoit le projet d'évangéliser les… lions du zoo de Taipei. Parvenant à pénétrer dans l'enclos des fauves, il avance vers eux, paumes des mains offertes. « Jésus vous sauvera », leur annonce-t-il. Puis, il ajoute imprudemment : « Approchez, mes frères, et mordez-moi si le cœur vous en dit. » Répondant à l'injonction ecclésiastique, un mâle se précipite et referme ses crocs sur l'une de ses jambes. Les gardiens interrompent le festin *in extremis* et le martyr volontaire est expédié à l'hôpital. N'est pas saint Jérôme qui veut !

Autre exemple tout aussi édifiant. À São Paulo, au Brésil, un curé s'emploie à récolter des fonds pour venir en aide aux déshérités de sa paroisse. Mais comment faire pour mobiliser des sponsors à sa cause ? L'homme de Dieu fait l'acquisition d'une immense grappe de ballons gonflés à l'hélium et frappés du sigle des donateurs, s'arrime à une nacelle de fortune, et disparaît dans les nuages sous le regard médusé des journalistes. En dépit des recherches aéronavales menées par l'armée brésilienne, le curé volant ne s'est plus dès lors manifesté. A-t-il gagné le paradis sans passer par la « case purgatoire », ou s'est-il abîmé en mer ? Dans l'incertitude, ses ouailles ont érigé dans l'église deux grandes ailes en plâtre et prient pour son retour !

Archives nomades

Nos amis anglais sont-ils définitivement fâchés avec les techniques d'archivage informatiques ? Des faits récents nous incitent à le penser. Ainsi la société Graphic Data, chargée de stocker les données personnelles des clients de la Royal Bank of Scotland, vient-elle de céder pour 44 € l'un de ses vieux ordinateurs sur le site de vente en ligne eBay. Cette transaction banale ne prêterait pas à conséquence si le disque dur de la machine n'avait pas contenu près d'1 million d'informations confidentielles, comportant numéros de comptes et fac-similés de signatures !

Cet incident n'est pas un cas isolé. Déjà, en avril 2008, la banque HSBC avait perdu un cédérom renfermant, lui aussi, des renseignements sensibles sur 370 000 particuliers.

Et ce n'est pas tout. L'année précédente, 25 millions de dossiers d'allocations familiales avaient été malencontreusement égarés par les services fiscaux de Sa Majesté. Gravées sur deux DVD, les informations avaient été envoyées à un organisme officiel de contrôle des dépenses publiques. Avant de disparaître inexplicablement pour le plus grand profit des escrocs en tout genre.

L'épidémie a-t-elle franchi les rives de l'Atlantique ? Au Canada, 26 plans ultrasecrets de la future base militaire de Trenton, qui doit abriter le département chargé de lutter contre les armes de destruction massive, ont été retrouvés par hasard par un couple de promeneurs. Ils traînaient sur un trottoir !

Écrans rebelles

Tandis que les écrans de toute nature envahissent notre quotidien, certains d'entre eux semblent prendre un malin plaisir à s'affranchir des tâches pour lesquelles ils ont été initialement programmés.

Ainsi Nathalie et Boris Meilinger, un couple de Chicago, ont fait installer un système de vidéosurveillance dans la chambre de Jack, leur fils âgé de 3 mois. « Un soir, au moment de nous coucher, nous avons voulu vérifier sur notre écran de contrôle que Jack dormait bien, raconte Nathalie. Notre sang n'a fait qu'un tour. Nous avions sous les yeux des images de la Station spatiale internationale et celles d'un astronaute flottant dans l'espace. » Les Meilinger se précipitent dans la chambre du bébé et ne constatent rien d'anormal. La caméra est toujours braquée sur le berceau, et le circuit vidéo n'a pas été raccordé à une source extérieure. « Ni la Nasa ni le fabricant du système de surveillance n'ont été capables de nous fournir une explication », a ajouté la jeune mère dubitative.

En Nouvelle-Zélande, la première chaîne de la télévision publique diffuse un match de rugby à une heure de grande écoute. Soudain, en plein direct, une panne de faisceau se produit et le bandeau « veuillez nous excuser pour cette interruption momentanée » apparaît sur le bas des écrans. Il disparaît et est remplacé durant quelques minutes par la scène torride d'un film pornographique, le chef d'antenne s'étant vraisemblablement trompé de programme en chargeant une cassette de secours. Les amateurs de belles mêlées n'ont pas été déçus. Les autres ont bombardé le standard de la chaîne d'appels scandalisés.

Des mariages improbables

Rite social et culturel par excellence, le mariage peut prendre les formes les plus inattendues selon les pays dans lesquels il est célébré.

Ainsi au Tadjikistan, la jeune Chamigoul Tourbanova a-t-elle été vendue par son père au fils d'un riche agriculteur. Un journal local a rendu public le détail de la négociation, qui s'apparente à une véritable rançon : 40 paires de chaussures en caoutchouc, 1 vache, 2 brebis, 12 foulards, 60 m de tissu, 25 sacs de riz, 30 kg de coton et la somme de 3 000 €. En dépit de ces cadeaux somptueux, qui laissent penser que la promise était une proie de choix, le mariage a rapidement tourné court. Comme on le sait, l'argent ne faisant pas le bonheur, la mariée a menacé de se donner la mort à plusieurs reprises, afin d'obtenir le divorce.

Poursuivi par les mauvais esprits après avoir commis un double crime canin, Selvakumar, un Indien, souffre de graves dysfonctionnements neurologiques. Pour alléger ses maux, qui l'empêchent de parler et de marcher, un chaman lui conseille de convoler avec une jeune… chienne recueillie dans la rue. Une cérémonie religieuse est célébrée en bonne et due forme, ce mariage blanc – du moins espérons-le – n'étant qu'un antidote destiné à chasser le malin. « Lorsque Selvakumar aura recouvré la santé, il épousera une femme et vivra normalement », a rassuré le prêtre.

Sans préciser si, dans ce cas peu probable, sa dulcinée à quatre pattes jouera le rôle de demoiselle d'honneur !

Un condamné à mort sauvé par l'éthique !

En 2006, après 23 ans de détention, Michael Morales attend l'heure de son exécution dans le couloir de la mort du pénitencier de San Quentin, en Californie. Au nom du huitième amendement de la Constitution américaine, qui stipule qu'il est interdit d'infliger des châtiments cruels, ses avocats obtiennent du juge une modification du protocole de mise à mort. En effet, une exécution par injection létale provoque une souffrance extrême pendant une dizaine de minutes, avant que le cocktail de trois injections ne fasse effet. Dorénavant, deux médecins anesthésistes assisteront le supplicié et interviendront s'ils estiment que la douleur devient insupportable.

Mais à minuit, à l'heure de l'exécution, les médecins se rétractent et, au nom de l'éthique, refusent d'être impliqués dans un processus de mise à mort. Le juge dispose dès lors de 24 heures pour faire appliquer la sentence. Passé ce délai, il devra délivrer un nouveau certificat dans un délai de 60 jours. L'affaire faisant grand bruit, les pièces du dossier sont réexaminées. Et il s'avère que si l'implication de Morales dans le viol et le meurtre d'une jeune fille est incontestable, son cousin qui en est l'instigateur n'a été condamné, lui, qu'à une peine de prison à vie. Fort de cet argument, le juge change d'avis et réclame la clémence du gouverneur Schwarzenegger. Ce dernier décide de suspendre toutes les exécutions jusqu'à nouvel ordre et de réviser entièrement le processus, une dose unique de barbituriques pouvant remplacer avantageusement la triple injection. Dans l'attente d'une décision, Morales est retourné croupir dans le couloir de la mort de sa prison.

Petits arrangements avec les dettes

Comment contraindre les mauvais payeurs à honorer leurs dettes ? Chaque pays expérimente, semble-t-il, des techniques originales de recouvrement.

Après avoir envoyé plus d'un millier de lettres de rappel sans résultat et constaté un trou de 200 000 € dans le budget de sa commune, le maire de Seelow, en Allemagne, punit désormais les contribuables récalcitrants en mettant les pneus de leur voiture à plat. Pour ce faire, un fonctionnaire installe un appareil qui dégonfle automatiquement les chambres à air, dès que la clé est introduite dans le contact.

En Inde, dans l'État de l'Andhra Pradesh, les services du fisc parient sur la musique. Des orchestres tambourinent sans relâche devant l'habitation des fraudeurs jusqu'à ce qu'ils finissent par régler leur dû. La méthode est efficace, puisqu'en une semaine 18 % des impayés ont été récupérés. En cas d'échec, les noms et le montant des arriérés d'impôts des contrevenants sont psalmodiés dans les temples par haut-parleur.

Fort heureusement, quelques citoyens résistent courageusement à ces mesures coercitives. En Angleterre, pour une infraction au code de la route, Richard Roper s'est vu gratifié d'une amende de 30 livres. Il s'en est acquitté en établissant un chèque sur un morceau de… papier toilette. Contenant toutes les mentions légales, le règlement a dû être accepté à contrecœur par le Trésor public. Un contribuable à ne pas prendre avec des pincettes !

Mais où ont-ils la tête ?

Prétendre que certains de nos contemporains font preuve d'étourderie est un euphémisme à la lumière de l'aventure survenue à John Hutcherson, un étudiant d'Atlanta âgé de 21 ans.

Un soir John et Frank Brohm, son meilleur ami, décident de s'offrir une tournée des grands ducs. Après avoir écumé bars et night-clubs une partie de la nuit, les deux compères regagnent à l'aube leurs domiciles respectifs. Tandis que Hutcherson conduit sa voiture d'une main peu assurée, son passager, le cœur chaviré, se penche à la portière pour se soulager l'estomac d'un excès de boisson. À un moment donné, le véhicule frôle le bas-côté de la route et le câble de soutien d'un poteau électrique lui tranche le cou. Sans manifester le moindre intérêt pour l'événement, Hutcherson poursuit son voyage chaotique sur une distance de plus de 20 kilomètres, se gare tant bien que mal devant chez lui, et va se coucher, abandonnant son ami décapité dans la voiture.

Le lendemain, un voisin donne l'alerte. Les policiers réveillent Hutcherson qui, couvert de sang, dort paisiblement.

— Nous avons passé une délicieuse soirée et je ne me souviens pas que Frank ait perdu la tête sur la route du retour, a expliqué le jeune homme sans s'émouvoir. Si je m'en étais aperçu, vous pensez bien que je me serais arrêté pour la ramasser et l'apporter à sa famille.

Un héros anonyme

A-t-on gardé en mémoire les effets dévastateurs de la catastrophe de Bhopal, survenue le 3 décembre 1982 dans le centre de l'Inde, et responsable de la mort de plus de 20 000 personnes, auxquelles se sont ajoutées 600 000 autres gravement intoxiquées et handicapées à vie ? Cette nuit-là, la cuve 601 de l'usine de pesticides Union Carbide India Limited explose, libérant des émanations mortelles au-dessus de la ville.

À 1 heure du matin, Ghulam Dastagir, chef adjoint de la gare de Bhopal, attend l'arrivée de l'express en provenance de Bombay. Lorsqu'il entre en gare, Dastagir ressent une irritation de la gorge et une forte brûlure aux yeux. Sans comprendre encore la cause de son malaise, et alors qu'un arrêt de 20 minutes est prévu, il ordonne au conducteur du convoi de repartir immédiatement, après avoir pris à son bord le maximum de gens accourus à la gare pour se mettre à l'abri du nuage toxique. Puis n'écoutant que son courage, il se maintient à son poste et arrête la circulation ferroviaire dans tout le secteur, sauvant ainsi la vie de milliers de passagers supplémentaires. À moitié asphyxié, il trouve encore la force d'alerter médecins et infirmiers pour prodiguer les premiers soins aux victimes entassées sur les quais.

Après être resté hospitalisé 19 ans, Dastagir succombe, en 2003, à une détresse respiratoire. Quelques années plus tard, la compagnie de chemin de fer érige une plaque en hommage à ses employés morts dans la catastrophe en faisant leur devoir. Et oublie de faire figurer sur la liste le nom du courageux chef de gare !

La couleur de l'argent

Sandy Starr, une retraitée américaine, investit ses économies dans l'achat d'un magnifique *Winnebago*, un de ces mobil-homes dont la taille avoisine celle des wagons de chemin de fer. Enchantée de son acquisition, elle se lance à l'aventure sur une autoroute, branche le régulateur de vitesse sur 110 km/h – le maximum autorisé – et passe au salon pour se délecter de son feuilleton télévisé préféré. Naturellement, dès le premier virage, le véhicule quitte la route, effectue une série de tonneaux et s'immobilise en miettes dans une prairie. Miraculeusement indemne, Sandy obtient 1,75 million de dollars de dédommagement du constructeur du mobil-home. Il avait oublié de mentionner dans le manuel d'utilisation que le conducteur devait impérativement rester au volant de l'engin lors de ses déplacements !

Toujours aux États-Unis, Jane Clark s'attable dans un restaurant chinois et commande une soupe piquante. À peine est-elle servie que ses cris d'orfraie ameutent le serveur. Une souris morte surnage au milieu des vermicelles. Jane exige du propriétaire 500 000 dollars pour renoncer à porter plainte. Ne cédant pas à la menace, ce dernier fait autopsier l'animal. Il a eu le crâne fracassé et ses poumons ne contiennent aucune trace de soupe.

L'arnaqueuse est inculpée de tentative d'escroquerie et condamnée à payer une lourde amende au restaurateur. Une vraie soupe à la grimace !

Médecine à l'anglaise

Notre système d'assurance-maladie est, paraît-il, une spécificité que le monde nous envie. Profitons donc de ses bienfaits avant que nous ne partagions le sort de nos voisins d'outre-Manche, pour lesquels l'accès aux soins gratuits est un parcours du combattant.

Ainsi Ian Boynton, un modeste soldat retraité, souffre de maux de dents chroniques, sans avoir les moyens de s'offrir les services d'un dentiste. Il y a quelques années, quand la douleur devient insoutenable, et après s'être heurté à une fin de non-recevoir de la part d'une trentaine de dentistes agréés, il s'empare d'une pince et s'arrache une dent. Et il répète l'opération autant de fois que nécessaire. « En 8 ans, je me suis enlevé 12 dents. Il ne m'en reste plus que 2 sur la mâchoire supérieure, ce qui m'oblige à ne me nourrir que de bouillies, bredouille aujourd'hui l'infortuné. Je viens enfin de trouver un dentiste compatissant. Je n'espère qu'une chose : qu'il sache fabriquer des dentiers, à défaut de m'avoir soigné en temps utile ! »

Cette situation calamiteuse incite les plus démunis à se présenter par téléphone aux services sociaux sous une fausse identité, dans l'espoir de percevoir indûment des allocations. Qu'à cela ne tienne. L'administration londonienne est maintenant capable de les repérer grâce à un logiciel de reconnaissance vocale. Fonctionnant comme un détecteur de mensonges, il enregistre, à travers une série de 19 questions, les microtremblements de la voix générés par le stress, provoqué lui-même par l'intention de frauder.

En Angleterre, les pauvres n'ont qu'à bien se tenir !

La groupie des stades

En 1998, à l'âge de 19 ans, Alexandra Paressant, native du Creusot, découvre le football à l'occasion de la Coupe du Monde. Six ans plus tard, le tabloïd allemand *Bild* et le magazine britannique *News of the World* révèlent qu'elle est devenue la maîtresse de Ronaldo de Assis Moreira, mieux connu sous le nom de Ronaldinho, l'attaquant de légende du Milan AC et joueur le mieux payé du monde en 2006. Et la liste des conquêtes de la supportrice ne cesse de s'allonger dans les pages de la presse people européenne. Après Marco Materazzi et Thierry Henry, le basketteur Tony Parker aurait à son tour succombé au charme de la *maria-chuteira*, un terme qu'emploient les Brésiliens pour désigner les filles crampons qui traquent les champions d'hôtel en hôtel.

Le scandale fait grand bruit. Jusqu'à ce qu'Alexandre Gonzales, un journaliste du magazine *So Foot,* enquête sur l'affriolante groupie des stades. Et découvre qu'elle a empoché plus de 200 000 € en vendant ses exploits imaginaires à des journaux peu regardants. En octobre 2008, la mythomane échoue en prison pour billets de train impayés et chéquiers volés. Libérée deux semaines plus tard, elle livre ses faux secrets à un écrivain qui en fait un livre sous le titre aguicheur de *Sexe, scandales et Internet*. Une autobiographie assez nauséeuse qui se conclut à la manière d'un tir au but : « La morale de l'histoire, c'est qu'il n'y en a pas. On n'a qu'une vie, il faut en profiter à fond. »

Un journaliste chronique ses crimes

Entre 2003 et 2008, un tueur en série terrorise la Macédoine. Kidnappées, torturées, violées, tuées, découpées en morceaux et abandonnées sur des chantiers, les victimes sont toutes des retraitées pauvres qui exercent l'activité de femme de ménage.

Vlado Taneski, 56 ans, un talentueux chroniqueur de faits-divers, rend compte des meurtres dans une demi-douzaine de quotidiens locaux. La pertinence de ses analyses, l'abondance des détails qu'il fournit sur le mode opératoire du meurtrier finissent par attirer l'attention des enquêteurs. Notamment quand il affirme que deux des quatre femmes assassinées ont été étranglées avec le même fil électrique, un indice qui n'avait pas été divulgué au public. Le suspect est arrêté et son ADN est comparé à celui recueilli sur les victimes. Ils coïncident. Les policiers découvrent alors que le reporter feignait d'enquêter sur les crimes qu'il commettait, s'attaquant à des femmes de l'âge et de la condition sociale de sa mère.

Emprisonné le 22 juin 2008, Taneski est retrouvé mort le lendemain dans la cellule qu'il partageait avec deux détenus, la tête plongée dans un seau d'eau. Bien que la thèse du suicide soit indéfendable, la police classe prudemment l'affaire. Et évite ainsi à la justice la tenue d'un procès qui s'annonçait retentissant. « Taneski est allé jusqu'au bout du film d'horreur qu'il s'était inventé », a déclaré le porte-parole de la police en guise d'épitaphe.

Les bêtes au secours de leurs amis les hommes

On ne dira jamais assez que, sans la présence bienveillante des animaux sur terre, l'humanité irait rapidement à sa perte. Ces deux histoires le confirment une fois encore.

Au large d'une plage de Nouvelle-Zélande, quatre maîtres nageurs s'entraînent en vue de participer à une compétition. Soudain, une dizaine de dauphins se joignent à eux et n'ont de cesse de les rassembler, en les poussant délicatement à coups de nageoire les uns vers les autres. Les nageurs ne tardent pas à comprendre l'étrange comportement des cétacés : un requin blanc de 3 m de long menace de les attaquer. Les hommes font rapidement demi-tour et, durant 40 minutes, nagent sous l'étroite protection des dauphins, le squale ayant abandonné la partie à l'approche de la plage.

En Californie, un jeune homme, fermement décidé à se donner la mort, se rend dans une forêt, armé d'un fusil à canon scié. Sa mère, affolée, prévient le shérif qui accourt aussitôt et tente de dissuader le désespéré d'accomplir l'irréparable. Le garçon ne veut rien entendre. Mais, tandis qu'il s'enfonce déjà le canon de l'arme dans la bouche, il pousse un cri de douleur, abandonne le fusil et s'écroule sur le sol. Explication : le serpent qui vient de lui mordre la cheville lui a sauvé la vie. Car, après avoir reçu une injection de sérum antivenimeux, il se porte comme un charme. Et a, semble-t-il, définitivement renoncé à son projet suicidaire.

Une villa très accueillante

En 2004, par une belle soirée d'été, une fois sa journée de travail terminée, Gordon White, un pharmacien du West Yorkshire, en Angleterre, rentre chez lui à pied en sifflotant. Parvenu à une trentaine de mètres de sa coquette villa, il se fige sur place. Du trou béant qui défigure la façade s'échappe une épaisse fumée noire. Le pharmacien se précipite, persuadé qu'une explosion due à une fuite de gaz est à l'origine de la catastrophe. Il bondit à l'intérieur, enjambe des gravats, et découvre avec stupéfaction l'épave d'une automobile à demi carbonisée, encastrée dans la cheminée du salon. La fumée nauséabonde provient du moteur qui a pris feu. Tandis que White examine, hébété, l'ampleur des dégâts, une toux douloureuse attire son attention. Il s'approche et découvre un sexagénaire sain et sauf, recroquevillé derrière le volant. Le pharmacien reconnaît aussitôt le visage du conducteur et s'écrit avec un flegme très britannique :

— John Bratington ! Mais que faites-vous *encore* chez moi ?

— Mon cœur me joue des tours, Gordon, vous le savez bien, répond l'autre sur le même ton. J'ai dû perdre connaissance quelques secondes en négociant mon dernier virage et votre demeure m'a accueilli.

Explication : un an auparavant, presque jour pour jour, la même aventure s'était déjà produite. Le malaise cardiaque de John Bratington, le virage manqué, la façade de la belle villa défoncée et la voiture, pliée en accordéon, gisant dans le salon au milieu des gravats.

Le roi et les « pompons girls »

Pour tenter d'enrayer la pandémie de sida qui frappe près de 40 % de la population, Mswati III, le roi du Swaziland, vient de lever l'interdiction faite aux jeunes filles d'avoir des relations sexuelles. Afin d'être clairement identifiées, les vierges du pays devaient s'affubler de gros pompons en laine et leur famille devait s'acquitter d'une amende d'une vache en cas d'infraction. Raison de cette décision : en prenant pour douzième épouse une collégienne de 17 ans, le roi a enfreint sa propre loi et provoqué de violentes émeutes. C'est pourquoi, en gage de bonne volonté, le souverain s'est-il symboliquement imposé à lui-même une amende d'un montant identique, au cours d'une fête durant laquelle tous les pompons des vierges du pays ont été joyeusement brûlés.

L'histoire ne précise pas si la pandémie de sida a malheureusement repris son cours.

Bingo pour un dealer !

José Luis Betancourt, un Texan de 44 ans, est un joueur têtu et méthodique. Il parie, en effet, sur sa date de naissance chaque semaine depuis une dizaine d'années. Bien qu'un joueur de loto n'ait qu'une chance de gagner le gros lot sur un million, Betancourt rafle la supercagnotte de 5 millions d'€.

Le sens commun voudrait qu'ainsi généreusement et brusquement pourvu, Betancourt abandonne ses activités de trafiquant de drogue. Mais il n'en fait rien et se fait prendre en flagrant délit. Il se présente devant le juge, assisté d'une armée d'avocats. En vain. Non seulement le procureur requiert 8 ans de rétention, mais il exige par ailleurs que les gains du loto soient confisqués, car le billet gagnant a vraisemblablement été acheté avec l'argent de la drogue.

Moralité : quand la chance vous sourit, sachons nous contenter de ce qu'elle nous offre !

La risible armada

En juillet 2003, un tabloïd anglais annonce non sans humour qu'une redoutable armada s'apprête à attaquer les côtes de Cornouailles. Renseignements pris, l'escadre en question, bien inoffensive, est une cargaison de jouets qui a été jetée par-dessus bord d'un cargo durant une tempête, un an plus tôt.

Après avoir contourné le Canada, traversé l'océan Arctique et le Groenland, 300 000 canards en plastique, portés par le Gulf Stream, dérivent maintenant vers la Grande-Bretagne.

C'est la firme américaine The First Years, qui les commercialise, qui a donné l'alerte. Trop heureux de bénéficier d'une publicité gratuite, son propriétaire a vanté la qualité de ses produits. « Nos canards ont résisté aux déferlantes et aux icebergs, a-t-il déclaré. Même les enfants les plus cruels envers leurs jouets n'en viendront pas à bout. » Le fabricant a offert en outre une prime de 100 dollars sous forme de bon d'achat aux 250 premiers enfants capables d'en recueillir un exemplaire sur les plages. Les autres devront se contenter de recevoir un certificat mentionnant qu'avant d'avoir été repêché, leur canard a accompli un fabuleux tour du monde.

Hydrothérapie

Dépressif, ruiné et sans emploi, Kirk Jones, un jeune plombier de Boston, décide de mettre fin à ses jours et choisit pour ce faire de se jeter dans les eaux impétueuses et glacées des chutes du Niagara. Un plongeon d'une hauteur de 54 mètres ! Contre toute attente, il survit à l'épreuve.

— C'était comme un bain de glace, raconte-t-il au médecin qui soigne fractures et contusions. J'ai été roulé dans le ventre de la bête. La pression était si forte que j'ai cru que ma tête allait se détacher du corps.

Le miracle ne s'arrête pas là. Jones est guéri de sa neurasthénie. Comme si ses idées noires s'étaient dissoutes dans les eaux du fleuve. Néanmoins, un mois plus tard, le survivant se voit infliger une amende de 6 500 dollars pour s'être baigné dans une zone interdite. Comme l'opinion publique s'émeut de la sanction, Kirk bénéficie de circonstances atténuantes et d'une réduction substantielle du montant de la contravention.

L'histoire ne dit pas si, fort de son expérience aquatique, le plombier de Boston a progressé dans l'art de colmater les fuites et de contrôler les chasses d'eau récalcitrantes !

Des maux et des couleurs

Une équipe de chercheurs néo-zélandais a étudié pendant 2 ans les causes de 1 000 accidents de la circulation, survenus dans les environs de la ville d'Auckland.

Outre les causes bien connues – conduite en état d'ivresse, vitesse excessive et ceintures de sécurité non attachées –, les scientifiques ont fait une découverte surprenante : la couleur des véhicules joue également un rôle déterminant. Plus elle est sombre – noire, marron ou vert bouteille –, plus elle est statistiquement mortifère. À l'inverse, une carrosserie blanche ou jaune poussin réduirait le risque de collision de moitié. L'explication est simple. Les voitures de couleur foncée ont tendance à se fondre dans le décor, à se dissimuler dans le flot du trafic, se transformant en cibles potentielles, tandis que les autres, de couleur claire et vive, attirent l'attention. M. de La Palice n'aurait pas contesté cette brillante démonstration qui n'a néanmoins jamais été prise en compte par les constructeurs automobiles. Mais rien ne vous empêche d'y réfléchir quand l'heure sera venue pour vous de changer de voiture !

Passage en force

Alexandra Vögel, une Munichoise de 34 ans pressée de rejoindre son amant, se précipite dans le parking en étages où elle a garé sa voiture. Elle se glisse derrière le volant, passe la marche arrière, écrase sans réfléchir la pédale de l'accélérateur et… emboutit les deux véhicules qui gênent sa manœuvre. Plutôt que de calmer ses ardeurs, ce contretemps exaspère l'impatiente. Elle enclenche une vitesse et tente de repousser en force les obstacles qui entravent toujours le passage. Emportée par son élan, sa voiture devenue folle franchit un muret et atterrit à l'étage inférieur, dans un fracas de tôles.

Emmenée à l'hôpital pour soigner ses blessures légères, Alexandra s'est expliquée sur son étrange comportement : « Je ne voulais pas être en retard car mon amant ne m'aurait sans doute pas attendue. Alors, j'ai foncé dans le tas sans me poser de questions. »

Bilan de la manœuvre : les murs du garage et 5 véhicules endommagés pour un montant de 45 000 €. L'amour n'a pas de prix !

Fatale négligence

Au cours de la soirée du 24 décembre 2003, John Citro, un comptable new-yorkais âgé d'une trentaine d'années, se précipite dans le grand magasin proche de chez lui, dans le but de compléter ses achats de réveillon.

Tandis que, perdu dans ses pensées, il hésite entre huîtres et langouste, il se défait de son manteau tant la chaleur est accablante. Soudain, un cri le fait sursauter. Une vendeuse surgit devant lui et pointe un doigt accusateur en direction de son bas-ventre.

— Comment osez-vous faire ça un soir de Noël, balbutie-t-elle. Et en plus devant des enfants !

Citro cherche à comprendre la cause de cette indignation. En jetant un rapide coup d'œil à sa mise, il découvre avec horreur qu'il a oublié dans sa hâte de refermer sa braguette et que son sexe bâille à l'extérieur. Il a beau se confondre en excuses, un agent de sécurité le jette à la rue sans ménagement.

Le comptable traumatisé consulte un psychiatre qui lui prescrit des antidépresseurs dont il abuse et devient dépendant. Il perd son emploi et sa femme le quitte quelques mois plus tard. En désespoir de cause, Citro intente un procès au directeur du magasin, responsable selon lui d'avoir brisé sa vie.

— Je ne suis pas un exhibitionniste et j'ai déjà payé très cher ma négligence, plaide-t-il devant la cour.

Le jury compatissant condamne les responsables du magasin à lui verser 200 000 dollars de dommages-intérêts. Piètre consolation pour celui qui a tout perdu en une seconde d'étourderie.

Voitures fantômes au cœur de Londres

En poste à Londres depuis trois ans, Marcos Losekann, correspondant d'une chaîne de télévision brésilienne, n'est pas homme à transgresser les lois de son pays d'accueil. C'est pourquoi, quand il trouve une contravention de 160 livres dans son courrier, il s'en acquitte rubis sur l'ongle. La semaine suivante, une amende d'un montant équivalent lui parvient à nouveau. Cette fois Marcos s'inquiète. Quelle infraction a-t-il commise ? Il règle la facture et, par prudence, abandonne sa voiture dans un garage, décidant de ne plus se déplacer qu'en taxi. Cette mesure pourtant radicale n'est pas suivie d'effets. Les contraventions continuent de s'accumuler et dépassent bientôt les 4 000 livres. Trop, c'est trop, Losekann se rend au commissariat et exige des explications.

— Votre véhicule a été photographié roulant dans le centre de Londres aux heures d'affluence, alors que vous ne vous êtes pas acquitté de la taxe antiencombrement, argumente un policier, preuves à l'appui.

— C'est impossible, s'offusque le Brésilien. Ma voiture dort dans un garage depuis un mois !

En scrutant à la loupe les photos qui l'incriminent, Losekann découvre que, si le véhicule fautif ressemble comme deux gouttes d'eau au sien – même modèle, même couleur, même plaque minéralogique –, il ne possède pas comme la sienne d'antenne radio. Comprenant qu'il est victime d'un imposteur, le journaliste mène une enquête, parvient à localiser la voiture suspecte et à identifier son propriétaire. Pour autant la police ne veut rien entendre et rejette sa plainte. Jusqu'au jour où Losekann parvient à révéler dans la presse que 3 000 automobilistes londoniens sont, eux aussi, victimes de « clonage » de leur voiture et paient les amendes de leurs usurpateurs.

Quand la croisière s'abuse

Pour fêter le printemps, une association de caissières new-yorkaises s'offre une soirée dansante à bord d'un yacht, amarré dans le port. Tandis que la soirée bat son plein, le mécanicien se rend aux toilettes pour les réapprovisionner en papier hygiénique. Mais son attention est bientôt attirée par le boîtier du produit déodorant. Il l'ouvre et découvre avec stupeur qu'un objet métallique, pourvu d'une antenne et de fils électriques, s'y trouve caché. Supputant qu'il s'agit d'une bombe et n'écoutant que son courage, il s'en empare, se rue sur le pont et s'apprête à le jeter par-dessus bord, lorsque le disc-jockey surgit devant lui, le bouscule et récupère l'objet.

Intrigué par ce comportement suspect, le mécanicien rend compte de l'incident au capitaine qui appelle la police. Le plan antiterroriste se déclenche aussitôt. Garde-côtes, hélicoptères, hommes en armes, agents spéciaux du FBI et de la CIA investissent le yacht, neutralisant équipage et passagers. Le DJ interrogé finit par avouer son crime : l'engin électronique qu'il avait dissimulé dans les toilettes est, en fait, une caméra de surveillance qui lui permet de reluquer à distance les jolies passagères. Le voyeur passe devant un tribunal et est jugé en comparaison immédiate. Verdict : 3 ans de prison pour « atteinte à la vie privée et agression sexuelle préméditée ».

Dans la prude Amérique, il ne fait pas bon jouer avec le sexe et la sécurité !

Sur la Terre comme au Ciel !

Franz Kafka, l'écrivain de génie, nous a laissé des œuvres impérissables et un néologisme, bien utile pour qualifier les pratiques administratives : *kafkaïen*. Ce terme, passé dans le langage commun, désigne comme on le sait les situations absurdes et inextricables, les raisonnements aberrants qui empoisonnent la vie du citoyen. Démonstration…

Jean-Pierre Riboulet, 54 ans, affecté d'une grave insuffisance cardio-vasculaire, roule au volant de sa voiture dans les rues de Paris, lorsqu'une douleur fulgurante lui broie la poitrine. Par chance, un policier règle la circulation de l'autre côté du carrefour. Dans l'espoir d'attirer son attention, Riboulet klaxonne furieusement et avance lentement sur le passage clouté.

— Vous avez brûlé intentionnellement un feu tricolore ! hurle le fonctionnaire, en se portant à sa hauteur. Je vous dresse contravention.

— Mon cœur me lâche, bredouille le malheureux.

Je fais une attaque cardiaque. Appelez vite le SAMU, j'ai besoin d'aide.

— Racontez ça à d'autres, réplique l'agent revêche, en assistant, impuissant, au décès de l'automobiliste.

Une semaine après les obsèques, Mme veuve Riboulet reçoit une amende de 200 € et un retrait de quatre points sur le permis de conduire de son défunt mari. Outrée, elle explique la situation par courrier et, naturellement, s'indigne du harcèlement dont elle fait l'objet. Réponse des services administratifs, un mois plus tard : la sanction est levée en raison du décès du contrevenant, mais la somme est toujours exigible au titre de sa succession.

On appréciera la délicatesse de la démarche !

Mille précautions valent mieux qu'une

Considérant que la planète se réduit à une source de dangers, Dave Lowdermilk, un agriculteur du Middle West, aux États-Unis, a tapissé les murs de son salon de coupures de presse, afin de mettre en garde les visiteurs. « Une fillette se tue avec son ours en peluche » ou « une serveuse se coupe un doigt en pelant une orange » sont, par exemple, les mises en garde que l'on peut lire, car Lowdermilk est de ceux qui considèrent qu'« une bouteille vide est un cocktail Molotov en puissance ! ».

Après avoir bardé sa ferme de détecteurs d'eau et d'incendie, proscrit l'usage des objets tranchants, enterré les prises électriques et matelassé de mousse la chambre des enfants, Dave Lowdermilk a décidé de faire bénéficier les autres de son obsession sécuritaire. Ainsi a-t-il créé à cet effet une association, NOT SAFE, qui regroupe déjà 700 adhérents. Par crainte des maladies contagieuses, les réunions sont interdites, les membres communiquant uniquement par lettre, en veillant à ne pas se couper la langue en léchant les enveloppes ! Pour les déplacements en voiture, s'ils sont indispensables, Lowdermilk recommande de ne jamais dépasser les 20 km/h !

— Je suis prudent en connaissance de cause, a coutume de répéter le fermier aux détracteurs que ces précautions agacent ou font sourire. L'année dernière, la foudre s'est abattue sur mon étable, un incendie a exterminé le quart de mon bétail, une inondation a détruit mes cultures. Et ma voiture m'a été volée quatre fois, avant d'être retrouvée à moitié détruite. Vous comprendrez mieux, dans ces conditions, que je sois méfiant !

Un héros de western

Avec la carabine Winchester et le chapeau Stetson, le revolver Smith & Wesson symbolise l'épopée de la conquête de l'Ouest américain. Créée par Horace Smith et D. B Wesson, la firme a produit plus de 6 millions d'armes de poing en un siècle et demi et sa notoriété ne s'est jamais démentie. C'est pourquoi, lorsqu'en 2004, James Joseph Minder, 74 ans, son nouveau président, présente sa démission après un mois d'activité seulement, son annonce fait l'effet d'une bombe.

— Je vous dois la vérité. Mon secret est trop lourd à porter, a expliqué Minder devant le conseil d'administration. Au cours des années 1950-1960, j'ai été braqueur de banques et mon arme de prédilection était un revolver… Smith & Wesson.

Provoquant la stupeur générale, le président a poursuivi :

— J'ai été arrêté et condamné à 10 ans de prison. À ma libération, je me suis consacré à la réhabilitation des délinquants et des jeunes drogués.

Le braqueur repenti a avoué ensuite ne s'être jamais départi pour autant de sa passion pour les armes à feu. Au point de créer sa propre manufacture, de faire fortune et de racheter, 2 ans plus tard, la compagnie Smith & Wesson, réalisant ainsi son rêve de posséder un stock inépuisable de ses revolvers fétiches. Ayant atteint son but, Minder avait décidé d'affronter ses actionnaires en véritable héros de western : de face et sans rien dissimuler de son passé.

Séduits par la franchise de leur P-DG, les actionnaires l'ont unanimement reconduit dans ses fonctions.

Une tête bien pleine

Isabelle, 17 ans, se réveille dans le service de soins intensifs d'un hôpital de Limoges.

— Que m'est-il arrivé ? murmure-t-elle au médecin penché à ses côtés.

— Vous vous êtes évanouie hier soir. Le scanner a révélé qu'une balle de 22 long rifle était logée dans votre tête, explique le praticien, embarrassé.

Cette nouvelle stupéfiante plonge la mère d'Isabelle dans un abîme de perplexité. Elle fouille dans sa mémoire, à la recherche d'une improbable explication. À force de passer en revue les incidents mineurs qui ont émaillé l'enfance de sa fille, un événement lui revient à l'esprit.

— Isabelle devait avoir 4 ans quand elle jouait dans le jardin. Je l'ai laissée seule quelques minutes. À mon retour, elle était en larmes et saignait de la tête. Le médecin, que j'avais appelé, m'avait assuré que la blessure était sans gravité, qu'un oiseau avait dû sans doute lui donner un coup de bec. Je ne m'étais pas inquiétée davantage.

L'explication la plus probable est que l'enfant ait été touché par la balle perdue d'un chasseur.

Aujourd'hui, toute intervention chirurgicale est exclue car jugée trop dangereuse. En effet, si la balle est déplacée, elle risque de léser le cerveau de façon irrémédiable. Insouciance ou optimisme, Isabelle s'accommode de cette épée de Damoclès suspendue au-dessus de sa tête. Suspendue à l'intérieur de son crâne devrait-on plutôt dire !

Un conte de fées indien

Comme c'est malheureusement le cas pour des milliers d'Indiennes pauvres, le sort s'est acharné sur

Baby Halder dès sa plus tendre enfance. Abandonnée par sa mère, maltraitée par son père et sa belle-mère, mariée de force à 12 ans à un inconnu alcoolique et violent, Baby est mère de trois enfants à l'âge où la plupart des autres gamines vont encore au collège.

Ne supportant plus son existence misérable, elle s'enfuit à New Delhi où elle se fait exploiter sans vergogne par les familles qui l'emploient comme bonne à tout faire. Jusqu'au jour où elle est recueillie par Munshi Premchand, un universitaire à la retraite. Devenue sa femme de ménage, Baby feuillette en cachette les livres que contient sa bibliothèque. Premchand s'en aperçoit et lui prête un roman. Comme Baby le dévore avec passion, son bienfaiteur lui offre stylo et cahier et l'encourage à écrire sa propre histoire. Le résultat va au-delà de ses espérances puisqu'un éditeur de Calcutta prend le risque de publier le manuscrit. Bientôt le bouche-à-oreille fonctionne, la presse et la télévision s'emparent du phénomène et le livre devient un best-seller traduit en plusieurs langues. « Quand nous étions à la rue, mes enfants avaient honte de moi. Ils disent aujourd'hui avec fierté que leur mère est un écrivain célèbre », a commenté la femme de ménage, qui, entre deux coups de serpillière, achève l'écriture d'un premier roman.

Métro, solo, dodo

En sortant de chez des amis, Sabine s'engouffre dans la bouche de métro de la station Balard et saute dans la rame qui est à quai. Constatant que la voiture est vide, elle vérifie l'heure machinalement : minuit passé. Le convoi s'ébranle, roule sur une centaine de mètres puis s'immobilise dans un fracas de ferraille. « Incident technique », pense l'étudiante en tirant un roman policier de son sac. Le temps passe et l'inquiétude grandit. De toute évidence, la rame s'est immobilisée sur une voie de garage. Par chance, un néon éclaire son wagon. Elle s'empare de son téléphone portable et appelle police secours. Pas de tonalité. Pas de réseau. Résignée, elle actionne ensuite le système de déverrouillage d'une porte et constate avec étonnement que le mécanisme fonctionne. Elle hésite à descendre face à l'enchevêtrement des rails. Reste un ultime recours : tirer le signal d'alarme. Croyant qu'on ne peut l'activer qu'une fois, Sabine préfère ne pas griller cette cartouche trop tôt. À 1 h 30, elle s'endort sur une banquette et se réveille 3 heures plus tard, les reins endoloris et la bouche pâteuse. Elle termine son roman. À 5 h 30 du matin, l'étudiante entend du bruit : des coups sourds frappés sur les voies. Elle saute sur ses pieds et se penche à l'extérieur en hurlant. C'est la délivrance. Le conducteur qui vient prendre son service n'en revient pas.

— C'est un concours de circonstances qui n'arrive jamais, explique-t-on à la RATP. Quand la voyageuse a pris place, le conducteur venait juste de vérifier qu'aucun passager ne se trouvait à bord. La rame ayant été mise en service dans la soirée, il n'y avait pas d'équipe de nettoyage prévue cette nuit-là.

Abasourdie, épuisée mais sans rancune, Sabine a pu enfin regagner son domicile. En métro !

Les Allemands : infidèles et méthodiques

Environ un Allemand sur deux et une Allemande sur trois avouent égratigner régulièrement leur contrat de mariage. Cette propension à l'infidélité a engendré outre-Rhin une véritable « industrie de l'alibi ». Ainsi, par exemple, si un mari volage préfère passer une soirée avec sa maîtresse plutôt que de fêter l'anniversaire de sa belle-mère, pour la somme modique de 8,50 euros l'agence Alibi Parfait lui fournira-t-elle un message SMS lui enjoignant de se rendre sur-le-champ à une réunion professionnelle. Si l'argument ne dissipe pas la suspicion de son épouse, pour quelques euros supplémentaires un correspondant confirmera le rendez-vous par téléphone.

Le mâle batifoleur peine-t-il à séduire ? L'agence lui fournira une identité factice comprenant curriculum vitae flatteur et photo du siège de son entreprise fantôme à Berlin ou New York. Des arguments susceptibles, semble-t-il, de faire tourner les jolies têtes de la gent féminine.

Plus étonnant : une demande sur trois provient du sexe prétendument faible. Ainsi une galante n'a pas hésité à commander deux alibis, l'un destiné à son mari, l'autre à l'épouse de son amant.

L'attaque étant la meilleure défense, d'autres officines offrent aux époux suspicieux des ripostes machiavéliques. Test de fidélité se charge de mettre à l'épreuve la constance du conjoint, en lui proposant sur papier glacé les services d'une créature de rêve ou d'un don juan irrésistible.

La suite de l'histoire se joue souvent devant les tribunaux, qui prononcent 200 000 divorces par an. Éventuellement après le passage par une autre institution en pleine expansion : les laboratoires spécialisés dans les tests ADN de paternité !

On ne meurt que trois fois !

En découvrant le cadavre d'un homme à moitié brûlé enfermé dans une malle en osier, experts de la police scientifique et médecin légiste sont confrontés à une énigme. Car, tel qu'ils arrivent à le reconstituer en analysant les indices recueillis dans l'appartement ravagé par un incendie, le déroulement des faits ne répond à aucune logique. Jugez-en plutôt. Après être décédé d'une crise cardiaque, André Foy, la victime, s'était glissé dans sa malle de linge sale, dans laquelle il s'était aspergé d'alcool à brûler. Foy avait ensuite fait disparaître la bouteille, avait frotté une allumette et s'était immolé par le feu. L'exploit ne s'arrête pas là. Renaissant sans doute de ses cendres, six jours plus tard, le décédé avait une fois encore quitté son panier pour incendier son appartement.

Il va sans dire que ce scénario rocambolesque, bourré d'invraisemblances, prouve que l'événement a été mis en scène et le cadavre du retraité manipulé. Une enquête pour homicide est donc ouverte, d'autant que la carte bancaire de la victime a été utilisée deux jours après sa mort.

La suite de l'histoire est moins mystérieuse. Un interrogatoire de la gardienne de l'immeuble établit qu'avant de disparaître, André Foy s'était violemment disputé avec un certain Glenn Michaelson, son voisin de palier. Étant en possession de la carte bancaire, l'assassin-voleur-pyromane présumé a été mis sous les verrous et interrogé.

— Nous nous sommes battus, a expliqué Michaelson, et le cœur du vieux a lâché.

— Mais pourquoi avoir imaginé ensuite cette stupide et grossière mise en scène ? ont demandé les enquêteurs.

— Pour faire plus vrai, a répondu l'amateur d'un air entendu.

Un complot cousu de fil blanc

Peu après les attentats perpétrés contre les tours du World Trade Center et le Pentagone, George W. Bush et Colin Powell, son ministre des Affaires étrangères, décident d'envahir l'Irak et d'éliminer Saddam Hussein. Mais comment trouver un casus belli vraisemblable aux yeux de l'opinion internationale ? Comment relier le dictateur mégalomane aux terroristes d'Al-Qaeda ? Rafid Ahmed Alwan, un dissident irakien réfugié en Allemagne, fournit à l'Administration américaine un prétexte providentiel. Celui qui se présente comme un chimiste de haut niveau affirme, en effet, être en possession de la preuve que, sous couvert d'une usine d'engrais chimiques, l'Irak fabrique en secret des armes biologiques. Les services de renseignements allemands recueillent son témoignage et le transmettent à la CIA, mais refusent de livrer le transfuge, estimant que son alcoolisme chronique discrédite la fiabilité de ses informations. Qu'à cela ne tienne ! Le 5 février 2003, Colin Powell exhibe devant l'assemblée générale des Nations unies les « preuves » fournies par Alwan. Nous connaissons la suite.

Après la chute de Bagdad et face à une situation qui tourne au désastre pour les Américains, la CIA parvient à rencontrer le mystérieux informateur, auquel ils ont donné le nom de code de *Curve Ball*, ce qui signifie « balle vicieuse » dans le vocabulaire du baseball. La vérité éclate : Rafi Alwan est un affabulateur. Étudiant médiocre, chimiste incompétent, il a été condamné à une peine de prison dans son pays et s'est enfui en Allemagne dans l'espoir d'obtenir une carte de séjour en échange de ses « secrets d'État » !

Des courtiers gonflés à bloc

Jérôme Kerviel, l'opérateur de marché de la Société générale, responsable, en 2007, de la perte record de près de 5 milliards d'euros, était-il dopé à la testostérone ? C'est la question très sérieuse que se sont posée des chercheurs de l'université de Cambridge. Pour mener à bien leur étude, ils ont suivi 17 courtiers de la

City, à Londres, pendant 8 jours ouvrés et mesuré leur taux de testostérone deux fois par jour – à 11 heures du matin, en pleine activité boursière, et à 16 heures, à la fin de la séance – en prélevant des échantillons de leur salive. En comparant données biologiques et activités de courtage, ils ont établi qu'effectivement, le niveau d'hormones sexuelles mâles était directement lié à l'ampleur des gains et des pertes réalisés. « Agissant sur l'agressivité et la compétitivité, testostérone et cortisol accroissent la confiance en soi et prédisposent à prendre des risques, notamment dans des situations de bulles financières spéculatives », a noté le Dr John Coates, coauteur du rapport.

Quand un krach menace, les banques centrales abaissent leurs taux d'intérêt. Encore faudrait-il, pour obtenir les résultats escomptés, qu'elles abaissent en même temps le taux de testostérone des *golden boys* !

Il est néanmoins regrettable que les scientifiques n'aient pas étendu leur étude à la gent féminine, qui jongle elle aussi avec les milliards des épargnants. Nous ignorons donc si œstrogènes et progestérone ont contribué à provoquer la crise des subprimes qui a plombé l'économie mondiale.

Quand le mariage tourne au fiasco

En avril 2005, en Georgie, les préparatifs du mariage de Jennifer Wilbanks et de John Mason battent leur plein. 600 invités, 14 filles et garçons d'honneur, un banquet pantagruélique, une liste de cadeaux interminable : aucun détail n'a été négligé pour rendre la fête somptueuse et inoubliable.

Or, la veille de la cérémonie, Jennifer sort faire son jogging. Comme elle tarde à rentrer, son fiancé et sa famille donnent l'alerte. Aussitôt la police se mobilise. Invités de la noce, forces de l'ordre et volontaires fouillent les champs et les bois alentour. En vain. Tandis que la presse nationale rend compte de l'affaire et que les conjectures les plus pessimistes sont avancées, la jeune femme téléphone à son fiancé, trois jours après avoir disparu.

— J'ai été enlevée par un couple de malfrats et jetée dans une camionnette, gémit-elle au bout du fil.

La police la retrouve errant dans les rues d'Albuquerque et la raccompagne triomphalement jusque chez elle. Soumise à un interrogatoire en règle, Jennifer avoue la supercherie : stressée par l'imminence de son mariage, elle a inventé de toutes pièces son enlèvement. La presse et les internautes se déchaînent, lui reprochant d'avoir bafoué ses proches, l'Église et les institutions. Et d'avoir dilapidé les 100 000 dollars de la noce.

Après avoir payé une forte amende, l'affabulatrice s'aperçoit que, de son côté, John a détourné l'argent du contrat de mariage pour se faire construire une maison. La cérémonie a été définitivement annulée.

L'océan poubelle attire les poissons

On le sait, les effets de la surpêche, de la pollution et du réchauffement climatique diminuent dangereusement la ressource des océans. Face à ce danger, les dirigeants du métro de New York ont-ils trouvé une solution pour reconstituer les stocks ? Pour se débarrasser des wagons réformés, ces derniers ont, en effet, imaginé les acheminer par barges à 16 miles nautiques au large de l'État du Delaware, et les couler à faible profondeur. Près de 700 wagons ont été ainsi immergés. En transformant les fonds sous-marins en sanctuaires d'algues, de moules et d'éponges, les carcasses ferroviaires ont attiré une multitude de poissons de toutes espèces. À tel point que, dans la zone concernée, la quantité de produits de la mer au mètre carré a été multipliée par 400 en l'espace de 7 ans ! Aujourd'hui, quelque 10 000 pêcheurs amateurs et professionnels se bousculent au-dessus du récif artificiel.

La pêche étant devenue miraculeuse, les États voisins réclament à leur tour de vieux wagons. Et patientent en tapissant leurs fonds côtiers d'appareils électroménagers hors d'usage, de vieux navires et de chars d'assaut périmés !

Des écologistes ont alerté l'opinion sur les risques encourus : les rames du métro, légèrement amiantées, pourraient intoxiquer les poissons et provoquer des maladies. 50 à 100 000 personnes ne décèdent-elles pas déjà chaque année en consommant des fruits de mer contaminés ?

À jets continus

Richard Kral, un jeune Slovaque obstiné, est bien décidé à ne pas renoncer à la visite qu'il a prévu de faire à un ami. C'est pourquoi il prend la route en dépit de la redoutable tempête de neige qui s'est abattue sur les monts Tatras. En guise de cadeau, Richard a fait l'acquisition de 3 tonnelets de 10 litres de bière. Cette généreuse attention va lui sauver la vie ! En effet, alors qu'il dégringole un col, une avalanche se détache de la montagne et ensevelit la voiture. Tout en essayant de conserver son calme, Richard abaisse la vitre de sa portière, creuse la neige et l'entasse par paquets dans la voiture. Quand la place vient à manquer, le captif se souvient opportunément du stock de bière qu'il a emporté.

— J'ai ouvert le premier tonnelet et j'ai bu tout mon saoul, a confessé plus tard le rescapé. L'effet ne s'est pas fait attendre. Quand j'ai eu envie d'uriner, j'ai dirigé le jet en cercle devant moi pour faire fondre la neige, et j'ai répété l'opération sans interruption.

Cinq heures plus tard, après avoir entamé le troisième tonnelet, Richard parvient à émerger du tunnel de 2 m de long qu'il a percé. C'est hagard et titubant, chantant sous la neige, que les sauveteurs l'ont retrouvé en fin de journée.

Conclusion : dans certaines circonstances périlleuses, il peut être avantageux d'être un homme !

Téléréalité

Le sentiment d'insécurité peut entraîner parfois des comportements, dont les conséquences s'avèrent beaucoup plus dangereuses que les causes réelles qui les ont provoqués. Ainsi par une belle soirée d'été, Albert Duflot, un retraité, prend le frais sur la terrasse de sa maison. Vers 20 h 30, une voiture avec trois jeunes gens à bord se gare, tous feux éteints, devant le pavillon voisin, occupé par un couple âgé. Les ombres des individus se glissent à l'intérieur. Mis en alerte, Duflot tend l'oreille. Quelques minutes plus tard, une série de détonations claquent dans la nuit. N'écoutant que son courage, le retraité s'empare d'une carabine et s'approche de la maison. Quand il entre, une voix caverneuse lui glace le sang.

— Alignez-vous le long du mur, les mains sur la tête !

Persuadé d'assister à un cambriolage, Duflot tire une cartouche dans le plafond du salon pour mettre en fuite les agresseurs. Se croyant attaqués par un rôdeur, les jeunes gens, qui regardent tranquillement la télévision au premier étage, s'emparent de leurs armes de chasse et répliquent, déclenchant une fusillade.

Quand la lumière revient, Albert Duflot s'aperçoit avec horreur qu'il a mortellement blessé le fils de ses voisins et un de ses amis. Il comprend aussi, mais trop tard, que les garçons suivaient un épisode de la série policière *Colombo* à la télévision.

Avec le temps, va, tout s'en va bien

Hank Edwards, un aide-jardinier américain, rêve de visiter Bayreuth, en Allemagne, et d'assister à son célèbre festival de musique wagnérienne. Comme ses revenus sont modestes et sa famille nombreuse, son projet est sans cesse différé. Pour patienter, il se plonge avec délectation dans le guide touristique de la ville que son père lui a offert quand il était enfant. Quand ses économies lui permettent enfin d'effectuer le voyage, il est âgé de 79 ans. À peine arrivé dans la cité bavaroise, Edwards loue une voiture et, suivant les recommandations de son guide, se lance à la découverte des musées et monuments.

Deux jours plus tard, inquiet de son absence, le concierge de son hôtel avertit la police. Des agents quadrillent la ville pour tenter de le retrouver, puis étendent leurs recherches à la campagne environnante. La voiture de l'infortuné est finalement découverte, embourbée dans un chemin forestier.

— Je me suis perdu, raconte Edwards, épuisé, aux policiers, car rien ne correspond aux indications données par mon livre.

L'inspecteur, intrigué, jette un coup d'œil sur le guide en question.

— Ce n'est pas étonnant, s'exclame-t-il. Votre manuel date de… 1914 ! En 90 ans et après deux guerres mondiales, Bayreuth et ses environs ont légèrement changé !

Une erreur de casting

Cette curieuse affaire commence comme un thriller. Une nuit, à Los Angeles, un homme paniqué appelle la police. Bonny, sa femme, vient d'être tuée de deux balles dans la tête sur le siège passager de sa Dodge, garée près d'un restaurant. Le meurtre prend une tournure particulière quand les policiers s'aperçoivent que le mari éploré n'est autre que Robert Blake, l'ex-policier vedette de *Baretta*, une série télévisée à succès dans les années 1970.

— Bonny était menacée. Elle recevait des lettres anonymes. C'est pourquoi, pour la protéger, je ne me séparais jamais de mon pistolet, a confessé Blake. Quand le drame s'est produit, j'étais allé chercher mon arme dans le restaurant où je l'avais oubliée.

Après un an d'enquête, la version des faits diffère légèrement. En fait, Robert Blake détestait sa femme. Il l'avait épousée contraint et forcé, sous la menace d'un procès en paternité. Après avoir lancé sans succès un contrat sur sa tête, l'acteur s'était chargé lui-même de son exécution, utilisant un revolver dont il avait effacé le numéro de série à l'acide, avant de s'en débarrasser dans une bouche d'égout.

Arrêté, écroué, risquant la peine de mort, Robert Blake s'est piteusement expliqué à la barre.

— Pour éliminer Bonny, je me suis inspiré des rôles

que j'interprétais à la télévision. Je croyais connaître tous les trucs pour ne pas me faire prendre. Mais en 30 ans, la police scientifique a fait beaucoup de progrès !

Sauvé par un accident mortel !

Ronald Mann, un professeur de médecine anglais de 77 ans, roule paisiblement sur une route de campagne à bord de sa guimbarde, en compagnie de trois amis. Soudain, à la sortie d'une série de virages, il ressent une douleur oppressante dans la poitrine. Il tente de freiner en catastrophe mais perd brusquement connaissance, victime d'un arrêt cardiaque, et la voiture va s'écraser contre un arbre. Sous le choc, le chauffeur est violemment projeté contre le volant, et son cœur qui s'était arrêté se remet à battre. Transporté d'urgence à l'hôpital, le professeur est bientôt hors de danger, et, fort heureusement, les passagers sortent, eux aussi, indemnes de l'accident.

— Je savais qu'un coup intense porté à la poitrine peut faire le même effet qu'un défibrillateur, a expliqué Ronald. Je ne pensais pas, toutefois, en faire un jour la démonstration.

Et le médecin a ajouté avec philosophie et bonne humeur :

— J'avais commandé une voiture neuve il y a trois semaines pour remplacer mon tacot, qui date des années 1960, et qui est dépourvu de systèmes de sécurité. Si le concessionnaire n'avait pas été en rupture de stock, nous aurions roulé dans un véhicule équipé d'airbags et je serais mort !

La lettre la mieux payée du monde

Hans Völker, un retraité allemand reçoit un jour sa feuille d'impôts et manque aussitôt tomber à la renverse. La somme que lui réclame le fisc est tout simplement astronomique : 287 millions d'€ ! Plutôt que de contacter directement les services fiscaux, Völker préfère s'adresser à un avocat pour porter plainte à sa place. Ce dernier accepte et rédige sur-le-champ une lettre standard, dans laquelle il démontre aisément que son client est victime d'une erreur, puisque ses revenus ne dépassent pas 17 000 €. Vérification faite, le fisc reconnaît s'être trompé et ramène l'impôt du retraité à quelques milliers d'euros.

Cette affaire, somme toute banale, pourrait s'arrêter là. Mais, en Allemagne, les honoraires des avocats sont proportionnels à la réduction obtenue. C'est ainsi qu'un tribunal a fixé le montant de la rétribution de l'homme de loi à… 440 000 € ! Heureusement pour Hans Völker, outre-Rhin, le code des impôts prévoit que l'administration fiscale doit s'acquitter seule de la facture.

L'histoire ne dit pas si le fonctionnaire fautif a reçu une sanction proportionnelle aux honoraires de l'avocat !

Quand la vie imite l'art

L'affaire se déroule en juin 1996 dans la salle d'un petit théâtre, au nord de Londres. Alors que les trois coups viennent d'être frappés, les spectateurs venus assister à la représentation de la pièce d'Harold Pinter, *Langue de la montagne*, voient bondir sur scène une demi-douzaine d'hommes à la peau basanée, braquant sur eux fusils et lance-grenades. Le réalisme est tel que la police est aussitôt alertée et qu'un commando antiterroriste débarque en hélicoptère pour neutraliser les dangereux activistes. Les acteurs, d'origine kurde, sont incarcérés sans ménagement, avec interdiction de communiquer entre eux dans leur langue.

Informé de l'incident par la presse, Pinter s'insurge et attaque aussitôt la police en justice.

— Les comédiens n'ont fait qu'interpréter fidèlement ma pièce. Le traitement qu'ils ont subi est exactement celui que je dénonce sur scène : la violence policière et la défense faite aux Kurdes de s'exprimer dans leur langue dans leur propre pays. C'est un cauchemar devenu réalité, où la vie imite l'art, a ajouté le futur prix Nobel de littérature.

Pour minimiser le scandale, Scotland Yard a versé aux acteurs malmenés 55 000 livres de dommages-intérêts.

Un gang de castors innocente la suspecte

Jacqueline Wall, 25 ans, agent de sécurité dans un casino de Louisiane, vit le pire cauchemar de sa vie quand quatre hommes masqués vont irruption dans la salle des coffres et l'obligent, sous la menace de leurs armes, à leur remettre 70 000 dollars. Accusée de complicité, la jeune femme est inculpée pour vol aggravé et maintenue en détention. L'enquête piétine pendant plusieurs semaines. Jusqu'à ce qu'un informateur anonyme oriente les recherches vers une rivière, située à 30 km de la ville. Les policiers s'y rendent, passent les rives au peigne fin, et découvrent deux sacs pleins de billets. Comme il manque la moitié de la somme, ils démantèlent un barrage de castors pour faire baisser le niveau de l'eau. Et découvrent que les rongeurs ont déchiré les deux sacs restants et se sont servis des liasses de dollars pour colmater méthodiquement leur ouvrage !

— La bonne nouvelle, a déclaré le chef de la police, c'est que les castors n'ont pas déchiqueté l'argent. Bien qu'un peu mouillés, les billets sont intacts.

Jacquèline Wall est remise en liberté. Elle accepte les excuses du chef de la police et reçoit, à titre de dédommagement, un chèque de 10 000 dollars des mains du directeur du casino. Elle s'en déleste au profit de la SPA. En spécifiant que la somme devra être impérativement utilisée pour la sauvegarde des castors !

Le mieux est l'ennemi du bien

À Sienne, en Italie, Giancarlo, un plombier de 27 ans, compte bien faire preuve d'originalité pour déclarer sa flamme à Monica, une ravissante coiffeuse dont il est amoureux. Comme les fêtes de Pâques approchent, il décide de faire confectionner un œuf en chocolat par un pâtissier de la ville, et de dissimuler à l'intérieur une coûteuse bague de fiançailles, faite d'un cœur en diamant, rehaussé de rubis et d'émeraudes. Quand le chef-d'œuvre est achevé, Giancarlo le fait porter au domicile de sa belle, ignorant qu'elle est allergique au chocolat noir. Aussi, à peine le colis défait, la gourmande s'empresse-t-elle d'aller échanger son cadeau contre un œuf identique, mais en chocolat au lait.

Quelques jours plus tard, s'étonnant de ne pas voir briller sa bague au doigt de sa promise, Giancarlo l'interroge sans détour. Monica avoue la vérité et se voit gratifier en retour d'une magistrale paire de gifles, qui met fin à tout projet d'avenir. L'amoureux se précipite ensuite dans une radio locale pour lancer un appel. Puis, il multiplie dans la presse petites annonces et offres de récompense. En vain. Personne ne rapporte le bijou.

— À mon avis, Giancarlo s'est compliqué la vie, a déclaré à la presse un ami du malchanceux. S'il s'était contenté d'inviter Monica dans une pizzeria pour lui donner la bague, il serait facilement parvenu à ses fins !

Les vieux comptes font les bons amis

Rowell Bell, un habitant d'Ipswich, en Angleterre, consacre le temps libre que lui offre sa retraite pour aider bénévolement le pasteur de la paroisse à tenir ses comptes. Quand il en a le loisir, il se plonge aussi avec gourmandise dans les archives et les chroniques, compilées au fil des siècles dans le presbytère. Un jour, quand il tombe sur le passage suivant, sa curiosité est mise en éveil : « Par décision du roi Charles II, M. J. Parker, propriétaire de l'auberge The Swan, où un meurtre a été commis en 1664, est condamné à payer chaque année 40 shillings à la paroisse pour acheter du charbon pour les pauvres. »

Bell photocopie la sentence et, par jeu, la communique à Simon Trenter, le propriétaire actuel du pub.

— Vos prédécesseurs et vous-même ne vous êtes pas acquittés de votre amende depuis… 340 ans, lui dit-il. En livres sterling constantes, vous êtes redevable envers la paroisse d'une petite fortune.

Heureux d'être associé à l'histoire de sa ville, et comprenant sans doute l'intérêt publicitaire qu'il peut tirer de la situation, Trenter accepte de payer la contravention, à condition que le montant en soit raisonnable. Après avoir délibéré avec le maire et le pasteur, un juge à la retraite décide de réclamer 6 ans d'arriérés à l'aubergiste, sans tenir compte de l'inflation. Soit la coquette somme de 10 € !

Le réveillon des morts vivants

On sait que les organisateurs d'événements importants détestent l'improvisation. C'est pourquoi les responsables de la chaîne de télévision d'un petit État africain avaient sans doute décidé d'enregistrer, dès le mois de juin, une émission spéciale destinée à être diffusée 6 mois plus tard. Réunissant 300 célébrités triées sur le volet, le spectacle, intitulé « Spécial réveillon 2005-2006 », mêlait chants, danses, sketchs et bouffonneries. La soirée se déroule à merveille, et la cassette de l'enregistrement est soigneusement conservée dans le bureau du directeur.

Malheureusement, à la veille de la diffusion, accidents et maladies ont décimé bon nombre de participants. Quelques ministres ont disparu dans un accident d'hélicoptère ; sida et malaria ont emporté une vingtaine d'autres personnes. N'ayant ni le temps ni les moyens de produire une nouvelle émission, le directeur de la chaîne diffuse le programme tel qu'il a été enregistré.

C'est ainsi que les téléspectateurs ont eu l'heureuse surprise de voir chanter et danser une trentaine de morts sur leurs petits écrans.

— Nos chers disparus nous ont souhaité la bonne année à leur manière, a commenté non sans malice un journaliste. Les deux pieds dans la tombe, ils ont tenu à nous distraire une dernière fois !

Montre-moi pour qui tu votes !

Comme on le sait, Cosa Nostra est, en Italie, une pieuvre qui étend ses tentacules dans tous les domaines de l'économie. Pour conforter son pouvoir occulte, elle tente, par ailleurs, de contrôler par la peur, le chantage, et la corruption, les consultations électorales. Mais comment être sûr que l'électeur, dont la Mafia a acheté la voix, a remis le bon bulletin dans l'isoloir ? Après avoir réuni ses experts, les chefs de l'organisation sicilienne ont trouvé une solution : prêter aux citoyens qui en sont dépourvus des téléphones portables de la troisième génération. Ainsi équipés, les électeurs corrompus doivent photographier dans l'isoloir le bulletin favorable aux intérêts de la Mafia, et envoyer en temps réel la photo témoin à une boîte de messagerie électronique.

Le ministre italien de l'Intérieur s'est alarmé publiquement de ce dispositif, qui met en péril une démocratie déjà sérieusement malmenée.

— Comme dans les vieux westerns, où l'on obligeait les cow-boys à déposer leurs armes avant d'entrer dans un saloon, nous obligerons bientôt les électeurs à déposer leurs téléphones portables avant d'aller voter, a déclaré très sérieusement le ministre à la presse.

Au royaume des aveugles…

En 1985, Peter Cohen, un New-Yorkais de 48 ans, prétend avoir été victime d'un accident qui lui a coûté la vue de l'œil droit, alors qu'il effectuait une croisière dans les Caraïbes. Il accepte de ne pas porter plainte contre la compagnie en échange d'une confortable indemnité. Quatre ans plus tard, au prétexte que la rétine de son œil a été sérieusement endommagée par un télescope dépourvu de filtre solaire, il attaque en justice l'armateur du paquebot sur lequel il voyageait et obtient 75 000 dollars de réparation. En 1997, c'est le bouchon d'une bouteille de champagne qui l'atteint au visage et le rend borgne. Au terme d'une action en justice, Cohen arrondit son compte en banque d'un million de dollars supplémentaires. Nouvelle malchance deux ans plus tard : la balle, lancée par un enfant maladroit, l'atteint de nouveau à l'œil, sur le pont d'un navire. Avant de verser les 500 000 dollars que Cohen lui réclame, l'agent d'assurances se livre à une petite enquête et découvre que le plaignant s'est déjà fait éborgner à quatre reprises dans des conditions presque analogues.

Arrêté, condamné à rembourser les compagnies d'assurances spoliées et à purger une peine de prison, Peter Cohen a avoué avoir perdu son œil à l'âge de six ans. Dans un accident de bicyclette !

Jamais mieux servi que par soi-même

Pour avoir exploré avec succès plus de 160 sites archéologiques à travers l'archipel japonais, et mis au jour des objets préhistoriques d'une valeur inestimable, Shinichi Fujimora, le directeur de l'Institut paléolithique de Tohoku, dit « les mains de Dieu », est le savant le plus populaire de son pays. C'est pourquoi, lorsqu'il décide d'effectuer de nouvelles recherches dans la région de Kamitakamori avec l'espoir d'exhumer les vestiges d'une cité habitée il y a plus de 600 000 ans, la presse nippone lui consacre aussitôt ses gros titres.

Dans le but de réaliser un cliché exclusif, le photographe d'un magazine a l'idée saugrenue de se cacher, la nuit, dans la zone des fouilles pour surprendre l'archéologue en plein travail, dès le lever du jour. Mais à 3 heures du matin, le reporter découvre avec stupeur que Fujimora enterre lui-même subrepticement des morceaux d'objets préhistoriques dans les fosses qu'il est censé explorer le lendemain avec ses collègues. La photo du tricheur fait le tour du Japon et le scandale éclate.

— Je ne pouvais pas décevoir le public, a plaidé l'archéologue, en remettant sa démission. J'étais soumis à une obligation de résultat qui m'était devenue insupportable.

Fort heureusement, Fujimora n'a pas menacé de se faire hara-kiri !

Nectars et petite bière

En 2001, six Anglais fortunés décident de s'offrir « le dîner du siècle » dans l'un des meilleurs restaurants de Londres. Grands amateurs de vins prestigieux, nos gourmands entament la soirée par la dégustation d'une bouteille de château-pétrus claret de 1945, qui leur est facturée la bagatelle de 18 000 €. Les papilles revigorées, la langue bien déliée, ils se contentent, pour accompagner viandes et volailles, d'un modeste cru à 15 000 €. Le plateau de fromages est, par contre, honoré d'un flacon de romanée-conti 1947, dont le prix frôle les 20 000 €. Pour terminer leur repas, nos œnologues dispendieux se délectent ensuite d'un château-yquem, dont le prix permettrait au commun des mortels d'acquérir une voiture ! Parfaitement rassérénés, ils quittent la table, délestés de 76 000 €. Pour faire bonne figure, le restaurateur leur offre la nourriture, soit une modeste contribution de 3 000 €.

L'addition finale comporte, outre les vins millésimés, six verres de champagne, dix bouteilles d'eau, et, détail curieux, deux bouteilles de bière bon marché. Une de celles dont les hooligans font grande consommation dans les stades de football. Imagine-t-on nos dégustateurs, un verre de pétrus d'une main, une vulgaire canette de bière de l'autre ? Décidément, nos amis britanniques nous étonneront toujours !

Un piano à queue à travers la jungle

John Blashford-Snell, un colonel britannique en retraite, organise en Guyana des expéditions humanitaires. Au cours de l'un de ses périples, il rencontre les Wai Wai, une tribu amérindienne déshéritée, perdue au cœur de la jungle. Le colonel s'enquiert des besoins de la communauté. Outre des médicaments, du matériel scolaire et des ustensiles de cuisine, le prêtre du village exprime un souhait pour le moins incongru.

— Je rêve du piano à queue dont j'ai vu la photo dans un magazine. Si vous pouviez m'en livrer un, je pourrais dire la messe en musique et distraire les enfants.

De retour à Londres pour collecter des fonds, Blashford-Snell fait part à ceux qu'il rencontre du désir du prêtre mélomane. Un industriel, ému par le récit, offre le piano. Libre au colonel de l'acheminer comme il l'entend.

— Aidé par une équipe d'Indiens, j'ai fixé le piano de 250 kg sur un traîneau et nous l'avons transporté pendant trois semaines à travers la forêt, a raconté le colonel. Puis, après avoir franchi des montagnes, nous avons transféré l'instrument sur un radeau et avons affronté des rapides infestés de serpents et de piranhas.

Deux mois plus tard, le piano était livré à bon port chez les Wai Wai.

— Cette expérience a été la plus excitante de ma vie, a modestement confessé le colonel philanthrope.

À chacun son quart d'heure de célébrité

Après avoir répondu à une petite annonce, Guy Goma, un étudiant congolais, obtient un rendez-vous de la BBC, dans l'espoir d'obtenir un emploi de coursier à mi-temps. Tandis qu'il patiente dans un salon en compagnie d'autres postulants, une assistante de production entrebâille la porte et demande à la cantonade : « Lequel d'entre vous s'appelle Guy ? »

À peine Goma s'est-il timidement présenté, que la fille lui accroche un microphone au revers de la veste et le pousse dans une cabine de maquillage. Quelques minutes plus tard, l'étudiant se retrouve dans un studio d'enregistrement, face à trois caméras. Un journaliste l'interroge tout de go sur les dernières technologies informatiques. Goma, qui croit passer son entretien d'embauche, balbutie de vagues réponses, ineptes mais désopilantes. Jusqu'à ce que le journaliste comprenne enfin que son invité n'est pas le bon, et qu'il abrège précipitamment l'interview. Explication : dans sa hâte, l'assistante avait confondu la salle d'attente des invités avec celle des prétendants coursiers. Et prit Guy Goma pour Guy Kewney, un informaticien de renommée mondiale.

— J'ai trouvé les questions du journaliste un peu bizarres, a expliqué Goma. Mais j'étais prêt à tout pour obtenir le job.

Après avoir présenté ses excuses, la BBC a été submergée de lettres de téléspectateurs. La plupart regrettant la brièveté de l'interview !

Hasard ou justice, quelle différence ?

Juan Catalan, un Américain de 26 ans, est arrêté en mai 2005. Accusé du meurtre d'une jeune femme, qui avait témoigné à charge dans un procès impliquant son frère, il risque la peine de mort.

— Au moment des faits, je me trouvais au Dodger Stadium de Los Angeles, en train d'assister à un match de base-ball avec ma fille de 6 ans, plaide Catalan avec l'énergie du désespoir.

— Prouvez-le ! Montrez-nous les tickets d'entrée ou la facturette de votre carte de crédit, demande le procureur.

— J'ai payé les places en espèces, et je n'ai pas conservé les billets, déplore Catalan.

Alors que le verdict approche, l'avocat du prévenu tente un ultime recours :

— Je demande que les images de la transmission télévisée du match, auquel mon client a assisté, nous soient communiquées. S'il figure parmi la foule, la preuve sera faite qu'il dit la vérité.

Le juge accepte. Après avoir décortiqué le film pendant des heures, un expert de la police parvient à isoler un plan montrant Catalan en train de partager un hot-dog avec sa fille. Bien que l'agrandissement de l'image arrêtée soit flou, les vêtements que portent l'accusé et sa fille correspondent à ceux retrouvés dans un placard de leur appartement. Catalan est remis en liberté.

On ne peut s'empêcher de penser que, si le caméraman avait choisi de filmer d'autres spectateurs, un innocent aurait pu griller sur une chaise électrique.

Qui a dit que la justice était une immense hypothèse ?

Le gérant de l'école a 2039 ans !

En Norvège comme ailleurs, l'administration peut se montrer pointilleuse quand il s'agit de vérifier le bon fonctionnement d'un établissement d'enseignement privé. C'est pourquoi le pasteur Rasmussen, directeur exécutif d'une école fondamentaliste chrétienne, est convoqué un jour, à Oslo, par son ministère de tutelle.

— Je manque d'information sur l'identité du gérant de votre école, lui demande un fonctionnaire. Qui est-ce ?

— C'est Jésus-Christ, répond le pasteur.

— Jésus-Christ comment ? insiste l'autre, éberlué.

— Jésus-Christ, le fils de Dieu, explique Rasmussen. Pour les raisons que vous imaginez, il m'a délégué sa signature, mais il dirige officiellement l'école et préside notre conseil d'administration.

Le fonctionnaire toussote nerveusement.

— Je suis désolé, monsieur Rasmussen, mais votre homme a dépassé l'âge légal pour occuper cette fonction. Vous allez devoir trouver quelqu'un d'autre.

— Je vais y réfléchir, dit le pasteur en se grattant la tête.

— Pour vous mettre en règle avec la loi, faites parvenir sous huitaine au gérant actuel une lettre de licenciement.

Et le représentant du ministère ajoute très sérieusement :

— Et n'essayez pas d'engager son Père, sa Mère ou le Saint-Esprit pour le remplacer !

Petite faiblesse présidentielle

Certaines révélations tardives sur la santé des hommes qui nous gouvernent glacent le sang rétrospectivement. Ainsi, en écoutant des enregistrements téléphoniques de la Maison-Blanche, récemment déclassifiés par les Archives nationales américaines, apprend-on que, dans la nuit du 11 octobre 1973, le président Richard Nixon n'était pas dans un état lui permettant de remplir ses fonctions avec sérénité. Cette nuit-là, alors que la guerre du Kippour oppose Israël à ses voisins arabes, Henry Kissinger, le ministre des Affaires étrangères, reçoit un appel téléphonique en provenance de Londres.

— Ici, le chef de cabinet de Ted Heath, dit la voix au bout du fil. Le Premier ministre souhaite s'entretenir de toute urgence avec votre Président.

— Je suis désolé, répond Kissinger, je ne peux pas transmettre votre appel dans le bureau ovale.

L'autre insiste :

— Cette affaire concerne le maintien de la paix dans le monde. Le Premier ministre propose un cessez-le-feu entre les belligérants.

— Écoutez, je viens de parler à Nixon, s'excuse Kissinger. Il est recroquevillé sur la moquette, complètement bourré, et il pleure, la tête entre les mains. Rappelez demain matin.

Kissinger écrira plus tard dans ses Mémoires que « l'équilibre des puissances, et non la paix, est l'objectif de tout homme d'État ». *No comment !*

Des vacances inoubliables

La découverte de pays lointains peut transformer la vie. On sait, par exemple, que la lumière du Maroc a bouleversé Matisse, et que les belles Tahitiennes ont régénéré la palette de Gauguin. Ainsi est-ce dans le but de vivre à son tour des moments inoubliables que Ronald Jurisch, un professeur allemand, décide de passer une semaine au Costa Rica. Il ignore que son rêve va se réaliser au-delà de toutes ses espérances…

— À peine arrivé à San José, un de mes pieds s'est mis à enfler, a raconté le professeur. J'ai donc consulté un médecin dans un hôpital. En dépit de mes protestations, il m'a cloué sur un lit et aussitôt anesthésié.

Quand l'infortuné se réveille, il est dans la salle d'embarquement de l'aéroport. Avec une jambe coupée au niveau du genou et son portefeuille allégé de 3 000 €.

— À la place de l'argent, j'ai trouvé une note d'honoraires correspondant au coût de l'amputation. J'ai téléphoné à mon ambassade pour porter plainte, mais je me suis évanoui, terrassé par une forte fièvre.

Atteint d'un début de septicémie, hospitalisé pendant cinq semaines, le professeur peut enfin regagner l'Allemagne en avion sanitaire. Après avoir dilapidé en vain 15 000 € en frais d'avocat, Jurisch a renoncé à poursuivre son bourreau en justice.

— À part l'aéroport et l'hôpital, je n'ai rien vu du Costa Rica, a déclaré l'unijambiste. Mais ce voyage inoubliable a néanmoins transformé ma vie !

Conçus dans les nuages

On suppose qu'environ 1 million de passagers, répartis dans les cabines de quelque 8 à 10 000 avions de ligne, voyagent simultanément, quelque part entre ciel et terre. Certes la majorité d'entre eux conversent, lisent, somnolent, prennent un repas ou regardent un film. Toutefois, il semblerait que quelques-uns, saisis d'une fièvre amoureuse incontrôlable, s'adonnent à des prouesses érotiques de haut vol.

Une association, le Mile High Club, « accueille tous les pilotes, membres d'équipage, et audacieux passagers ayant eu un rapport sexuel à plus de 1 600 mètres du sol, à bord d'un avion ». Lawrence Sperry, le fondateur de cette aimable confrérie, par ailleurs inventeur du pilote automatique, fut le premier à expérimenter avec succès l'un des avantages de son innovation. En effet, en 1916, âgé de 28 ans, il survole la Nouvelle-Angleterre et délaisse les commandes de son Curtiss pour s'intéresser de plus près à sa passagère, Mme Waldo Polk. Comme le système de pilotage n'est pas encore au point, l'avion pique du nez et s'abîme dans l'océan. Les amants sont recueillis par des garde-côtes, vivants, nus, et frigorifiés au milieu des débris.

Les statistiques nous manquent pour évaluer avec précision le nombre des membres de l'association, la plupart des amoureux aériens préférant l'anonymat. Mais une chose est sûre : chaque année des centaines d'enfants, conçus dans les nuages, naissent comme les autres sur le plancher des vaches !

Les armes secrètes du Pentagone

Aucun frein ne bride l'imagination des ingénieurs pour inventer des armes nouvelles. Ainsi apprend-on dans le *New Scientist*, une très sérieuse revue américaine, qu'à la fin de la guerre froide des laboratoires travaillant pour le ministère américain de la Défense rivalisaient d'extravagance. L'un d'eux avait, par exemple, obtenu un financement de près de 8 millions de dollars pour concevoir « la bombe d'amour », un gaz censé rendre les soldats ennemis « sexuellement irrésistibles les uns pour les autres ». À défaut d'avoir été expérimentée, on ignore si cette arme de séduction massive était capable ou non de provoquer des orgies homosexuelles dans les rangs des troufions soviétiques !

Autre invention non moins diabolique : une substance chimique, vaporisée au-dessus des casernes et susceptible de transformer l'haleine de l'adversaire en souffle pestilentiel, « ce qui aurait permis de suivre à la trace les ennemis infiltrés dans la population civile ».

Plus radical encore, un gaz attirant sur l'adversaire hordes de rats et essaims de guêpes. Mais la palme de l'ingéniosité revient sans doute à un laboratoire qui a dilapidé sans compter l'argent public pour tenter de mettre au point un principe actif provoquant des flatulences irrépressibles au sein de l'Armée rouge. On imagine avec angoisse les troupes d'élite du Kremlin s'auto-asphyxiant sur le champ de bataille. Et contraintes d'utiliser l'arme atomique pour répliquer à la sauvagerie de l'agression ennemie !

Un essai transformé !

Pratique culturelle typiquement anglo-saxonne, le *streaking* consiste à faire irruption dans le plus simple appareil sur un stade, si possible bondé de spectateurs jusqu'en haut des gradins. Pour la plus grande joie du public masculin, Lisa Lewis, une ex-stripteaseuse néo-zélandaise de 27 ans, s'est ainsi exhibée en string pendant un match de rugby opposant les All Blacks à l'équipe d'Irlande. Rapidement plaquée au sol et évacuée hors du terrain par les gros bras de la sécurité, la belle a écopé de 180 € d'amende, majorés des frais de justice. Pour éviter de ponctionner ses économies, Lisa a eu l'idée de mettre son mini-bikini en vente sur

Internet. Quand les enchères ont atteint la somme de 2 000 €, Peter, son petit ami, un routier mal embouché de 32 ans, s'est publiquement rebiffé.

— C'est moi qui lui ai acheté son maillot de bain, s'est-il plaint à la presse. Comme c'est moi qui ai payé l'opération des seins qui lui a permis de remplir l'intégralité de son soutien-gorge. C'est donc moi qui dois toucher l'argent, or Lisa ne veut rien partager.

Émue par la délicatesse de son compagnon, Lisa Lewis l'a aussitôt botté en touche et a repris son ancien métier d'effeuilleuse. Elle se produit aujourd'hui dans un bar d'Auckland où se retrouvent les passionnés de rugby. « Aux heures de pointe, dans la mêlée, les clients savent apprécier mes passes », a déclaré l'artiste.

Une époque formidable !

Savez-vous que l'émission de télévision la plus regardée à New York le 25 décembre, entre 8 heures et 10 heures du matin, s'intitule *« Yule Log »,* « la bûche de Noël » ? Ce programme, diffusé par la chaîne WPIX, attire, en effet, chaque année plus de 2 millions de téléspectateurs. S'agit-il d'un dessin animé, d'un concert de musique classique, d'un conte poétique ou d'un documentaire tourné à Bethléem ? Certes non ! Cette œuvre originale de deux heures offre l'image unique d'une bûche qui se consume en temps réel dans une cheminée, sur fond de chants de Noël !

Autre concept intéressant, imaginé par la société de production Endemol Allemagne, spécialisée dans la téléréalité, « la course de sperme ». Dans un studio de Cologne, sous l'œil vigilant d'un jury composé d'un gynécologue, d'un urologue et d'un andrologue, la semence de douze concurrents, prête à prendre le départ, est enfermée dans des éprouvettes, à l'extrémité desquelles on a déposé une substance chimique identique à celle produite par un ovule. Le sperme gagnant est, naturellement, celui qui parcourt la distance dans le meilleur délai. « Le prix du vainqueur est une Porsche, pas un bébé », a déclaré le producteur en réponse aux détracteurs du jeu, le taxant d'immoral. « Il s'agit d'un programme très scientifique et le thème de la fertilité passionne les Allemands. »

Réjouissons-nous, grâce à la télévision, nous vivons une époque formidable !

Le poids de l'âme

L'homme est comme on le sait le dépositaire exclusif du rire et de la parole. À ces spécificités, on lui accorde parfois la possession d'une âme. Pour établir l'existence physique de cette substance, de couleur et de consistance généralement mal définies, Ducan McDougall, un pieux médecin américain du début du XXe siècle, a procédé, sa vie durant, à des expériences que n'aurait pas désapprouvées le professeur Tournesol. Elles consistaient, en effet, à placer des agonisants tuberculeux sur un lit d'hôpital transformé en balance, et à mesurer leur variation de poids avant et après le passage de la Grande Faucheuse. McDougall s'était expliqué sur le choix de ses cobayes :

— Il me semblait idéal de sélectionner un patient mourant d'une infection causant un grand épuisement. La mort se produisant presque sans mouvement musculaire, la balance pouvait être aisément contrôlée, ce qui permettait de noter toute perte de poids avec davantage de certitude.

Il ressort, après six pesées réalisées dans ces conditions, qu'en rendant son âme à Dieu, l'homme s'allégerait de 21 grammes. Aux esprits chagrins, qui objectaient que l'essence divine tardait souvent à prendre son envol, le savant avait fait remarquer qu'« effectivement, chez certains sujets de tempérament oisif, elle pouvait séjourner quelques minutes supplémentaires dans leur corps, après le décès ! ». CQFD.

Ensuite, pour crédibiliser sa démonstration, McDougall était parvenu à convaincre une douzaine de chiens errants de se porter volontaires pour être envoyés *ad patres*. Sans que leur poids, d'après lui, ne varie d'un gramme !

Un reporter mis « au placard »

Transmis en direct depuis l'Irak par téléphone satellitaire sur la radio d'État du Swaziland, les reportages de Phesheya Dube captivaient des milliers d'auditeurs.

En effet, voix haletante sous le fracas des bombes, le correspondant de guerre ne reculait devant aucun risque pour rapporter fidèlement, matin et soir, les événements tragiques auxquels il assistait. Seule ombre au tableau : l'intrépide reporter passait la plupart de ses après-midi au Parlement pour y chroniquer les débats de politique intérieure. Un peu interloqués par son don d'ubiquité, les députés s'inquiétaient pour sa sécurité. « Soyez prudent, lui recommandaient-ils, cachez-vous dans une grotte pour vous mettre à l'abri. » Néanmoins, le soir venu, n'écoutant que son courage, Dube intervenait à nouveau en direct de Bagdad. Avant de mystérieusement réapparaître chez lui quelques heures plus tard.

La supercherie, rapidement découverte, a obligé le directeur de la station à fournir au public des explications.

— Nous ne pouvions pas être le seul média au monde à ne pas avoir d'envoyé spécial en Irak, a-t-il piteusement déclaré. Or nous avons à peine de quoi payer nos salariés et nos bandes magnétiques. Phesheya s'enfermait donc deux fois par jour dans un placard à balais, et feignait de se trouver en Irak. Accompagné par des bruits de mitraille préenregistrés, il se contentait de reprendre à son compte les informations données par ses confrères étrangers.

En récompense de ses scoops, Phesheya Dube a été promu à la tête de l'Éducation nationale de son pays. Espérons qu'élèves et collégiens du Swaziland ne s'inspireront pas des méthodes… explosives de leur nouveau ministre !

Le dit du séducteur chinois

À 44 ans, Zhou Jing-Zhi est un séducteur impénitent. Seul problème : sa jalousie maladive effraie ses conquêtes, qui, à peine séduites, s'empressent de le quitter. Ainsi en est-il de Mlle Li, une valeureuse marchande de soupe. Harcelée par son amant sur son passé et ses fréquentations, la belle avait rapidement manifesté son désir de rupture. Bien mal lui en a pris ! Zhou l'a séquestrée et entravée dans son appartement. Muni d'une aiguille à coudre trempée dans de l'encre, il l'a consciencieusement tatouée d'injures des pieds à la tête. Doté d'un vocabulaire imagé, le tortionnaire plumitif n'a pas lésiné sur les idéogrammes salaces, abondamment disponibles, paraît-il, dans la langue de Lao-tseu.

Après avoir enduré des sévices pendant trois mois, Mlle Li est parvenue à s'échapper et a aussitôt porté plainte auprès du tribunal. Arrêté et condamné à mort par un juge de Shanghai, Zhou a plaidé la maladie mentale et a ainsi vu sa peine commuée en emprisonnement à vie, à la condition qu'en prison sa conduite soit exemplaire.

Pour tenter d'effacer, à l'aide de greffes de peau, les slogans orduriers qui outragent son corps, l'infortunée marchande de soupe consulte aujourd'hui chirurgiens esthétiques et dermatologues. Car, comme on le sait, si les paroles s'envolent, les écrits restent !

Saouls comme des bourriques

Intrigué par plusieurs cas d'éléphants africains ayant dévalisé des réserves d'alcool pour s'enivrer volontairement, Ronald Siegel, un psychologue américain, a entrepris une étude du phénomène à l'échelle de la planète. Après des années d'enquête, ses conclusions sont stupéfiantes. Elles mettent en lumière qu'outre les pachydermes notoirement portés sur la bouteille, plus de 2 000 espèces d'animaux sauvages consomment sans modération alcool et narcotiques, que la nature leur prodigue généreusement. Céréales, plantes ou fruits fermentés, fleurs de pavot, feuilles de coca, haschich ou chanvre indien : aucune substance euphorisante ou sédative n'échappe à la convoitise de nos amies les bêtes.

Sachant aujourd'hui que les manchots lèvent le coude à l'occasion, que les araignées tissent des toiles psychédéliques, et que des mille-pattes éthyliques titubent dans la savane, une question se pose cependant : pour quelle raison nos compagnons éprouvent-ils le besoin de s'adonner aux paradis artificiels ?

— Pour atténuer les tourments de l'existence, répond le psychologue, en évoquant le comportement des éléphants poivrots. J'ai fait vivre pendant un mois des pachydermes sur un territoire confiné, dans une réserve de Californie. Pour échapper au stress de la surpopulation, ils ont bu trois fois plus que d'habitude. Après s'être copieusement abreuvés dans une fosse où macéraient des fruits, ils ont agité frénétiquement les oreilles et barri à tout-va. Avant de s'effondrer, ivres morts, les quatre pattes en l'air, a expliqué le chercheur. Sans préciser si leur gueule de bois les avait dissuadés de s'offrir, le lendemain, une nouvelle tournée !

Un swing sidéral

Dans les années 1920, en placardant son nom en lettres lumineuses sur les flancs de la tour Eiffel, André Citroën inventait la publicité moderne.

Moins d'un siècle plus tard, pour promouvoir le matériel de golf qu'elle fabrique, une firme canadienne tente un tout autre défi. En effet, dans le cadre d'un contrat passé avec l'agence spatiale russe, cette entreprise a imaginé confier à un cosmonaute le soin d'exécuter dans l'espace le swing le plus long de l'histoire du golf. Si l'opération se déroule comme prévu, le spationaute, relié à un filin à la station spatiale et équipé d'un fer 6 plaqué or, expédiera une balle dans le vide sidéral. Mise en orbite, elle devrait tourner autour de la Terre pendant quatre ans, et parcourir des millions de kilomètres. Avant d'épuiser son énergie et de se consumer en rentrant dans l'atmosphère terrestre.

Un détail cependant préoccupe les commanditaires du projet : si le swing n'est pas parfaitement ajusté dans une direction précise, la balle risque d'endommager l'un des nombreux satellites artificiels qui ceinturent la planète. Pire encore ! Si elle suit la trajectoire de la station, elle la télescopera par-derrière au terme de sa première révolution, sa vitesse lui étant supérieure. L'impact équivaudrait alors à celui d'un camion de 6,5 tonnes percutant un mur en béton à 100 km/h. Une gageure qui rend bien innocentes les innovations publicitaires de M. Citroën !

Une œuvre d'art qui a du corps

Exposée à la Foire internationale d'art de Bâle, l'œuvre du plasticien italien Gianni Motti ressemble à s'y méprendre à une vulgaire savonnette. Pourtant cette pièce unique, présentée sur un piédestal et protégée par une cloche en verre, a été acquise 15 000 € par un collectionneur suisse. Pour percer le mystère de cet objet énigmatique, un reporter de l'hebdomadaire *Die Weltwoche* a interrogé l'artiste.

— Le concept de mon œuvre a germé quand j'ai appris que Silvio Berlusconi, le président du Conseil italien, se faisait faire une liposuccion dans une clinique de Lugano. Grâce à la complicité d'un ami infirmier, je suis parvenu à m'approprier les excès de gras sous-cutané, retirés des flancs du Cavaliere, a révélé Motti. J'ai fait fondre cette masse gélatineuse, qui puait la vieille huile de friture, et je l'ai transformée en sculpture, que j'ai baptisée *Mani Pulite* (Mains propres) en hommage à l'opération anticorruption qui avait secoué les milieux politiques italiens dans les années 1990.

Ars medica, la clinique mise en cause pour avoir involontairement fourni la matière première de l'œuvre d'art, a crié au scandale et à la supercherie. Bien que Motti ait proposé une authentification par un test ADN, Berlusconi a refusé d'offrir un nouvel échantillon de son anatomie pour établir la vérité. On ignore par ailleurs si l'acquéreur de la sculpture compte l'utiliser pour blanchir les partis politiques suisses, récemment accusés de trafics d'influence et de malversations !

Petit calcul spéculatif

Enclavé au cœur de l'Afrique australe, le Zimbabwe possède la monnaie la plus faible et le taux annuel d'inflation le plus élevé de la planète : 1 200 % ! Ainsi, par exemple, lorsqu'un voyageur veut changer 100 dollars américains en argent local, doit-il s'équiper d'une valise ou d'un sac à dos pour transporter les fruits de sa transaction. Car il recevra en retour pas moins de 30 millions de dollars zimbabwéens !

— Notre monnaie perd la moitié de sa valeur tous les 4 mois, déplore l'économiste John Robertson. Et la mise en circulation d'un billet de 100 000 dollars ne change rien à l'affaire.

Trop pauvre pour utiliser du papier filigrané et l'encrer sur les deux faces, la banque centrale imprime maintenant ses nouvelles coupures sur du papier journal, et d'un seul côté seulement ! L'introduction de ces billets, qu'apprécieraient partout ailleurs les joueurs de

Monopoly, n'a pas pour autant périmé la vieille pièce en cuivre de 1 cent. Intrigué par cet anachronisme, un étudiant facétieux s'est livré sur Internet à un petit calcul.

— Sachant que, dans un bar de la capitale, une bière coûte 150 000 dollars locaux, on pourrait la payer avec 15 millions de pièces de 1 cent, qui pèseraient 45 tonnes. Or si on fondait les pièces, on pourrait en tirer 117 000 dollars – américains cette fois – sur le marché des métaux de Londres. Pour un investissement de départ équivalent, on pourrait ainsi s'offrir 234 000 cannettes de bière !

Une équipe très soudée

Parrainée par une chaîne de sex-shops et réunissant 400 concurrents, une course de rafting se déroule chaque année sur la rivière Vuoksa, près de Saint-Pétersbourg, en Russie. Utilisant une poupée gonflable en guise de bouée, les candidats doivent parcourir 1 200 m dans les eaux impétueuses et glaciales, sans se désolidariser de leur flotteur morphologique. « Toute la difficulté, consiste à garder le contrôle de la poupée, car les femmes gonflables sont extrêmement glissantes, et il faut une poigne de fer pour s'y cramponner », a précisé Dimitri Boulaviniv, l'organisateur de la compétition.

Le départ est donné. Au bout de quelques minutes, grâce à de vigoureux coups de reins, Igor Osipov, un solide gaillard d'une trentaine d'années, prend déjà la tête de la course. Faisant littéralement corps avec sa compagne flottante, il accentue son avantage et franchit la ligne d'arrivée, loin devant ses concurrents.

Avant de déclarer Osipov vainqueur, les juges, soupçonneux, demandent à examiner en détail la coéquipière du champion. La sentence ne se fait pas attendre : Osipov est disqualifié pour « abus sexuel sur sa poupée ». Le règlement, très pointilleux, stipule que les femmes factices ne doivent servir que d'« aide à la navigation ». Et à rien d'autre !

Fournaise biblique

À la veille de leur mort, une question tourmente parfois les mécréants : à quelle température leur âme damnée va-t-elle griller en enfer pour des siècles des siècles ? Dans l'Apocalypse, Jean décrit le lieu maudit comme étant « un étang ardent de feu et de soufre ». Forts de cette indication, des chercheurs de la revue scientifique *Applied Optics* ont calculé, en 1972, que la température de l'enfer devait être légèrement inférieure au point d'ébullition du soufre, soit 445 °C.

Pour faire bonne mesure, les auteurs de l'article ont cherché ensuite à déterminer les conditions climatiques que le paradis pouvait offrir aux âmes des meilleurs d'entre nous. Dans la Bible, Isaïe affirme que « la lumière de la lune sera comme la lumière du soleil, et la lumière du soleil sera sept fois plus grande, comme la lumière de sept jours ». Les scientifiques en ont conclu que, « puisque la température d'un objet en équilibre thermique est proportionnelle à la racine quatrième de la quantité de lumière qu'il reçoit, la température régnant au paradis était de 525 °C ».

— Faux ! se sont insurgés trente ans plus tard les physiciens Vina et Pérez dans une lettre à *Physics Today*. Nos confrères ont mal interprété le passage d'Isaïe et ont multiplié à tort 7 par 7.

Au terme d'une avalanche d'équations vertigineuses, ils affirment aujourd'hui que la température du paradis n'est, heureusement, que de 231 °C.

Que les âmes mijotent au paradis ou qu'elles rôtissent en enfer, dans cette querelle d'experts l'Église a eu chaud !

Femmes aux enchères

« Si votre femme ne vous plaît plus, vendez-la ! » Tel pourrait être le slogan provocateur de la secte des Pinchapuri, dans l'Andhra Pradesh, en Inde. En effet, dans cette communauté de 5 000 membres, les hommes changent de femme comme d'autres de pagnes ou de turbans. Le prix de l'épouse mise en vente aux enchères est naturellement fixé en fonction de ses apparences physiques. Jeune et belle, sa valeur peut atteindre plusieurs centaines d'euros. Dans le cas contraire, le mari doit la brader aux polygames désargentés.

— J'ai vendu ma première femme pour 323 €. Mais j'en ai déboursé près de 1 000 pour m'en acheter deux autres plus séduisantes, confesse sans honte Subbah.

Comme lui, presque tous les hommes de la tribu s'adonnent à plein temps à cette activité, puisque seules les femmes travaillent. Une fois l'affaire conclue, les enfants déménagent pour vivre avec leur mère et leur beau-père, mais restent la propriété de leur père biologique.

Comment les femmes Pinchapuri s'accommodent-elles de cette humiliante situation ? Beaucoup mieux qu'on ne pourrait l'imaginer.

— Si l'acheteur ne me convient pas, je peux refuser le marché et mon mari n'a pas le droit de s'opposer à ma décision, précise Mina, l'une d'entre elles. S'il me plaît, je m'accorde une nouvelle lune de miel. Dans notre tradition, les avantages sont partagés !

Nos sexologues s'inspireront-ils de cette méthode, capable semble-t-il de remédier à la routine qui, en Occident, brise un ménage sur trois ?

Mort à la tâche

Exit le généreux barbu, le ramoneur infatigable, l'idole de millions d'enfants ! Exit sa luge tout-terrain ployant sous les cadeaux ! Le Père Noël est mort ! Il s'est tué à la tâche ! C'est du moins, preuves à l'appui, ce qu'affirme sur Internet un « scientifique anonyme ». Voici résumée sa savante et iconoclaste démonstration :

— Pour visiter 91 millions de foyers en 31 heures, si l'on prend en compte les décalages horaires, et parcourir 112 millions de kilomètres, le traîneau du Père

Noël doit circuler à la vitesse prodigieuse de 962 km/s, soit à plus de 3,5 millions de km/h. Expédiant sa tournée dans ces conditions d'extrême urgence, le pauvre homme subit une accélération constante de 17 500 G, soit 2 000 fois supérieure à celle que sont capables d'endurer les plus expérimentés des pilotes de chasse.

Et, poursuivant son raisonnement, le détracteur enfonce le clou :

— Affublé d'un poids de 1 957 420 kg, je pense que le Père Noël a dû s'écraser sur le siège de son traîneau depuis belle lurette !

Fort heureusement, par compassion sans doute pour les internautes les plus jeunes, le « scientifique anonyme » s'est bien gardé de révéler les noms de ceux qui, depuis le décès probable du Père Noël, assurent courageusement à sa place la distribution des cadeaux au pied du sapin !

Douloureuses gestations

Pour exhorter certains jeunes Anglais à refréner leur sexualité précoce et débridée, le ministère de l'Éducation nationale leur a distribué un accessoire qui reproduit les désagréments de la grossesse. Testé sur des gamines de 11 à 14 ans dans un quartier populaire de Manchester, qui avec 50 grossesses pour 1 000 adolescentes détient le record du pays, l'appareil se présente sous la forme d'une combinaison en toile renforcée. Équipé d'une fausse poitrine et d'une pesante poche ventrale remplie d'eau, il simule une vingtaine de symptômes désagréables. Ainsi, pour imiter les mouvements brusques du fœtus cognant contre la cage thoracique de la mère, des boules de plomb s'entrechoquent dans la poche, et un réservoir de sable, placé sous le ventre, appuie douloureusement sur la vessie.

— C'est horrible, a confié une nymphette, après avoir porté la casaque pendant une matinée. J'ai mal aux jambes et mon dos est en bouillie.

Fort de ce succès, les éducateurs ont étendu l'expérience aux don Juans en herbe, responsables de doper la natalité dans les collèges déshérités outre-Manche. Les résultats ont été tout aussi concluants.

— Maintenant, je comprends mieux ce qu'endurent les filles quand on les met enceintes, a reconnu un gamin ayant subi le test. Dorénavant, le samedi soir, au lieu de me payer des bières, j'investirai dans les préservatifs !

Des députés sous influence

En Italie, comme dans la plupart des pays démocratiques, les programmes satiriques jouent, à la télévision, un rôle de joyeux contre-pouvoir. Ainsi, l'émission « Le Lene » (Les Hyènes), diffusée sur la chaîne *Italia 1*, qui appartient pourtant à Silvio Berlusconi, brocarde chaque semaine sans ménagement président du Conseil, ministres et responsables politiques.

En octobre 2006, prétextant un sondage express sur la loi budgétaire, Davide Parenti, le producteur, interviewe 50 parlementaires de tous bords. La maquilleuse qui leur éponge le front prélève à leur insu un échantillon de leur transpiration, qui est ensuite confié à un laboratoire pour analyse toxicologique. Les résultats de cet examen « 100 % infaillible » sont stupéfiants : un député sur trois est contrôlé positif aux drogues, 24 % au cannabis et 8 % à la cocaïne !

Bien que l'identité des députés piégés n'ait pas été révélée par « Les Hyènes », le scandale a fait trembler le Parlement italien et entraîné une virulente campagne de presse pour une révision de la législation sur les stupéfiants.

— J'ai toujours dit que, si l'on faisait entrer un chien policier dans les centres du pouvoir politique, son nez tomberait aussitôt en miettes, a pour sa part déclaré Daniele Capezzone, le chef du parti radical.

Denier du culte

La respectable et très scientifique revue médicale *European Respiratory Journal*, destinée aux pneumologues, lance un cri d'alerte : les catholiques pratiquants risquent vingt fois plus que les autres de développer un cancer du poumon. Une prophétie maléfique, enfouie dans un grimoire, serait-elle en train de se réaliser ? Satan s'attaquerait-il aux bronches des dévots, à défaut de parvenir à corrompre leurs âmes ?

— Non, affirment dans leur article les chercheurs du département d'analyse sanitaire de l'université de Maastricht, aux Pays-Bas. Le danger vient des prêtres, qui assassinent lentement leurs ouailles en toute innocence. Il est, en effet, avéré que les microparticules libérées par les cierges et l'encens sont hautement cancérigènes. « Le degré de pollution mesuré dans la cathédrale de Maastricht, après neuf heures de combustion des cierges, est entre douze et vingt fois supérieur au seuil fixé par l'Union européenne », indique l'article. Et, pour parfaire la crucifixion des paroissiens, les scientifiques enfoncent le clou : « Le risque de contracter la maladie est pire dans une église que dans un endroit fréquenté par 45 000 voitures par jour ! »

Martyrs modernes, les catholiques vont-ils devoir choisir entre remiser cierges et encens au rayon des accessoires du culte ou, pour rester en vie, assister à la retransmission de la messe à la télévision ?

L'Amérique folle de ses lois

On sait qu'en votant le *Patriot Act*, conséquence des attentats du 11 septembre 2001, le Congrès des États-Unis a renforcé les pouvoirs des agences gouvernementales de renseignement, restreint le droit à la liberté d'expression, et autorisé des violations de la vie privée. Mais sait-on que les cinquante États de l'Union n'ont pas attendu ces événements tragiques pour promulguer des lois dont la pertinence peut nous sembler déconcertante ?

Jean-Louis Chifflet dresse la liste non exhaustive de quelques-unes d'entre elles, toujours en vigueur. Ainsi apprend-on avec intérêt que dans l'Indiana il est interdit d'entrer dans un cinéma ou de conduire un tramway moins de quatre heures après avoir mangé de l'ail. Si l'Arizona interdit la chasse au chameau, l'Alabama de porter une fausse moustache dans une église, et la Floride d'avoir des relations sexuelles avec un porc-épic, le Minnesota réprimande ceux qui s'aviseraient de franchir une frontière avec un canard sur la tête. Machiste, l'État du Vermont condamne les femmes qui porteraient de fausses dents sans l'autorisation écrite de leur mari. Protecteur, celui du New Jersey oblige les propriétaires de chats laissés en liberté à suspendre trois clochettes autour de leur cou pour les signaler aux oiseaux. Écologiste, l'Ohio punit ceux qui saoulent les merles, et la Californie sanctionne la maltraitance des papillons. Enfin, nettement plus originale, une loi de Georgie interdit d'attacher une girafe à un lampadaire, tandis qu'une autre, promulguée dans le Wyoming, proscrit à quiconque de prendre en photo un lapin, entre les mois de janvier et avril !

Montesquieu, l'auteur de *L'Esprit des lois*, se retourne-t-il dans sa tombe, ou au contraire se réjouit-il, là où il se trouve, des joyeuses facéties des juristes américains ?

La Fontaine l'avait bien dit

Au terme du plus grand congrès jamais réuni sur l'intelligence animale, les conclusions des scientifiques, venus à Londres du monde entier, nous obligent à revoir avec humilité bon nombre d'idées reçues sur nos amies les bêtes.

C'est ainsi que le mouton, dont on brocarde l'esprit grégaire, est en fait un physionomiste n'ayant rien à envier aux employés des casinos, puisqu'il est capable de mémoriser les traits d'une dizaine de personnes et d'une cinquantaine de ses congénères pendant au moins deux ans.

Les éthologistes ont démontré aussi que les poulets, considérés à tort comme des crétins notoires, pouvaient ouvrir des portes et s'orienter dans un labyrinthe avec une rapidité que l'on croyait réservée aux chiens, aux rats et aux chevaux. Certains tests, prouvant aussi qu'ils sont sensibles à la douleur, remettent en cause leurs conditions de mise à mort. En effet, quand elles souffrent d'une gêne ou d'une blessure, les volailles choisissent les aliments auxquels on a ajouté de la morphine et cessent de les consommer une fois guéries.

On apprend encore que les mulots sylvestres fabriquent des panneaux indicateurs avec des branches et des cailloux pour marquer les territoires où la nourriture est abondante, et qu'ils prennent les raccourcis qu'ils ont auparavant fléchés pour regagner leur terrier.

L'étude confirme enfin que les perroquets gris sont dotés d'une intelligence comparable à celle d'un enfant de 5 ans. Capables d'assimiler des centaines de mots, ils feraient honte à bon nombre d'*Homo sapiens*, qui ne disposent pas toujours d'un vocabulaire aussi étendu !

Les fantômes du World Trade Center

En décembre 2001, une jeune femme se présente, anxieuse, dans un commissariat de New York pour signaler l'absence prolongée de son époux. Un inspecteur recueille sa déposition.

— Nom du disparu ?

— Michael Young.

— Âge ?

La femme écrase la larme qui roule sur sa joue.

— 37 ans. Michael avait fêté son anniversaire la veille du drame. Il portait un tatouage à mon nom au-dessus du nombril et un autre sur l'épaule, représentant une autruche. Le jour de l'attentat, il était vêtu d'un pantalon noir et d'une veste bleue.

— Profession ?

— Courtier dans une société financière du World Trade Center.

L'inspecteur change brusquement de ton lorsque la femme se montre incapable de produire son certificat de mariage et une photo du disparu. Après une brève enquête, preuve est établie que Namor Young s'est inventé un mari dans l'espoir de percevoir les 53 000 dollars d'indemnité promis aux familles des victimes des attaques contre les tours jumelles. L'usurpatrice est condamnée à 18 mois de prison ferme, et rejoint ainsi les 37 autres personnes déjà incarcérées à New York pour le même motif.

Le record des sommes indûment perçues appartient

à ce jour à Manuel Pereira. Après avoir frauduleusement déclaré que son épouse, mère imaginaire de 10 enfants, avait péri dans l'attentat, il avait touché plus de 1 million de dollars. Avant de les dilapider dans les casinos et de croupir dans un pénitencier !

Transports macabres

Pour maintenir leur chiffre d'affaires contre vents et marées, les compagnies aériennes américaines s'intéressent aujourd'hui au juteux marché du transport de cadavres, sachant que l'acheminement d'un passager, confortablement installé en soute, à l'horizontale et en caisson réfrigéré, est facturé aux familles de 200 à 500 € sur un vol intérieur, selon la distance et la destination. « Un seul cercueil rapporte autant qu'une demi-tonne de marchandise, observe, pragmatique, Dale Anderson, le directeur du service fret de JetBlue, une compagnie new-yorkaise à bas prix. Pour augmenter leurs performances, les transporteurs distribuent maintenant des « points fidélité » aux entreprises de pompes funèbres qui leur confient l'expédition de leurs clients vers le cimetière de leur choix. Ainsi, en échange d'un millier de macchabées transportés, JetBlue offre aux croque-morts des « miles » gratuits équivalant à deux billets pour Hawaii. Chaque année, avec 170 000 décès de retraités originaires d'autres États, la Floride demeure la principale pourvoyeuse de ce fret aérien à haute valeur ajoutée. Cependant l'ombre d'une menace plane déjà sur l'avenir de ce fructueux négoce.

— Par souci d'économie, de plus en plus de familles choisissent la crémation de leurs chers disparus », déplore M. McQueen, un entrepreneur de pompes funèbres de Miami.

Et un responsable de Delta Airlines ajoute :

— Quand un passager achemine les cendres d'un parent dans une urne, placée dans un bagage à main sur ses genoux, cela représente pour nous un substantiel manque à gagner.

La science à pas de géant

En pleine guerre froide, Soviétiques et Américains rivalisaient d'audace dans la conception d'armes nouvelles. Si certaines avaient la capacité d'éradiquer toute trace de vie sur la surface de la planète, d'autres, fort heureusement, font aujourd'hui sourire.

Ainsi, en 1972, sous la direction du professeur Boris Roudov, une équipe de l'Institut d'aviation d'Oufa, en URSS, a conçu « l'appareil de mécanisation de la marche ». Cette paire d'échasses, actionnée par des micromoteurs à explosion, aurait, semble-t-il, permis aux fantassins de poursuivre un tank ennemi, en effectuant des enjambées de 3 à 4 m d'amplitude, à la vitesse de 35 km/h. Faute de crédit ou peut-être de conviction sur sa réelle utilité, le projet fut archivé « secret défense » et rangé au rayon des accessoires de l'Armée rouge. Réhabilité et breveté par ses inventeurs, il fait l'objet aujourd'hui d'un regain d'intérêt. D'autant que si ces bottes de sept lieues étaient commercialisées en série dans une usine russe, elles ne coûteraient qu'une trentaine d'euros la paire et ne consommeraient que quelques millilitres de carburant aux 100 km.

Une question se pose néanmoins : si « l'appareil de mécanisation de la marche » devait un jour envahir nos rues, quelle serait la réaction des hommes quand ils verraient filer au-dessus de leur tête des femmes pressées, dotées de jambes interminables ?

Le banquet des zombies

— Un jour, j'ai trouvé mon frère en train de labourer ma terre, affirmant que je la lui avais léguée par héritage, puisque j'étais officiellement mort, raconte Deep Chand, un paysan indien.

Chand s'était-il réincarné en lui-même au terme d'une fulgurante métempsycose ? Assurément pas. Comme d'autres cultivateurs spoliés dans l'État de l'Uttar Pradesh, l'infortuné avait été victime d'un complot familial. Pour faire main basse sur son lopin de terre, son frère cupide avait obtenu, par l'intermédiaire des employés du bureau du cadastre, un faux certificat de décès, en l'échange d'un pot-de-vin.

Découvrant l'imposture, Deep Chand, carte d'électeur et livret militaire en main, a vigoureusement tenté de réintégrer le monde des vivants. En vain. Aucune preuve de son identité n'a été suffisante pour convaincre les fonctionnaires de l'état civil de revenir sur leur décision.

C'est donc le cœur serré et les poches vides, comprenant que sa résurrection n'était pas négociable, que Chand a rejoint la Mritak Sangh, l'« Association des morts ». Pour faire valoir leurs droits, les 10 000 membres de cette communauté de paysans, « administrativement décédés », ont récemment organisé un gigantesque festin en plein air.

— Nous avons fait ça pour nous moquer des autorités corrompues, a expliqué Bihari Lal, son président. Nous voulions prouver que, de l'au-delà, nous n'avions pas renoncé aux plaisirs de la table !

De dangereux raccourcis

Aux États-Unis plus que partout ailleurs sans doute, l'usage des drogues menace la santé des enfants dès l'école primaire. Pour combattre ce fléau, le bureau pour la jeunesse en détresse de Plainview, dans l'État de New York, a confié à un comité d'enseignants et de pédopsychiatres le soin d'imaginer une campagne de prévention simple et efficace. Au terme d'un an d'étude et de réflexion, les sages ont décidé de distribuer massivement aux élèves des crayons à papier, sur lesquels était gravé en lettres blanches le slogan *Too Cool to Do Drugs* (Trop cool pour se droguer).

Fabriqué à plusieurs centaines de milliers d'exemplaires, ce matériel pédagogique a été adopté avec enthousiasme par les écoliers. Jusqu'à ce qu'une institutrice s'aperçoive que, une fois taillés, les crayons antidrogue se transformaient progressivement en suppôts de Satan.

— Quand j'ai vu que, amputée d'un mot, la devise conseillait aux enfants : *Cool to Do Drugs* (C'est cool de se droguer), mes cheveux se sont dressés sur la tête, a raconté une maîtresse d'école. Je me suis alors précipitée vers la meilleure élève de ma classe, sachant qu'elle devait avoir sans doute usé son crayon plus rapidement que les autres.

En effet, raccourci des trois premiers mots, le slogan ordonnait maintenant : *Do Drugs* (Droguez-vous).

Les crayons sataniques ont été confisqués sur-le-champ dans tout l'État de New York. Coût global de l'opération en pure perte : 250 000 € !

Un secret bien gardé

Pourquoi Jules César a-t-il refusé de prendre en compte les avertissements d'un devin, lui enjoignant par écrit de ne pas se rendre au Sénat ? Pourquoi a-t-il vertement rabroué sa femme qui l'informait à son tour des dangers qu'il encourait ? Pourquoi, enfin, a-t-il congédié ses gardes du corps avant de pénétrer sans défense dans l'hémicycle ?

— Souffrant d'épilepsie aiguë, l'empereur avait préféré mourir dignement sous les coups de poignard d'un comploteur plutôt que d'avoir à révéler publiquement les ravages irréversibles que sa maladie allait entraîner, répond Luciano Garafano, un colonel de la police italienne.

En utilisant les méthodes criminologiques les plus modernes, et avec le soutien d'historiens, de psychologues, de profileurs, et de médecins légistes, cet enquêteur chevronné prétend avoir résolu cette énigme historique.

— César savait que son mal allait provoquer à terme un état cataleptique, des évanouissements à répétition, des troubles du comportement et des diarrhées chroniques. Pour s'éviter l'humiliation de la décrépitude, il avait choisi d'aller consciemment au-devant de la mort, n'ignorant rien des intentions des conjurés, a conclu Garafano.

Les familles des victimes, qui se plaignent parfois de la lenteur des investigations policières, pourraient s'inspirer avantageusement de la patience dont ont fait preuve les lointains descendants de l'empereur romain. Puisqu'ils ont dû attendre 2 050 ans avant de connaître la vérité !

Le roi du troc sur Internet

Kyle MacDonald, un étudiant canadien de 26 ans, a réussi le pari fou d'échanger sur la Toile un trombone à papier, d'une valeur de moins de 1 cent, contre… une maison neuve entièrement équipée. Voici la manière dont notre astucieux internaute est parvenu à ses fins.

— J'ai tout d'abord troqué le trombone contre un stylo en forme de poisson, que j'ai échangé contre une poignée de porte ancienne, que j'ai cédée contre un réchaud de camping, que j'ai monnayé contre une génératrice électrique, que j'ai rétrocédée contre un fût de bière, que j'ai échangé contre un scooter des neiges, troqué à son tour contre un séjour de vacances, lui-même offert en l'échange d'une camionnette, bradée ensuite contre un contrat d'enregistrement d'un disque, dont je me suis finalement défait en acceptant de passer un après-midi en compagnie de la rock-star Alice Cooper…

Parvenu à ce stade de ses négociations, MacDonald prend le risque insensé de troquer sa dernière acquisition contre une… boule de neige en verre très rare, sachant que l'acteur Corbin Bernsen en est un collectionneur passionné. En contrepartie, Bernsen lui offre un petit rôle dans son prochain film.

— Quand j'ai raconté mon histoire au maire de Kipling, la bourgade canadienne où avait lieu le tournage, il a aussitôt compris l'intérêt publicitaire qu'il pouvait en tirer et m'a donné une maison inoccupée appartenant à la commune. À la condition que j'y séjourne au moins trois ans, a précisé sur son blog l'internaute persévérant.

Un policier sentimental

Fort de ses 17 ans d'expérience, Michael Ghrist, un policier de 48 ans chargé de régler la circulation dans le centre de Louisville, dans l'État du Kentucky, est un professionnel zélé. Stylo d'une main, carnet de contraventions de l'autre, il traque le fautif et verbalise sans état d'âme. Une manœuvre hasardeuse, une ceinture de sécurité détachée, un feu orange grillé, un temps de stationnement dépassé de quelques minutes, et le procès-verbal de l'infraction est aussitôt dressé.

Bien noté par ses supérieurs, aimé de ses collègues, Michael Ghrist a néanmoins été convoqué à comparaître devant le conseil de discipline de la police de Louisville, à la suite du changement de procédure pour le traitement des contraventions impayées. À la stupéfaction générale, l'ordinateur central de la ville a révélé qu'en sept ans, Michael avait établi 1 050 procès-verbaux rédigés au nom de contrevenants imaginaires.

Le policier a ainsi justifié son effarant comportement :

— Lorsque j'ai commencé à voir des êtres humains derrière le masque des automobilistes, j'ai été incapable de les punir. J'ai donc inventé les noms, les adresses et le numéro des plaques d'immatriculation des mauvais conducteurs.

Ghrist n'a été condamné qu'à une mise à pied d'un mois. Son chef a en effet tenu compte du fait qu'il n'avait jamais été motivé par l'appât du gain, mais par la compassion à l'égard des automobilistes et par la pression exercée par ses collègues pour maintenir des statistiques de sanctions élevées.

Culottes courtes et cheveux blancs

Dans la banlieue huppée d'une ville côtière, une épidémie de cambriolages met en émoi la police bosniaque. Elle convoque ses meilleurs limiers et leur demande de dresser le profil psychologique du malfaiteur. Après avoir étudié son mode opératoire dans les moindres détails, ils concluent avoir affaire à « un criminel endurci, aux méthodes très professionnelles ». Au terme de deux semaines de traque, la caméra de surveillance d'une pharmacie dévalisée permet enfin d'identifier le coupable. Il s'agit d'une fillette de 11 ans. Comble de l'humiliation pour les enquêteurs : étant mineure, la dangereuse criminelle est à l'abri des poursuites judiciaires !

Quelques mois plus tôt, dans le sud de la France, de mystérieux pyromanes sèment la terreur dans une cité HLM. Procédant toujours de la même façon, ils enflamment des journaux imprégnés d'alcool devant les portes des appartements, sonnent et prennent la fuite. La police ne tarde pas à suspecter de jeunes rôdeurs du quartier, et un imposant dispositif est mis en place pour les surprendre en flagrant délit. Le stratagème porte ses fruits, mais, coup de théâtre, le coupable appréhendé est une femme de 74 ans !

— Je voulais me débarrasser de ces jeunes, méchants, sales et irrespectueux, qui m'empoisonnent la vie, a plaidé la grand-mère indigne, avant d'être condamnée à un an de prison avec sursis.

Soyons sur nos gardes : gamins et seniors ont déterré la hache de guerre !

Les voleurs n'y voient que du feu

Le *car-jacking*, le vol de voiture avec attaque du conducteur, est une pratique très répandue en Afrique du Sud. Pour y remédier, Charles Fourie, un informaticien de Johannesburg, vient de faire breveter le Blaster, un système antivol digne de James Bond et de Mad Max. Il en a expliqué le fonctionnement au *Mail & Guardian* :

— Dorénavant, quand un type foncera sur vous, une arme à la main, pour s'emparer de votre voiture, une boule de feu le carbonisera instantanément, même si vous avez les mains en l'air.

Explication : en actionnant une pédale secrète, placée à côté de l'accélérateur, le conducteur libère un gaz liquide, stocké dans le coffre. Le gaz, propulsé dans des tuyères dissimulées sous les portières, s'enflamme ensuite au contact de l'air.

Pour minimiser la dangerosité de son installation, Fourie a précisé que « le conducteur pouvait régler lui-même la longueur des flammes, qui ne dépassent pas 50 cm, et relâcher instantanément l'arrivée du gaz pour éviter d'infliger des brûlures mortelles à son agresseur ».

La justice sud-africaine n'ayant pas interdit l'usage du Blaster, des milliers de commandes ont été passées, et un constructeur le propose déjà en option sur des voitures de série.

Reste à souhaiter que des automobilistes écervelés

n'incinéreront pas par mégarde d'innocents piétons, en se prenant les pieds dans les pédales !

Familles maudites ?

Certaines familles sont-elles frappées de malédiction ? Les malheurs qui s'abattent sans discontinuer, depuis plus de trois siècles, sur les Craven, en Grande-Bretagne, peuvent le laisser penser.

Quand, en 1626, William Craven, colonel de cavalerie, reçoit le titre de comte des mains de Charles 1er, une jeune servante, vraisemblablement engrossée par ses œuvres, jette pour se venger un sort sur sa famille. L'effet est radical : depuis ce jour, aucun descendant du colonel n'a dépassé l'âge de 57 ans ! Si, durant les siècles passés, guerres et maladies peuvent expliquer l'hécatombe, la fatalité continue de s'acharner impitoyablement sur les descendants mâles de la lignée. Ainsi, en 1932, suite à une soirée copieusement arrosée, David Craven meurt sur son yacht à l'âge de 35 ans. Quarante ans plus tard, son fils succombe à une leucémie, à 47 ans. En 1983, Thomas, septième comte Craven, se suicide à l'âge de 26 ans. Enfin, Simon, son frère cadet, est victime d'un accident mortel, sa voiture ayant percuté une bitte d'amarrage.

Pour conjurer le mauvais sort, la demeure ancestrale de la famille a été vendue par la mère du dernier héritier. Précaution inutile : le nouveau propriétaire, le Dr Robert Reid, s'est suicidé à peine après avoir pris possession du château.

Mystérieux Diogène

En rénovant une demeure dans la ville de Szeged, en Hongrie, dont la propriétaire vient de mourir à un âge avancé, des maçons découvrent dans la cave une barrique de vieux rhum. L'aubaine est trop belle. Chacun teste le breuvage et le trouve « fort, spécial, et délicieusement parfumé ». Au fil des jours, les ouvriers prennent goût à cet alcool venu d'ailleurs, et délaissent sans regret les tord-boyaux locaux. Bientôt, avancée des travaux et niveau du tonneau baissent au même rythme. Quand les 300 litres sont éclusés, les maçons constatent avec étonnement que, bien que vide, la barrique pèse encore un bon poids. Ils regardent à l'intérieur et découvrent… le cadavre d'un homme en parfait état de conservation.

La police est alertée et un juge d'instruction ordonne une autopsie. Tandis que le médecin légiste constate que le décès est dû à une cause naturelle, l'inspecteur chargé de l'enquête interroge la petite-fille de la défunte, héritière de la maison. Il s'avère que sa grand-mère a vécu autrefois à la Jamaïque, et qu'elle a regagné la Hongrie à la mort de son mari, en prétendant l'avoir enterré dans un cimetière de Kingston.

Seule explication possible : pour s'épargner frais de transport et tracas administratifs, la veuve avait rapatrié la dépouille de son cher disparu dans la barrique de rhum !

Surtout ne votez pas pour moi !

Paul Herold, un électricien de Blaine, dans le Minnesota, aux États-Unis, se porte candidat aux élections municipales. Au terme d'une campagne menée tambour battant, il se trouve en position d'être élu maire de la ville au second tour de scrutin. Or l'entreprise auprès de laquelle il a postulé un emploi quelques semaines plus tôt lui donne une réponse favorable. Seul obstacle à l'embauche : des horaires astreignants, incompatibles avec la moindre charge politique. Pour ne pas compromettre ses chances de décrocher le poste, Herold décide aussitôt de se retirer de la compétition. Mais tout désistement est interdit par la loi. L'électricien publie alors une lettre ouverte dans le journal local, dans laquelle il supplie les électeurs de ne pas voter pour lui.

— Si je suis élu, je peux, bien sûr, refuser de siéger au conseil municipal, mais le comté devra organiser de nouvelles élections, et il en coûtera au moins 30 000 dollars à la communauté. Comme je ne veux pas être responsable de cette dépense inutile, il ne me reste que trois solutions : me suicider, déménager à l'autre bout du pays, ou vous appeler à voter pour mon adversaire.

Durant une semaine, Herold multiplie meetings et discours en faveur de son rival, allant même jusqu'à proposer aux électeurs de les emmener au bureau de vote en autocar, puis de les inviter à déjeuner. À la condition qu'ils apportent leurs voix à son concurrent !

« La démocratie est le pire des systèmes… à l'exception de tous les autres ! » affirmait non sans malice Winston Churchill.

Le corps humain est une énigme

Sonia Meyer, une Anglaise âgée de 77 ans et qui a perdu la vue accidentellement 25 ans plus tôt, est hospitalisée en urgence, victime d'une attaque cardiaque. Pendant trois jours, les médecins s'acharnent à la réanimer. Quand ils y parviennent, Dustin, son mari, vient la réconforter dans sa chambre. Quand elle l'aperçoit, Sonia pousse un cri déchirant : « Seigneur, je vois ! » Puis, détaillant son époux, elle constate : « Comme tu as vieilli en cinquante ans, mon pauvre chéri ! » Craignant que l'infarctus du myocarde n'ait provoqué des dommages cérébraux et des hallucinations, Dustin lui demande de décrire la couleur des vêtements qu'il porte. Stupeur ! L'aveugle a bel et bien recouvré la vue. Les médecins sont incapables d'expliquer le phénomène. Peu importe ! Pour la première fois, la grand-mère miraculée peut contempler avec émotion sa douzaine de petits-enfants et d'arrière-petits-enfants !

Plus étrange encore. Stjepan Lizacic, un bûcheron croate, souffre d'insuffisance rénale. Après une longue attente, il parvient à se faire greffer le rein d'une donneuse. À peine l'organe transplanté fonctionne-t-il normalement que la personnalité de Lizacic se modifie radicalement. Abandonnant ses amis, les jeux de cartes et les gradins du stade, il se consacre dorénavant exclusivement à des tâches ménagères. Entre vaisselle, tricot et repassage, ses journées sont bien remplies. L'infortuné porte plainte contre l'hôpital qui a pratiqué la greffe. Sans obtenir gain de cause, le juge estimant que le bûcheron n'a pas subi de préjudice majeur, tant qu'il est encore capable de remplir son devoir conjugal !

Des QI explosifs

Tandis qu'à Stockholm on remet les prix Nobel aux plus brillants de nos contemporains, l'université d'Harvard, aux États-Unis, décerne ses prix Ig Nobel. Ces distinctions loufoques, remises en grande pompe par d'authentiques lauréats, couronnent les travaux scientifiques les plus stupides de l'année. Les communications primées lors de la quinzième édition prouvent, une fois encore, qu'au fil des siècles le génie humain n'a rien perdu de sa vigueur créatrice.

Ainsi pour les mathématiques, le prix a été remis à deux Australiens qui ont calculé le nombre de clichés qu'un photographe devait prendre d'un groupe de 30 personnes pour être sûr qu'aucune d'entre elles n'aurait les yeux fermés au moment du déclenchement de l'obturateur. Alors que le prix de médecine revenait à une équipe israélo-américaine dont les travaux portaient sur le thème « comment mettre fin à une crise sévère de hoquet par un massage digital du rectum », l'ornithologue Ivan Schwab triomphait dans son domaine en démontrant pourquoi les pics-verts ne souffraient jamais du mal de tête.

Rappelons pour mémoire que l'année dernière, l'IgNobel de la Paix avait été remis à Claire Rind et Peter Simmons, de l'université de Newcastle, en Grande-Bretagne. Ils avaient magnifiquement permis de visualiser l'activité cérébrale d'une sauterelle assistant à la projection du film *La Guerre des étoiles* !

Coup de théâtre au pressing

Avant de nettoyer une veste, Sandy Ross, une teinturière d'Ann Arbor, dans le Michigan, vérifie le contenu des poches et trouve dans le fond de l'une d'entre elles une feuille de papier pliée en quatre, sur laquelle quelques lignes sont griffonnées à la hâte. Quand Sandy les lit machinalement pour s'assurer que le papier n'a pas d'importance, son sang se glace dans ses veines. « Tu as commis un meurtre, mais personne n'y croit. La seule chose qu'il me reste à faire, c'est de me tuer, et alors tout le monde saura ce que tu as fait. »

Sans l'ombre d'une hésitation, Sandy alerte la police et lui remet le message incriminant. Le shérif mobilise sa brigade pour retrouver l'auteur de la confession. Le propriétaire de la veste est bientôt identifié, arrêté, et conduit au commissariat pour être mis en garde à vue.

— Je m'appelle John Cowley. Je suis comédien, se défend l'homme. Je joue actuellement dans une pièce qui se donne dans le théâtre de la ville, et, comme j'oublie parfois mes répliques, je les note sur des morceaux de papier que je cache dans le fond de mes poches.

Dubitatif, le shérif téléphone au directeur du théâtre qui confirme les dires du comédien.

— J'avais beaucoup de difficulté pour retenir ce passage par cœur, a déclaré Cowley aux policiers, avant d'être remis en liberté. Je pense qu'après cet incident, il va rester gravé à tout jamais dans ma mémoire.

Des choristes traquent le crime

À Liverpool, en Angleterre, un fourgon de transport de fonds se retrouve bloqué devant une école, entre deux voitures. Des hommes armés et cagoulés en surgissent et mettent en joue les convoyeurs. Tandis que le hold-up se déroule sous haute tension, les enfants quittent l'école à l'heure de la sortie. Craignant que les écoliers, âgés d'une dizaine d'années, ne soient pris pour cible, les convoyeurs cèdent à la menace et remettent aux malfrats leurs sacs de billets. Après s'en être emparés, les gangsters démarrent sur les chapeaux de roues, en vidant en l'air leurs chargeurs pour créer panique et diversion.

Une passante, qui a assisté à la scène, se précipite vers les enfants.

— Je n'ai rien pour noter les numéros des plaques minéralogiques des voitures des braqueurs, leur dit-elle. Aidez-moi !

Le temps qu'un gamin retourne dans sa classe chercher de quoi écrire, les autres se répartissent spontanément en deux groupes et récitent en chœur lettres et chiffres qui composent les plaques.

— Nous nous sommes rendus sur les lieux pour interroger les enfants séparément, a raconté le porte-parole de la police. En chantant, tous avaient bien mémorisé les informations. Nous avons vérifié ensuite si les voitures avaient été volées. Comme ce n'était pas le cas, nous avons pu cueillir les malfrats à domicile.

L'histoire ne dit pas si la banque a récompensé les talentueux choristes.

Une prison cinq étoiles

Si vous pensez que les prisons sud-américaines sont des mouroirs, dans lesquels les prisonniers croupissent dans des conditions de détention inhumaines, vous vous trompez. En Bolivie, par exemple, la centrale de Palmasola, pourtant réputée dangereuse et surpeuplée, offre à quelques-uns de ses locataires des conditions d'accueil dignes d'un hôtel de luxe. Ainsi, moyennant une « taxe d'habitation » de 20 000 €, versée à l'administration carcérale, Luis Bernardo Salomon Soria, un trafiquant de cocaïne notoire, purge sa peine de vingt ans de réclusion dans une cellule de 200 m². Composée de trois suites, avec chambre, salons, salles de gymnastique et de billard, télévision par câble, bibliothèque, cuisine équipée, salle de bains et air conditionné, sa cellule donne sur un jardin privatif où, quand le temps le permet, deux cuisiniers s'activent autour d'un barbecue et confectionnent pour le détenu des repas succulents, accompagnés des meilleurs crus.

À l'étage supérieur, pour 1 € la nuit, les malfrats de piètre envergure s'entassent à vingt par cellule et tuent le temps en organisant des courses de cafards, quand ils ne s'étripent pas à coups de tesson de bouteille. Des organisations humanitaires se sont émues de cette justice à deux vitesses. Mis en demeure de s'expliquer, le ministre bolivien concerné a plaidé sa cause :

— Nous ne disposons pas du budget suffisant pour nourrir et loger tous nos prisonniers. Pour inciter les riches à payer pour les pauvres, nous devons leur permettre de purger leurs peines dans de bonnes conditions !

Le rythme dans la peau

Unique héritière d'un empire financier, Monica Wong, 61 ans, une banquière de Hong Kong, désespère de trouver un dérivatif à l'immense ennui qui plombe son existence. Et les yachts, jets privés, et immeubles de luxe qu'elle possède dans plusieurs capitales n'y changent rien. Aussi décide-t-elle de s'adonner pleinement à la seule activité qui fasse encore vibrer son cœur : la danse de salon. Bien décidée à mettre toutes les chances de son côté pour virevolter avec grâce, Monica souscrit un programme de cours particuliers auprès de deux prestigieux professeurs, 15 fois champions du monde de danse latine. En échange de 12 heures d'entraînement par semaine pendant 9 ans, la richissime Chinoise est prête à débourser la somme extravagante de 105 millions d'€ ! Après avoir versé un acompte de 60 millions, elle se met au travail avec entrain. Mais, au bout d'un an d'efforts, force est de constater que Mme Wong est aussi douée pour danser la salsa qu'un ornithorynque l'est pour résoudre des équations. Un jour, excédé par la maladresse de son élève, Mirko Saccani, l'un de ses professeurs, lui lance sur un ton aigre-doux :

— Bouge ton cul, grosse vache paresseuse !

Piquée au vif, la banquière rompt le contrat qui la lie à ses maîtres, et exige que son acompte lui soit restitué.

Au terme d'un procès qui s'éternise pendant cinq ans, Mme Wong obtient gain de cause. Elle s'inscrit aussitôt à un autre cours de danse, et stipule cette fois par écrit qu'elle devra être traitée avec courtoisie par les enseignants. Quelle que soit la lenteur de ses progrès !

Une mémoire infinitésimale

La complexité du cerveau humain désespère les neurologues de comprendre un jour toute l'étendue de ses mécanismes. Comment concevoir, en effet, qu'un individu soit capable d'emmagasiner dans sa mémoire des dizaines de milliers d'informations abstraites et de les restituer à la demande ? Dans ce domaine, en pulvérisant le record du monde de récitation des décimales après l'unité du nombre *pi*, Akira Haraguchi, un Japonais de 60 ans, a repoussé toutes les limites.

Rappelons que *pi* définit le rapport constant entre le périmètre d'un cercle et son diamètre. Si personne n'ignore que sa valeur est 3,14, la mémoire de la plupart des matheux en herbe s'épuise à 3,141592. Or Haraguchi a été capable de restituer dans l'ordre les 100 000 premières décimales de *pi* sans la moindre erreur ! L'épreuve s'est déroulée dans la banlieue de Tokyo devant un jury d'experts, qui contrôlaient au fur et à mesure l'exactitude des chiffres énoncés par le champion. Commencé à 9 heures du matin, l'exercice s'est achevé à 1 h 30 du matin le jour suivant, avec une pause de 10 minutes toutes les 2 heures. Ainsi, durant plus de 16 heures, Haraguchi a débité d'une voix monocorde son interminable litanie. Interrogé sur sa méthode, le marathonien de la mémoire a répondu modestement :

— Je pense à des noms qui accompagnent les séries de chiffres et j'ai juste vidé tout ce qu'il y avait dans ma mémoire !

Le concert le plus lent du monde

Le concert le plus lent du monde a démarré en l'an 2001 et devrait s'achever… 639 ans plus tard ! Composée en 1985 par le peintre et compositeur américain,

John Cage, l'œuvre, intitulée *Organ 2/ASLSP*, tient sur 4 feuilles de format A4 et doit être jouée *As Slow As Possible* (le plus lentement possible).

C'est pour avoir construit l'ancêtre des orgues, en 1361, que la ville de Halberstadt, en Allemagne, a été choisie pour accueillir cette aventure, la plus étrange de l'histoire de la musique. L'instrument actuel, dressé pour la circonstance dans la petite église de Saint-Burchardi, se présente sous la forme d'un beau châssis en bois équipé de 6 tuyaux d'orgue, d'une soufflerie actionnée par un moteur, et d'un minuscule clavier, dont les 3 touches sont maintenues enfoncées par des sacs de sable. Qu'on ne s'y trompe pas : cette machine rudimentaire doit, au fil des siècles, s'enrichir de 650 tuyaux longs de 1 cm à 5 m.

Le 5 septembre 2001 à minuit, le concert s'est ouvert par un halètement légèrement asthmatique. Ce silence préliminaire s'est prolongé durant 17 mois, avant que soient jouées les premières notes de l'œuvre, un *sol* dièse, un *si* et un *sol* dièse plus aigu. Le changement harmonique suivant n'est intervenu que le 5 juillet 2008, et les variations s'échelonneront sur le même rythme endiablé jusqu'en… 2640 !

Moyennant 1 000 €, vous pouvez sponsoriser la restauration du vieil orgue de la cathédrale, en réservant vos places pour les prochains changements d'accords. Dépêchez-vous : 48 années de concert ont déjà trouvé acquéreurs !

Une coûteuse maladresse

Steve Wynn, 64 ans, propriétaire de casinos et d'hôtels à Las Vegas, est un collectionneur de toiles de maîtres. Outre des Matisse, Renoir, Cézanne et Warhol, le milliardaire possède *Le Rêve*, un chef-d'œuvre de Picasso, exécuté en 1932, et qui représente sa maîtresse du moment, Marie-Thérèse Walter. En 2006, Wynn décide de s'en séparer pour la somme extravagante de 139 millions de dollars, et signe un contrat de vente avec Steven Cohen, un industriel du Connecticut.

— Steve avait acheté le Picasso 48,4 millions de dollars neuf ans plus tôt, a raconté Nora Ephron, une proche du collectionneur. Il était fou de joie à l'idée de battre le record de 135 millions de dollars, payés pour un Klimt par un magnat de l'industrie cosmétique.

La veille de la vente, Wynn invite une poignée d'amis à venir admirer une dernière fois le chef-d'œuvre dans son bureau. Au fur et à mesure que le milliardaire retrace avec enthousiasme l'histoire du tableau, ses gestes exaltés deviennent incontrôlables. À tel point que, bientôt, un bruit atroce glace d'effroi l'assistance. D'un coup de coude, Wynn vient de crever la toile, l'une des plus chères du monde !

— Steve souffre d'une maladie de l'œil, la *retinitis pigmentosa*, qui affecte la vision périphérique, a encore révélé Nora Ephron. C'est ce qui explique sans doute sa tragique maladresse.

Wynn a informé son acheteur que *Le Rêve* était désormais entre les mains d'un restaurateur de tableaux. Et qu'à la demande de sa femme, qui avait vu dans l'incident un signe du destin, il avait décidé de le conserver !

Un logiciel au secours du Coran

Sachant que la station spatiale internationale se déplace à la vitesse d'environ 27 000 km/h, et qu'elle effectue son parcours orbital 16 fois par jour, comment un astronaute musulman peut-il se diriger vers La Mecque pour effectuer ses 5 prières quotidiennes sans risque d'erreur ?

Cette question, digne de figurer au programme du baccalauréat des lycéens saoudiens, a fait l'objet d'un séminaire réunissant à Kuala Lumpur 150 délégués scientifiques. La Malaisie se préparant à envoyer son premier représentant dans l'espace, il devenait urgent, en effet, de savoir comment ce dernier allait pouvoir observer les rites coraniques dans un habitacle en perpétuel mouvement ?

— Il était hors de question que notre pilote récite ses prières 80 fois par jour en fonction du soleil, et passe le meilleur de son temps à calculer sa position par rapport aux lieux saints, a commenté Mustafa Din bin Subari, le directeur adjoint de l'agence spatiale malaisienne. Nous avons donc fait appel à un informaticien de haut niveau pour concevoir un logiciel capable d'apporter des solutions fiables et pratiques.

Ce programme, baptisé *Musulmans dans l'espace*, testé sur un simulateur de vol, a donné entière satisfaction. Par ailleurs, si l'embarquement de nourriture halal à bord de la station ne présente pas de difficulté, les ablutions en apesanteur posent toujours problème.

— Imams et techniciens y travaillent sans relâche, a poursuivi Subari.

Gageons qu'un rituel de purification symbolique réglera, dans les mois à venir, cette épineuse question !

Le retardataire tient sa promesse

Au début du XXe siècle, alors que la planète a presque entièrement livré ses secrets, seule l'exploration des pôles suscite encore la convoitise des aventuriers.

En 1911, Britanniques et Scandinaves se livrent une féroce compétition pour la conquête de l'Antarctique. Tandis que, pour se déplacer, les premiers s'équipent de juments sibériennes à poil long et d'engins à chenilles, les seconds choisissent d'utiliser les traîneaux traditionnels, tirés par des chiens. On connaît le dénouement de ce duel réfrigérant. Le 17 janvier 1912, quand Robert Scott atteint enfin le pôle Sud, il découvre que le drapeau norvégien y flotte déjà, Amundsen l'ayant devancé de peu. Seul, vaincu, et sans doute de très mauvaise humeur, l'explorateur anglais s'en retourne tristement vers le navire où l'attendent ses compagnons. Mais la tempête se lève et le transforme bientôt en gros glaçon. On enterre sur place ses restes congelés le printemps suivant.

Si l'on en croit le Dr Ian Whilliams, l'histoire ne s'arrête pas là. En 1998, cet éminent glaciologue a, en effet, constaté que la fonte de la banquise avait déplacé de 56 km la sépulture du malchanceux. Pour l'emmener jusqu'à l'endroit exact où il avait donné rendez-vous aux siens 86 ans plus tôt !

— Scott était têtu comme une mule. Il avait promis à son équipe de regagner sa base, ayant ou non atteint son objectif. Il a tenu parole, en a conclu Whilliams.

Les clés de la liberté

Après l'assassinat d'un détenu de confession musulmane dans la prison pour jeunes délinquants de Feltham, en Grande-Bretagne, la chaîne de télévision privée ITN décide de consacrer un reportage à l'événement. Ayant obtenu l'autorisation d'Andrew Cross, le directeur de l'établissement, les reporters filment pendant 10 jours la vie quotidienne des captifs. Le tournage se déroule sans incident, et le documentaire est bientôt diffusé à travers tout le pays.

— Au bout de 20 minutes de projection, je me suis étranglé de rage, a raconté Cross à la presse londonienne. Le cameraman avait fait un gros plan sur un jeu complet des clés de la prison. N'importe quel serrurier tant soit peu habile était dès lors capable de les reproduire à l'identique, et de libérer mes prisonniers !

J'ai aussitôt porté plainte en justice contre les journalistes « pour complicité involontaire dans une tentative d'évasion ».

Condamnée par un tribunal à faire remplacer à ses frais et dans les meilleurs délais les 11 000 serrures et les 3 200 clés de la prison, ITN a dû s'acquitter d'une facture de 360 000 € ! Un surcoût de production qui a valu aux membres de l'équipe de tournage un blâme et une mise à pied de 2 mois sans salaire.

Lorsqu'on vous dit que les reporters font un métier dangereux !

Un arsenal sonnant et trébuchant

À en juger par les statistiques publiées par l'Autorité de l'aviation civile américaine, nombre de passagers auraient déjà oublié les consignes de sécurité drastiques, en vigueur dans les aéroports depuis les attentats du 11 septembre 2001. En effet, près de 30 millions d'objets interdits, dont 2 150 armes à feu, 4,7 millions de couteaux et 75 241 cutters ont été trouvés en possession des voyageurs en partance et confisqués. Ainsi, par exemple, outre un pistolet chargé, dissimulé à l'intérieur du pingouin en peluche d'une grand-mère de 79 ans, la police des frontières a saisi une mine antichar en parfait état de marche dans le bagage à main d'un soldat de l'US Army !

Mais que faire des tonnes de ciseaux, coupe-ongles, canifs et autres briquets, récupérés outre-Atlantique derrière les portiques détecteurs de métaux ? Quand il ne s'agit pas de haches, sabres d'abordage, hachoirs à viande, poêles en fonte et tronçonneuses !

Chaque État gère son stock d'objets saisis avec un sens des affaires et de la morale plus ou moins développé. Si l'Arkansas distribue son butin aux hôpitaux et aux écoles, la Pennsylvanie écoule chaque mois sur un site commercial d'Internet 2,5 tonnes de marchandises confisquées. Réalisant un gain annuel de 250 000 dollars !

Le plus bête des deux ?

Andy Marty, un adolescent britannique dépressif et adepte des forums de discussion sur Internet décide de mettre fin à ses jours. Mais comment se suicider quand le courage vient à manquer ? Andy contacte anonymement sur la Toile Thomas Emerson, un correspondant de son âge, et lui envoie le message suivant : « Un dangereux terroriste menace la sécurité nationale. Demain, à 17 heures, il fera les cent pas sous la statue d'Éros, à Piccadilly Circus. Il portera une parka verte et un bonnet rouge. Votre mission est de le poignarder jusqu'à ce que mort s'ensuive. En récompense, vous recevrez la somme de 10 000 livres sterling et je me donnerai à vous. » Le courriel est signé Clara White, agent du MI 16.

Bien que grotesque et invraisemblable, l'offre est prise au pied de la lettre par Emerson. Armé d'un couteau de cuisine, il se rend au rendez-vous pour accomplir la « mission » que lui a confiée le soi-disant membre des services secrets. Sans doute peu habitué à trucider de sang-froid ses contemporains, le collégien ne blesse que légèrement le suicidaire.

Résultat : agresseur et victime sont arrêtés par la police et condamnés à des peines d'intérêt général avec interdiction de se revoir. Et de poursuivre leur dialogue débile sur Internet !

Quand la science est un jeu d'enfant

L'histoire des sciences démontre que, bien souvent, les grandes inventions résultent du mariage improbable du hasard et de la nécessité. Ainsi, quand il se rend d'urgence à Madagascar au chevet de son frère qui souffre d'une crise aiguë de paludisme, Alfred Muller, un électronicien strasbourgeois, n'imagine pas qu'à sa manière il va faire avancer la recherche médicale.

Dès son arrivée sur la Grande Île, Muller constate avec effroi que, pour faire chuter la fièvre, un médecin a prescrit à son frère de l'Halofantrine. Or ce puissant médicament, le seul disponible, provoque une arythmie cardiaque mortelle si le dosage n'est pas contrôlé avec précision. Angoisse supplémentaire : à cette époque, les hôpitaux malgaches ne sont pas encore équipés d'électrocardiographes.

Désespéré, Muller ramasse une vieille console de jeux, qui traîne dans la chambre du malade. Il la retourne, l'ausculte, désosse le boîtier, tire des fils, fait des soudures, et transforme peu à peu la Game Boy en appareil bizarre, équipé de trois électrodes. Il en fixe une sur un pied, les deux autres aux poignets de son frère, et relie le tout à un ordinateur. Contre toute attente, l'électrocardiographe de fortune, fait de bric et de broc, fonctionne suffisamment pour être utilisable.

— Grâce à ma machine, le médecin a pu doser le médicament sans risque. Après deux semaines de traitement, mon frère était hors de danger, a modestement conclu le génial bricoleur.

À Istanbul, les balayeurs roulent sur l'or

— Pourquoi les membres d'une confrérie de balayeurs d'Istanbul paient-ils une taxe rubis sur l'ongle pour avoir le droit de nettoyer, dès la tombée du jour, les rues du Grand Bazar ?

— Parce que les orfèvres qui opèrent aux abords du marché traitent 350 tonnes d'or par an, et que la poussière aurifère, libérée par leurs 10 tonnes de déchets, se répand partout dans le quartier.

Pour s'approprier cette manne invisible, 4 entreprises, comptant une quarantaine d'ouvriers chacune, doivent s'acquitter auprès de la municipalité d'une taxe annuelle, calculée sur la quantité de métal récolté. Ainsi, par exemple, pour passer quotidiennement au peigne fin le caravansérail de Cuhaci, le propriétaire de l'une d'entre elles doit-il verser à la ville 36 000 €, soit la valeur de 3 kg d'or. Et il n'est pas rare que le drainage d'une vulgaire canalisation, destinée pourtant à ne recueillir que des eaux de pluie, procure plus de 5 000 € au bénéficiaire d'une concession !

Pour mettre un frein aux bagarres sanglantes qui éclatent entre groupes rivaux pour exploiter à leur profit des territoires mal définis, le maire de la ville est allé jusqu'à demander à des chimistes d'analyser le contenu des fosses septiques. Pour déterminer leur teneur en or et fixer le montant de la taxe que devront payer ceux qui auront le privilège de les vidanger !

Un vaccin anti-rots pour sauver la planète

Pour respecter le protocole de Kyoto, qui impose aux pays signataires de limiter sur leur territoire les émissions des gaz à effet de serre, responsables de la dégradation de la couche d'ozone et donc du réchauffement de la planète, l'Australie s'est attaquée à la question avec pragmatisme.

Sachant que leur pays compte 115 millions d'ovins, et que les rots de mouton représentent 13 % de la production de gaz nocifs, des scientifiques ont travaillé sur la fabrication d'un vaccin antirot. Le méthane étant produit par des bactéries logées dans l'estomac de l'animal et non par l'animal lui-même, l'équipe du Dr Wright a dû cultiver en laboratoire d'autres organismes méthanogènes pour mettre au point l'antidote, et limiter ainsi les éructations des pollueurs à quatre pattes.

Les résultats ont été concluants puisque la production de méthane a été réduite de 8 % chez les moutons vaccinés.

— Je compte bien étendre mes travaux aux bovins, dix fois plus « gazeux » que les moutons, a promis le scientifique. Ensuite, je m'attacherai à recycler les flatulences des uns et des autres en énergie renouvelable.

Quand verra-t-on dans le bush australien des voiturettes roulant au pet de mouton ?

Un prisonnier très casanier

Hylla Piotr, un sexagénaire allemand d'origine polonaise, croupit depuis 30 ans dans les geôles françaises. Transféré de prison en prison au gré de ses diverses condamnations, il purge à Toul une dernière peine de 10 ans pour tentative de meurtre.

En juin 2003, lorsque vient l'heure de sa libération, le détenu est saisi d'une peur incontrôlable à l'idée de devoir affronter le monde extérieur. Dans l'espoir de prolonger son séjour derrière les barreaux, il écrit au procureur de Berlin pour s'accuser de l'assassinat, 10 ans plus tôt, d'un Néerlandais, et demande à la police de Toul de venir l'interroger. À l'inspecteur qui s'est déplacé, Piotr avoue avoir rossé à mort un compagnon de beuverie devant une boîte de nuit, puis l'avoir dépouillé de 2 000 marks. Détail troublant : on avait effectivement retrouvé dans les poches du malfrat un florin et une carte de club établie au nom de la victime. Quelques semaines plus tard, quand la police outre-Rhin confirme qu'effectivement un Néerlandais a été tué en 1993 près du club en question, une procédure d'expulsion du prisonnier vers l'Allemagne est demandée au parquet de Toul.

— Bien sûr, j'aurais préféré rester incarcéré dans une prison française, a raconté Piotr avec amertume. J'y ai mes habitudes et la nourriture est acceptable. Mais je me console en me disant qu'en me dénonçant, j'aurai au moins la chance de ne pas finir mes jours en liberté !

Plus dure sera la chute

Tard dans la nuit, Justin Lewtry, un Canadien de 23 ans, cherche désespérément à joindre Sandy, sa petite amie, depuis le studio qu'il occupe au premier étage d'un immeuble d'Ottawa. Or son mobile est en panne et la ligne de son téléphone fixe a été coupée pour facture impayée. Bien sûr, Justin pourrait passer son coup de fil d'une cabine publique, mais il a vidé son porte-monnaie jusqu'au dernier centime pour l'achat d'un sandwich. Sans trop réfléchir aux conséquences, notre amoureux transi perce alors un trou dans le plancher, dans l'espoir de se connecter à la ligne téléphonique de son voisin. Quand la brèche est suffisante, il glisse un bras, trouve un fil à tâtons, le sectionne, et déclenche le système d'alarme du Blue Moon Vidéo, le sex-shop du rez-de-chaussée. Effrayé par le hurlement de la sirène, son chat saute dans le trou et tombe. Justin se penche pour tenter de le rattraper et chute lourdement à son tour sur le sol de l'étage inférieur.

Enfermé dans le sex-shop sans moyen d'en sortir, l'infortuné n'a d'autre choix que d'attendre l'arrivée de la police. Déféré devant un tribunal, il plaide piteusement sa cause. Son histoire grotesque amadoue la juge qui ne lui inflige qu'une peine de 12 mois de prison avec sursis, et une amende de 300 dollars. Sandy, sa fiancée, refuse pour sa part de prendre au sérieux son récit rocambolesque.

— Tandis que j'attendais en vain ton appel, tu te prélassais dans un sex-shop, lui a-t-elle asséné dans le prétoire. C'est trop, je te quitte !

Juge ou romancière, il faut choisir

Justice et littérature sont-elles compatibles dans un prétoire ? C'est la question qu'a dû se poser le juge de la cour d'appel de Californie, en retirant à la juge d'instruction Joyce Dudley le droit de statuer sur le sort de Massey Haraguchi, accusé d'avoir drogué et violé une jeune femme. Motif : la magistrate, romancière à ses heures, avait publié un thriller dans lequel elle s'était inspirée du passé criminel du prévenu. « Bien que le roman et le dossier du plaignant présentent des différences, il existe assez de similitudes pour suggérer que l'intrigue, imaginée par Mme Dudley, repose sur l'affaire en cours », a établi le juge Kenneth Yegan.

Pour sa défense, Joyce Dudley a attribué les ressemblances entre faits réels et inventés à une pure coïncidence. Mais elle n'a pu nier avoir décrit le violeur sous les traits d'une « bête immonde », et qualifié l'avocat de ce dernier de « Machiavel fourbe et manipulateur ». Pas plus qu'elle n'a contesté avoir servi de modèle à son héroïne, une juge qui, dans son roman, apparaît sous les traits d'une jeune femme combinant « la grâce et la sensualité d'une danseuse, l'intelligence d'un savant, et la passion protectrice d'une mère. L'âge et l'expérience ayant encore rehaussé sa beauté renversante ».

En dépit des qualités que sa consœur s'était complaisamment attribuées par personnage interposé, le juge lui a retiré l'affaire.

Dictateur, un métier harassant

On sait que, depuis qu'elle s'est dotée d'un embryon d'arme nucléaire, la Corée du Nord fait planer une menace sur la paix du monde. Mais sait-on que les 23 millions d'habitants de ce petit pays montagneux vivent depuis plus d'un demi-siècle dans une totale opacité. Car, non seulement la presse est sous le contrôle de l'État, mais elle s'attache aussi à mystifier ses lecteurs, en rabâchant une biographie parfaitement imaginaire de Kim Jong-il, le président de la République.

Le magazine américain *US News & World Report* a recensé un florilège des exploits attribués au grand homme. Ainsi apprend-on dans son hagiographie qu'en 1942, un double arc-en-ciel est apparu dans le ciel pour saluer sa naissance dans une cabane de montagne. On découvre également qu'à l'âge où les autres enfants circulaient maladroitement en tricycle, le futur leader du pays se rendait, lui, à son école au guidon d'une puissante moto ; et qu'à 20 ans il était déjà père de 6 enfants, nés de 3 femmes différentes. Si le despote doit, par ailleurs, se satisfaire de 4 heures de sommeil par nuit, c'est pour pouvoir achever son œuvre littéraire, qui compterait à ce jour plus de 1000 ouvrages savants. Enfin, pour se délasser de journées de travail que l'on suppose bien remplies, Kim Jong-il serait un cinéphile émérite, puisqu'il connaîtrait par cœur les dialogues des 20 000 films de sa collection privée.

On comprend mieux, dans ces conditions, que le tyran coréen n'ait guère le temps d'œuvrer pour le bonheur de son peuple et l'instauration de la démocratie !

Quand le foot rend fou

La passion du football peut entraîner chez certains supporteurs les comportements les plus saugrenus. Ainsi, lors de l'avant-dernière Coupe du Monde, trois Argentins, fans de leur équipe nationale, ont-ils économisé le moindre peso pendant un an pour pouvoir s'offrir le voyage en Allemagne. Vivotant de sandwichs, dormant à la belle étoile pour ne pas entamer leur pécule, ils décident d'assister au match Pays-Bas-Argentine. Le prix des billets étant hors de portée de leur bourse, ils louent des fauteuils roulants pour obtenir des tarifs préférentiels, réservés aux personnes handicapées, et s'installent confortablement au premier rang de la tribune.

La première demi-heure de la rencontre se déroule dans une extrême tension, les deux équipes ne parvenant pas à se départager. Enfin, un attaquant argentin tire au but à la faveur d'un coup franc. C'est trop ! L'un des faux paralytiques bondit sur ses pieds et se livre, ivre de bonheur, à une danse de Saint-Guy pour encourager son équipe. Alors que des spectateurs croient à une guérison miraculeuse, tombent à genoux, et marmonnent des prières, des policiers moins crédules expulsent les tricheurs et leur infligent une lourde amende.

Autre exemple non moins édifiant de la ferveur footballistique : à Pékin, M. Wong s'installe chez lui devant son téléviseur, à 3 heures du matin, pour assister à la finale de la Coupe du Monde. Soudain, un incendie éclate.

— J'ai attrapé notre bébé et je me suis enfuie hors de la maison, a raconté son épouse. Mais mon mari a empoigné la télé, est allé dans la cour, a cherché une prise électrique, a rebranché le poste et a continué à regarder le match jusqu'au bout. Il n'a même pas daigné jeter un regard sur la maison, qui a entièrement brûlé.

Elle n'est pas belle, la vie ?

Aux pessimistes qui prétendent que l'égoïsme domine le monde, ces deux histoires devraient pouvoir les réconcilier avec l'espèce humaine. Du moins le temps de leur lecture !

Au milieu des années 1980, Remzo Pivic, un épicier bosniaque, pêche dans les flots glacés d'une rivière quand il est emporté par le courant. Tandis qu'il perd connaissance, Ahmet Adulovic, un chauffeur de taxi qui flâne sur les berges, se jette à l'eau et le sauve d'une noyade inéluctable. Les deux hommes se lient d'amitié, et quand Adulovic émigre au Canada ils restent en contact épistolaire. Lorsque Pivic apprend que son sauveur est atteint d'une maladie rénale mortelle, et qu'il est en attente d'une greffe, il se précipite à l'hôpital pour y subir des analyses. Découvrant qu'il est donneur compatible, il se rend à Ottawa, et offre l'un de ses reins à son ami.

— Je suis ravi d'avoir pu remercier Ahmet de m'avoir sauvé la vie, il y a 20 ans, a simplement déclaré Remzo après la réussite de l'intervention. Maintenant, nous sommes quittes et frères de sang.

Autre bel exemple d'altruisme : Samuel Weinstein, un chirurgien new-yorkais, participe à un programme humanitaire dans un hôpital de San Salvador, en Amérique centrale. Un jour, tandis qu'il opère à cœur ouvert Francisco, un gamin de 8 ans, une hémorragie se déclare. Seule une transfusion pratiquée en urgence peut lui sauver la vie. Or l'hôpital ne possède pas de sang de type B négatif, celui du garçon, qui est très rare.

— Par chance, j'appartiens moi aussi à ce groupe sanguin, a raconté le chirurgien. Je me suis donc fait perfuser et relier à mon patient, et j'ai poursuivi l'intervention tout en croquant du sucre. Quand Francisco s'est réveillé, il était en pleine forme.

Le pays dont le président est un escroc

Guy Laroche, un fringuant quinquagénaire, mène grand train à Paris depuis 2 ans. Rien de plus naturel puisque notre homme est le président de la République du Freedland, qu'il possède un carnet d'adresses bien rempli, et un bagout exceptionnel. Aux avocats, médecins, et responsables d'ONG qu'il rencontre, il tient un discours très persuasif : « Mon pays est le dernier havre de paix, le seul capable d'accueillir sans discrimination les sans-papiers et les réprouvés de la planète. »

Aux uns et aux autres, Laroche offre des portefeuilles ministériels dans son futur gouvernement. Mais les intéressés doivent préalablement débourser 30 000 € pour acquérir la nationalité freedlandaise. Moyennant une somme, qui varie de 3 000 à 5 000 €, le Président aide aussi les immigrés clandestins à monter leur dossier de régularisation, afin d'obtenir une carte de séjour dans son lointain pays.

En octobre 2006, Guy Laroche donne une conférence de presse dans les salons d'un luxueux hôtel de la capitale. Tandis qu'il plaide sa cause pour recueillir des fonds, 3 policiers font irruption et lui passent des menottes aux poignets.

— Vous êtes en état d'arrestation, lui dit un officier.

— Et pour quelle raison ? s'insurge l'homme d'État.

— Parce que le Freedland est un pays imaginaire, et que le montant de vos escroqueries s'élève déjà à plus de 300 000 €.

En guise de palais présidentiel, Guy Laroche gouverne aujourd'hui sa république fantôme depuis une cellule de la prison de la Santé.

Quand des Camerounais se « font mousser »

Au Cameroun, les capsules des bouteilles de bière sont-elles en passe de détrôner le franc CFA ?

— Depuis que les brasseurs du pays ont mis en circulation des bons-cadeaux, dissimulés sous les capsules, les consommateurs se sont déjà partagé 25 millions de canettes gratuites, des téléphones portables et des voitures de luxe. Cette manne a provoqué un vent de folie, déplore Martin Etonge, un journaliste de Yaoundé.

Une bière coûtant 500 francs CFA, deux fois plus qu'une course en taxi, il n'est pas rare que les capsules gagnantes servent dorénavant de monnaie d'échange. Conséquence : pour acquérir les précieuses capsules, les Camerounais se ruent dans les buvettes, et les disputes entre pochards se multiplient.

— L'autre jour, une femme a payé une canette à son cousin. Quand elle s'est aperçue que la capsule était gagnante et qu'elle donnait droit à une Mercedes, elle a prétendu lui avoir fait cadeau de la bière uniquement, pas de la bouteille ni de sa capsule, a poursuivi le journaliste. Le cousin ne l'a pas entendu de cette oreille. Réclamant l'intégralité de son cadeau, emballage compris, il a traîné son ingrate parente devant les tribunaux.

Aujourd'hui, dans l'attente du jugement, chaque buveur camerounais subtilise prudemment les capsules des bouteilles qu'il s'apprête à offrir à ses amis.

Da Vinci code revisité

Parmi les innombrables sectes ayant l'intention de cloner Jésus, l'une d'entre elles, Second Coming Projet, a ouvertement avoué avoir élaboré un plan pour s'approprier un fragment du saint suaire de Turin, en extraire de l'ADN, et l'utiliser pour féconder une jeune vierge. Outre le caractère sacrilège du projet, une question demeure : le suaire a-t-il réellement enveloppé le corps du Christ, ou s'agit-il d'une étoffe de l'époque médiévale, comme semble l'attester une datation au carbone 14 ?

Lorenzo Garza Valdès, un microbiologiste de l'université du Texas et auteur d'un livre, *L'ADN et le Christ*, a réalisé des analyses sur le tissu et publié une étude pour le moins troublante.

— Le sang qui se trouve sur le suaire est de type AB, un groupe sanguin très rare actuellement, mais qui était fréquent chez les juifs de Galilée, il y a 2 000 ans, a révélé le scientifique. Il appartient à un homme qui mesurait 1,80 m et pesait 78 kg. Cet homme a été flagellé et crucifié avant de mourir.

En 1998, après avoir communiqué au pape les conclusions de ses travaux, Garza Valdès a mis en garde tous ceux qui nourrissaient des projets de clonage :

— Si vous utilisez le peu de sang présent sur le

suaire, vous ne pourrez pas dupliquer Jésus à 100 %. Dans le meilleur des cas, vous n'obtiendrez qu'un génome incomplet, et donnerez naissance à un être monstrueux et maléfique. Un antéchrist.

Il semble que cet avertissement n'ait pas suffi à convaincre les groupuscules fanatiques d'abandonner leur idée folle.

Bonnets d'ânes

Excédé par la gestion calamiteuse de la plupart des villes de son pays, Uhuru Kenyatta, le ministre kenyan de l'Administration locale, a déposé un projet de loi interdisant dorénavant aux maires d'exercer leur mandat s'ils n'étaient pas diplômés de l'Université. Quand on saura que seuls 2 élus sur 46 ont poursuivi des études au-delà de l'école secondaire, et que plusieurs d'entre eux refusent de recevoir des visiteurs étrangers tant leur pratique de l'anglais est approximative, on comprendra que l'annonce du ministre ait fait l'effet d'une bombe. Toutefois, Kenyatta, bon prince, a accordé aux édiles locaux un an de congé sabbatique pour se préparer à passer les épreuves du baccalauréat. À la stupeur générale, tous les candidats sans exception ont été impitoyablement recalés. Le chef de l'État ayant été exempté d'examen, on ignore s'il possède ou non le niveau d'étude requis pour exercer ses hautes fonctions.

Si une telle mesure avait été prise en France par un ministre zélé, la République aurait dû se priver des services d'André Malraux, de Pierre Bérégovoy, d'Antoine Pinay, de René Monory et de Georges Marchais, puisque aucun d'eux n'avait obtenu le baccalauréat !

Les gogos des *éros*

La vigilance de nos contemporains se serait-elle relâchée au point qu'ils sont aujourd'hui incapables de distinguer un vrai billet de banque d'une grossière falsification ? C'est du moins ce que laisse entendre un grand quotidien allemand, en révélant une anecdote à peine croyable.

Il y a peu, à Hambourg, pour doper ses ventes, un fabricant de farces et attrapes a mis en circulation des billets de 300 et de 600 *éros*. Sur ces coupures dédiées au dieu de l'amour, les chefs-d'œuvre de l'architecture européenne ont été remplacés par de gracieuses silhouettes féminines aux seins nus, et les étoiles qui symbolisent l'Union par un chapelet de cœurs. Bien que les différences entre vrais et faux billets soient flagrantes, et qu'il n'existe pas de devises d'une valeur aussi élevée, de nombreux commerçants se sont laissé berner.

— Quand un client m'a tendu une coupure de 600 *éros* pour régler un petit achat, j'ai bien noté que le billet était différent, s'est désolé Bernd Friehelm, un buraliste, mais il m'a expliqué que c'était tout nouveau. Je l'ai cru et je lui ai rendu la monnaie, soit 534 € !

Lorsqu'une dizaine de plaintes se sont accumulées, la police de la ville a ouvert une enquête et retrouvé sans difficulté la firme ayant mis les *éros* en circulation. Pour autant, les plaintes sont restées vaines, et les billets n'ont pas été retirés de la circulation.

— Les différences entre *éros* et euros sautent aux yeux, et on ne peut pas parler dans ce cas de contrefaçon, a déclaré un porte-parole. S'il fallait protéger les citoyens contre la bêtise, les moyens de la République n'y suffiraient pas !

Mona Lisa, enceinte ou édentée ?

L'expression énigmatique de *La Joconde* nourrit depuis des siècles les spéculations fantaisistes des chercheurs en tout genre. Dernière en date, la théorie avancée par Nick Rossiter, un documentariste de la BBC, qui, avec une équipe d'experts, a étudié pendant deux ans l'œuvre du génial Léonard. D'après lui, Lisa del Giocondo, le modèle, était enceinte, ce qui expliquerait son étrange sourire. Le réalisateur a, en effet, retrouvé dans les archives de la ville de Florence le certificat de baptême d'un enfant né de la jeune femme dans le courant de l'année 1503, quelques mois après l'achèvement du tableau.

Sherwin Nuland, un anatomiste de l'université de Yale, a confirmé l'hypothèse d'une grossesse, en se référant aux doigts congestionnés de Mona Lisa.

D'autres théories moins flatteuses laissent penser que Mme del Giocondo masquait des infirmités derrière son célèbre rictus. Ainsi, selon un médecin comportementaliste, étant sourde, elle affichait un sourire crispé pour déguiser l'effort constant qu'elle devait soutenir pour tenter de comprendre les indications données par le peintre, en lisant sur ses lèvres. Pour un dentiste, la belle Florentine tentait plutôt de cacher une dentition déplorable.

Quoi qu'il en soit, après cinq siècles d'expertises farfelues et de supputations invérifiables, l'énigme de *La Joconde* reste entière. Mais est-il bien raisonnable de s'obstiner à vouloir percer le mystère d'une femme ?

Un drôle de spécimen

En 1808, rescapés des horreurs de la guerre napoléonienne, 1 600 Espagnols furent déportés en France et emprisonnés à Montbrison. Libérés six ans plus tard après l'armistice, certains regagnèrent leur pays, tandis que d'autres restèrent sur place pour y travailler. Parmi eux se trouvait un jeune maçon, embauché par Jean-Baptiste d'Allard à la construction d'un hôtel particulier où il prévoyait de loger ses collections d'animaux exotiques naturalisés. L'ouvrier donna pleine satisfaction. Jusqu'au jour où, en 1825, il dégringola de son échafaudage et se brisa le cou. Par curiosité scientifique plus que par attachement sentimental, d'Allard se hâta d'immerger le défunt dans une cuve de formol et l'expédia à Paris à Édouard Dupont, le taxidermiste du Muséum d'histoire naturelle. Le visage proprement siliconé, le corps rembourré de crin, le maçon fut renvoyé à Montbrison pour venir enrichir le cabinet de curiosités de l'aristocrate collectionneur.

Deux siècles plus tard, l'ouvrier momifié figure toujours en bonne place dans le musée, en compagnie d'un troupeau d'animaux empaillés.

Un accord venant d'être signé entre la France et l'Espagne pour « l'échange et la restitution de biens culturels », on ne sait si le spécimen de l'*Homo sapiens* ibérique va enfin pouvoir regagner sa Catalogne natale ?

Mortelle gourmandise

En 1978, pourchassé de toutes parts pour avoir commandité un détournement d'avion, Waddia Haddad, le leader palestinien du FPLP, trouve refuge en Irak. Doté d'une prudence quasi paranoïaque, il s'entoure de mille précautions, allant jusqu'à coucher chaque soir dans un lit différent. Incapable de l'atteindre directement, le Mossad, le service secret israélien, se résigne à exploiter la seule faiblesse qu'il lui connaisse : son insatiable gourmandise. Car, bien que pesant 140 kg, Haddad n'en continue pas moins de grignoter douceurs et friandises à longueur de journée. Par l'intermédiaire d'un garde du corps corrompu, le Mossad parvient à l'approvisionner en succulents chocolats belges. Aveuglé par sa gloutonnerie, le Palestinien renonce à enquêter sur l'origine des confiseries, pourtant introuvables à Bagdad à la veille de la révolution islamique.

Le journaliste Aaron Klein, l'auteur de cette révélation, affirme ensuite, que, durant six mois, les espions israéliens ont méthodiquement injecté une toxine indécelable dans les chocolats. Jusqu'à ce que la dose de poison soit suffisamment forte pour envoyer Haddad dans un monde meilleur.

Après l'autopsie du cadavre, les médecins légistes irakiens attribuèrent la mort de l'activiste à une leucémie foudroyante !

Cuir et caoutchouc

À Brême, en Allemagne, un homme pénètre en trombe dans un commissariat, et demande, bouleversé, à parler d'urgence à un officier.

— Je viens d'assister à un enlèvement, lâche-t-il, le souffle court. J'ai vu un couple patibulaire ligoter un homme et le jeter dans le coffre d'une voiture, avant de démarrer sur les chapeaux de roues.

Le policier demande au témoin s'il peut décrire la voiture des ravisseurs.

— Une BMW noire. J'ai noté le numéro de la plaque minéralogique.

Aussitôt un impressionnant dispositif de recherche se met en place. Les faubourgs de la ville sont quadrillés, et un hélicoptère survole les grands axes routiers. Une heure plus tard, la voiture suspecte est arrêtée à un barrage et ses occupants interceptés. Les policiers ouvrent le coffre et découvrent, effectivement, un homme ligoté à l'intérieur. Détail troublant :

un collier pour chien garni de clous emprisonne le cou du captif. À peine lui a-t-on retiré la bande adhésive qui obstrue sa bouche qu'il se met à hurler :

— Mais qu'est-ce que vous faites, vous gâchez tout !

Les policiers, sidérés, observent de plus près le couple des ravisseurs. Ils constatent qu'ils sont vêtus de combinaisons en latex, et qu'un fouet est posé sur le siège de la femme. Explication : l'étrange trio se livrait à une mise en scène sadomasochiste. Et semblait y trouver son compte !

Stratégie ferroviaire

La SNCF, dit-on, attire assez peu les diplômés des grandes écoles. Elle compte néanmoins dans ses rangs de brillants ingénieurs, capables comme on va le voir d'apporter des réponses cohérentes et rapides à des situations extrêmes. Ainsi, lorsque le TER qui relie La Rochelle à Poitiers tombe en panne en pleine voie, l'un d'entre eux décide d'envoyer aussitôt un véhicule au conducteur de la rame, afin qu'il regagne Poitiers pour y chercher une locomotive de secours. Le convoi, immobilisé pendant 2 heures à proximité d'un passage à niveau, provoque un embouteillage monstre. Pour rétablir la circulation sans danger, la gendarmerie demande à l'ingénieur d'évacuer en taxi les 200 voyageurs de la rame. Ce dernier refuse catégoriquement et, pour être obéi, coupe l'alimentation électrique sur toute la ligne, bloquant les portes du train, et paralysant en rase campagne, pendant une heure supplémentaire, la locomotive de secours et trois autres convois.

Enfin, au terme de 4 heures d'intense stratégie ferroviaire, l'ingénieur décide à contrecœur d'acheminer les passagers du TER vers Poitiers en autocar, permettant du même coup aux gendarmes de désengorger les routes du canton.

Qui a dit qu'un peu de bon sens valait tous les diplômes ?

Carnages virtuels

Si vous obtenez l'autorisation de visiter le camp d'entraînement militaire de Fort Polk, en Louisiane, vous assisterez à des scènes de chaos et de carnage insoutenables : déflagrations, hurlements de femmes et de bébés, tanks en flammes, soldats atrocement mutilés errant dans une ville détruite. Plus tard, quand les incendies s'éteindront comme par magie et que les morts bondiront sur leurs pieds pour se congratuler, vous comprendrez enfin que vous avez assisté à un immense jeu de stratégie grandeur nature.

En effet, pour préparer ses troupes à livrer « la guerre contre le terrorisme », le Pentagone a confié à la société de production Cubic le soin d'imaginer et de mettre en scène des situations de guerre hyperréalistes. Ainsi, pour illustrer ses scénarios, facturés chacun 9 millions de dollars, Cubic recrute chaque mois 4 000 figurants. 250 immigrés arabophones, payés 220 dollars par jour, jouent le rôle des moudjahidine, tandis qu'une escouade d'éclopés, manchots et unijambistes équipés de poches de sang artificiel, incarne les victimes civiles. Une ville de 29 immeubles, équipés de générateurs de fumée et d'un système de sonorisation, complète le dispositif. 900 caméras vidéo transmettent à l'état-major l'intégralité des combats.

— Bien entendu, on ne tire pas à balles réelles, précise un colonel. Les participants portent des gilets munis de capteurs. À la fin de la manœuvre, des arbitres comptabilisent les impacts avec un lecteur de codes-barres.

— Quel camp est le plus souvent vainqueur ? ont demandé des journalistes, invités à suivre une démonstration.

— Secret défense ! a répondu sèchement l'officier.

La monnaie de sa pièce

À Rome, une coutume invite les touristes à lancer dans leur dos deux pièces de menue monnaie dans la fontaine de Trevi. La première pour exaucer un vœu secret, la seconde pour revenir un jour dans la Ville éternelle. Ce geste innocent, mais que répètent inlassablement des milliers de visiteurs, finit par transformer chaque année le célèbre monument en coffre-fort à ciel ouvert.

Une nuit, la tentation étant trop forte, Nadia Angrisni, étudiante aux beaux-arts, s'équipe d'un aimant, attaché au bout d'une ficelle, et ratisse les piécettes dans le fond de la vasque. Mais la pêcheuse devenue pécheresse se fait surprendre par la police, confisquer son butin, accuser de vol caractérisé, et infliger une amende de 1 500 €. Son avocat fait rejuger l'affaire, arguant que l'argent n'appartient à personne. La justice retient le caractère de *res nullius* des pièces récoltées, mais maintient le montant de l'amende en vertu du délit de « dégradation de monument public ».

La sévérité du verdict et la volonté de faire jurisprudence s'expliquent sans doute par l'importance de la manne. Car ce sont plus de 125 000 € que la municipalité romaine récupère chaque année dans la fontaine. Pour les offrir, il est vrai, à une organisation caritative.

Le cerveau lent de l'institutrice

Hérodote a imaginé que les ingénieurs de Pharaon utilisaient un système de gradins sophistiqué pour ériger les pierres nécessaires à l'édification des pyramides d'Égypte. D'autres historiens ont spéculé sur l'emploi de rampes en brique crue. Et un levier à bascule, exposé dans un musée du Caire, donne à penser que plusieurs méthodes furent adoptées simultanément par les bâtisseurs.

— Faux ! s'est révoltée Maureen Clemmons, une institutrice californienne. Pour déplacer les énormes blocs, les Égyptiens se servaient des vents violents, qui soufflent de février à juin dans la vallée du Nil.

Pour démontrer son hypothèse, la contestatrice a fait fabriquer deux cerfs-volants de 5 m d'envergure, auxquels elle a fixé un obélisque de 180 kg. La charge a survolé une prairie sur une dizaine de mètres avant de s'écraser sur le sol, semant la panique dans un troupeau de moutons. Au cours d'un nouveau test, les cerfs-volants géants ont propulsé dans les airs un assistant distrait, au lieu du bloc de granite de 3 tonnes dont ils devaient assurer la lévitation.

Zahi Hawass, le secrétaire général du Conseil suprême des antiquités égyptiennes, a commenté en ces termes les expérimentations spectaculaires de Mme Clemmons : « J'appelle pyramidiots tous ceux qui essayent de percer le secret des pyramides sans rien y connaître. »

Bourreaux de travail sous influence

Après la capitulation du Japon, en septembre 1945, des troupes d'occupation américaines débarquent dans un port partiellement détruit de l'archipel nippon. Elles découvrent, stupéfaites, que, loin d'être affectée par la défaite et les années de privation, la population civile déploie une activité fébrile et affiche une joie de vivre communicative. Après plusieurs jours d'enquête, les Américains comprennent enfin les raisons de cet optimisme forcené : les Japonais, femmes et enfants compris, s'approvisionnent en cachets de métamphétamine dans une usine pharmaceutique récemment bombardée, les médicaments étant à l'origine destinés à requinquer le moral des pilotes kamikazes au cours de leurs missions suicides.

60 ans plus tard, le *Bangkok Post* vient de dénoncer un scandale qui embarrasse Tokyo. Pour améliorer le rendement des ouvriers dans les entreprises japonaises installées en Thaïlande, des cadres introduisaient des doses massives de cette drogue dans la nourriture servie dans les cantines. « On mélangeait au riz des substances dopantes quand il y avait une grosse commande avec des délais très serrés », a avoué honteusement à la police le contremaître d'une grosse firme d'électronique.

En transformant leurs employés en kamikazes, les Japonais illustrent-ils l'expression populaire qui dit d'un bourreau de travail qu'il se tue à la tâche ?

Attentat artistique

À Londres, au British Museum, un groupe de touristes admire avec émotion une œuvre étrange, exposée dans une salle des antiquités. Il s'agit d'une peinture rupestre dont la puissance d'évocation n'a rien à envier aux plus belles représentations préhistoriques, préservées par exemple sur les murs de la grotte de Lascaux. Une notice explicative répond à la curiosité des visiteurs : « Cet exemple parfaitement conservé d'art primitif date de l'ère postcatatonique et décrirait les premiers hommes s'aventurant au-delà de leurs espaces de chasse. » Observée de plus près, l'œuvre montre un homme vêtu d'une peau de bête, poussant devant lui un véhicule à roulettes qui ressemble à s'y méprendre à un chariot de supermarché. Quand ils poursuivent la lecture de la notice, les visiteurs, intrigués, découvrent ensuite que « cette peinture est attribuée à Bansksymus Maximus, artiste connu pour avoir fourni un travail substantiel dans le sud-est de l'Angleterre ».

Quelques jours plus tard, lorsqu'un certain Bansky, « terroriste artistique », confesse par courriel être l'auteur du canular, le « chef-d'œuvre » préhistorique est rapidement escamoté à la vue du public.

— Nous avions, bien sûr, repéré tout de suite la supercherie, a sournoisement déclaré à la presse un représentant du musée, mais nous avions décidé de maintenir en place la fausse peinture pendant quelques jours, le temps de divertir les visiteurs.

Les natifs de la perfide Albion ont, décidément, réponse à tout !

Sur le bout des doigts !

Comme chaque matin, Hans Weiss est en retard pour se rendre à l'heure à son bureau. C'est pourquoi, une fois encore, il se précipite sur le quai de la gare de Fribourg dans l'espoir de prendre au vol un train à destination de Cologne. Tandis qu'il s'accroche désespérément à la barre d'un marchepied, la porte se referme brutalement et lui sectionne un doigt. Le malheureux est rapidement secouru, mais son doigt coupé est resté dans la rame. Conduit à l'hôpital le plus proche, Weiss explique à un chirurgien qu'il aimerait bien recouvrer l'intégralité de son anatomie dans les meilleurs délais.

— Je veux bien recoudre votre doigt, lui dit le médecin, mais comment puis-je faire, s'il voyage de son côté sur le sol d'un wagon ?

Fort heureusement, des passagers découvrent l'appendice près des toilettes. Ils préviennent le contrôleur qui fait stopper le convoi et alerte la police. Placé dans de la glace, le doigt est acheminé à l'hôpital par un motard. L'intervention est un succès.

Weiss remercie chaleureusement médecins, policiers et voyageurs. Et leur promet que, désormais, pour ne pas avoir à courir après son train, il apprendra les horaires sur le bout des doigts !

La corde au cou

Chaque année, pendant la saison des mariages, les hommes célibataires de l'État du Bihar tremblent à l'idée de se faire enlever par des gangs spécialisés dans les mariages forcés. Explication : dans cet État très pauvre du nord-est de l'Inde, pour se marier, les garçons exigent des familles des jeunes filles des dots exorbitantes, représentant souvent plus de dix ans d'épargne. Résultat : en échange d'une rétribution, calculée sur la caste et le statut social du futur époux, les parents des filles à marier confient à des malfrats le soin de kidnapper leurs futurs gendres, et de les emmener de force devant un prêtre qui procède rapidement à la cérémonie selon les rites hindouistes les plus stricts.

La police parvenant rarement à intervenir à temps,

les malheureuses victimes, auxquelles le divorce est dès lors interdit, sont condamnées à vivre en compagnie d'une épouse qu'elles n'ont pas choisie. Il semble que les proies les plus convoitées soient les fonctionnaires, les médecins et les hommes d'affaires.

Un remède pourtant simple pourrait mettre fin à ce trafic honteux : réduire ou supprimer le montant excessif des dots, réclamées par les prétendants cupides aux parents des jeunes filles !

L'arche de Confucius

Maîtriser l'écosystème exige d'anticiper les répercussions en cascade que peuvent entraîner des décisions pas toujours judicieuses.

Ainsi, pour éradiquer la prolifération des serpents qui infestent leurs champs, les habitants du village de Sanjiang, dans la province du Guangdong, en Chine, décident d'acquérir à grands frais une cargaison de rats, capturés dans les égouts de Canton. Les rats des villes devenus rats des champs s'acquittent de leur mission avec célérité et se reproduisent de bonne humeur. À tel point que la colonie de rongeurs prolifère, devient incontrôlable, et dévore les récoltes des paysans jusqu'au dernier grain de riz. Pour enrayer le fléau, on recrute 200 chats pour l'équivalent d'un millier d'euros, et on les lâche dans les rues du village. Nouveau succès : les rats survivants regagnent, penauds et rassasiés, les égouts de Canton. Afin d'éviter ensuite que les chats ne s'attaquent aux oiseaux, qui de leur côté se chargent d'éliminer chenilles et insectes nuisibles, le conseil municipal débloque un crédit exceptionnel pour offrir aux félins des festins quotidiens de poissons frais, pêchés dans un étang voisin.

L'histoire ne dit pas par quelle nouvelle espèce animale les poissons seront remplacés quand ils viendront à disparaître à leur tour !

Un sérieux « coup de barre »

Après 8 heures d'audience ininterrompues, Clara Clearwater, juge à la cour d'assises du Cap, en Afrique du Sud, est littéralement épuisée, et la pile des dossiers qui encombrent encore son bureau a à peine diminué. C'est pourquoi elle se frotte les yeux de fatigue lorsqu'un groupe de 11 dangereux malfaiteurs prend place dans le box des accusés. Parmi eux se trouvent un violeur récidiviste, 2 trafiquants de cocaïne et 3 braqueurs de banque.

À l'ébahissement général, alors qu'un premier témoin s'apprête à monter à la barre, la juge assène de violents coups de maillet sur son pupitre et prononce un non-lieu collectif. Tandis que les voyous déguerpissent sans demander leur reste, les assesseurs stupéfaits demandent à leur collègue ce qu'il lui prend.

— Je suis affamée, j'ai soif, j'ai sommeil et mes pieds sont en compote. Alors, fichez-moi la paix ! leur répond Clara, excédée, en quittant le tribunal.

Une heure plus tard, informé de l'affaire par téléphone, le ministre de la Justice demande à la police de faire l'impossible pour retrouver les malfrats et de les renvoyer derrière les barreaux. Il lui demande aussi de lui livrer la juge. Séance tenante et menottes aux poignets.

On ne sait si cet incident, unique dans les annales de la justice sud-africaine, a contribué à alléger la charge de travail des magistrats ?

Ce que l'on conçoit bien s'énonce clairement

George W. Bush, ex-président des États-Unis d'Amérique, serait-il fâché avec la langue d'Hemingway et de Truman Capote ? C'est ce que laisse entendre le *Mirror*, de Londres, en offrant à ses lecteurs un florilège d'authentiques citations de l'homme qui fut en son temps le plus puissant de la planète.

Je ne résiste pas à mon tour à la tentation de vous faire partager de courts extraits de ses discours : « Je suis le pitbull accroché à la jambe de la chance. Je sais que l'homme et le poisson peuvent coexister. C'est les familles où notre maison puise l'espoir, où nos ailes puisent leurs rêves. Mettez de la nourriture sur votre famille ! Abattez les péages ! Vulcanisez la société ! Et placez plus haut la barre du gâteau ! »

Dans d'autres allocutions non moins métaphoriques, le président américain s'est, semble-t-il, laissé emporter par une verve devenue incontrôlable. Jugez-en plutôt : « Nous sommes tous d'accord, je pense, le passé, c'est fini, mais ce monde reste dangereux. Un monde de fous, d'incertitude et de pertes psychologiques potentielles. Rarement on se demande si nos enfants apprend (*sic*). »

Pourtant habitués, depuis l'élection de Ronald Reagan, en 1981, à placer à la tête de la Maison-Blanche des personnalités atypiques, nombre de citoyens américains ont dû, cette fois, se jeter sur leurs dictionnaires pour tenter de déchiffrer la teneur des élucubrations présidentielles !

Village maudit

Fatalité ou enchaînement d'obscures coïncidences, comment expliquer que certains lieux paisibles puissent soudainement se transformer en cimetières ? Ainsi en est-il du village de Woodseaves, en Angleterre, qui ne compte pourtant que 500 habitants, mais où a été enregistré un nombre d'accidents et de suicides qui défie la logique et les statistiques.

En voilà le macabre décompte : en novembre 1990, Darren Holmes s'immole par le feu dans la maison de sa maîtresse. Une semaine plus tard, Roy Harrison, le vicaire de la paroisse, se pend dans l'escalier de son presbytère, peu après la mort de sa mère, égorgée par un chien. Le mois précédent, Ray Langham s'était tué au volant de sa Jaguar, en percutant sans raison le seul arbre bordant une route déserte. Quelques jours plus tôt, dans l'hôpital de la ville voisine, Roy Lawrence avait succombé à une perfusion, en recevant du sang n'appartenant pas à son groupe. Enfin, pour compléter l'hécatombe, le lendemain, Gerard Bliss, un spécialiste en armement, était déchiqueté par un obus, en testant un système de mise à feu.

Interrogée par la presse sur la cause de ces morts en série, la postière de Woodseaves s'est contentée de déclarer à la presse avec sobriété : « On dirait qu'effectivement, une malédiction s'est abattue sur le village. Allez savoir pourquoi ! »

Cherche Pedro désespérément

À Key West, en Floride, Samantha, une baby-sitter embauchée le matin même par les Guerrero, est chargée de récupérer leur fils, Pedro, à la sortie de son école, et de le ramener directement à la maison. Une demi-heure plus tard, ignorant l'existence de Samantha, la grand-mère du gamin se présente à son tour. Le gardien l'informe qu'un homme est déjà passé prendre son petit-fils. Redoutant un kidnapping, la grand-mère, affolée, avertit la police, qui diffuse aussitôt la photo du disparu sur une chaîne de télévision locale.

Quand les Guerrero rentrent chez eux, ils découvrent avec stupeur que le garçonnet qui trône dans leur salon n'est pas leur fils, mais que, par contre, sa photo, accompagnée d'un avis de recherche, est diffusée en boucle sur le petit écran. Ils se ruent sur le téléphone et signalent le fait à la police.

Explication : n'ayant pas eu le temps de s'accoutumer à Pedro, Samantha l'avait confondu avec un autre enfant, qu'elle avait ramené par erreur chez les

Guerreo. Constatant que le vrai Pedro avait été oublié par sa baby-sitter, la directrice de l'école avait téléphoné à son oncle pour qu'il vienne le chercher. Plus tard, la venue inopinée de sa grand-mère avait encore compliqué les choses et déclenché l'alerte.

Le plus étrange dans ce quiproquo qui s'est bien terminé est que les parents du second garçon, « enlevé » par inadvertance, ne s'étaient, eux, nullement inquiétés de sa disparition !

Pilote en herbe

Amanda Weber, une Anglaise d'une trentaine d'années, sort du supermarché où elle vient de faire des emplettes. Elle installe Oscar, son fils âgé de un an, sur le siège bébé de sa Ford, se glisse au volant et tourne la clé de contact. Le moteur refuse de démarrer. Après plusieurs essais, la jeune femme appelle un dépanneur, qui arrive rapidement et finit par découvrir l'origine de la panne : la puce électronique de la clé de contact a disparu. Amanda vide son sac et fouille ses poches. Pas de puce. Elle se souvient alors que son petit Oscar jouait avec les clés pendant qu'elle rangeait ses courses dans le coffre.

— Oscar mâchouillait les clés. Aurait-il avalé la puce ?

Le dépanneur décide sur-le-champ de vérifier cette hypothèse. Il s'empare du bébé, l'approche du tableau de bord et donne un tour de clé. Miracle ! Le moteur ronronne et se coupe dès qu'on éloigne l'enfant.

— Si vous voulez vous épargner les frais d'un remorquage, je ne vois qu'une solution, conseille Scott. Maintenez votre fils le plus près possible de la clé et roulez lentement.

On imagine la joie du bébé, installé sur les genoux de sa mère, ses petites mains posées sur le volant. On imagine aussi le regard courroucé et réprobateur des automobilistes qui assistent à la scène. On imagine enfin l'angoisse d'Amanda à l'idée de devoir justifier son infraction si un policier venait à l'arrêter. De retour à la maison, Oscar a-t-il fait le lien entre son exploit de pilote en herbe et l'étrange ferveur, mêlée d'appréhension, avec laquelle sa mère a inlassablement examiné le contenu de ses couches ? Jusqu'à ce que la puce, et par conséquent l'usage de sa voiture, lui soit enfin rendue.

Croix de bois, croix de fer

En Italie, les nonnes, dit-on, portent malheur. Aussi n'est-il pas rare de voir des passants changer de trottoir à l'approche d'un groupe de religieuses, ou de se précipiter sur le premier morceau de fer venu et de susurrer « Ta sœur ! », car une superstition immémoriale prétend que toucher ce métal tout en prononçant cette injonction éloigne le mauvais sort.

Agacées par cette tradition, infondée et discourtoise, trois jeunes religieuses du couvent de Passirano, en Lombardie, ont décidé de se révolter en créant un groupe de rap. Le premier album de cette formation, *Sister Act*, est disponible dans les bacs des disquaires et remporte déjà un succès d'estime. Destiné à faire honte aux catholiques italiens superstitieux, et à les encourager à changer d'attitude, le morceau intitulé *Suora tua, tocca ferro !* (Ta sœur, touche du fer !) tourne notamment en dérision ces croyances féodales.

Sœur Alexandra, la chanteuse leader du groupe, dit ne pas avoir été censurée par sa hiérarchie. « Personne n'a cherché à nous mettre des bâtons dans les roues. Ne portons-nous pas la parole du Seigneur aux plus jeunes pour les faire changer de mentalité ? »

Précisons toutefois que les rappeuses ont pieusement décliné l'offre de se produire en tenue légère dans une boîte de nuit de Pavie.

Les énarques de l'arnaque

On sait que le monde des arnaqueurs compte dans ses rangs des virtuoses, capables de vendre des congélateurs à des Esquimaux. La mésaventure, survenue à Jean Tricot, P-DG d'une enseigne de distribution alimentaire, tend à prouver que l'imagination des filous est, effectivement, sans limites.

Par l'intermédiaire d'une revue spécialisée, Tricot met en vente la somptueuse demeure qu'il possède sur les bords de la Loire. Trois hommes sobrement vêtus se présentent. Durant la visite, la conversation dérive de l'immobilier aux œuvres d'art, puisque des toiles de maîtres ornent les murs des salons. L'un des hommes propose alors de céder une statuette en jade de l'époque Ming, pour une somme très inférieure à celle du marché. Tricot achète 10 000 € la pièce, parfaitement authentique.

Deux jours plus tard, un autre visiteur s'extasie devant la statuette, et en offre aussitôt 60 000 €. Lorsque la première équipe revient sur les lieux, Tricot lui demande si d'autres pièces en jade sont à vendre, persuadé qu'en achetant la première il a fait une superbe affaire. Les arnaqueurs lui cèdent alors une collection complète de statuettes, fausses celles-là, pour la somme exorbitante de 3 millions d'€. Comble du cynisme : ils conseillent au naïf de laisser vieillir les chefs-d'œuvre trois ans, afin de les valoriser. Or ce délai correspond précisément à la durée de prescription en matière d'escroquerie. Quand Tricot découvre la supercherie, il porte plainte. Commentaire du commissaire chargé de la répression des fraudes : « Dans cette affaire, il est intéressant de noter que la victime a un profil bac plus 5 et qu'elle est entourée d'excellents conseillers, alors que les arnaqueurs ont, eux, un niveau d'étude de bac moins 10, certains ne sachant probablement ni lire ni écrire. »

Quand l'art tue

Entre hasard et paranormal, il est difficile d'admettre que les événements inexplicables qui jalonnent une existence puissent n'être qu'une succession de pures coïncidences. Que peut-on penser, en effet, de la malédiction qui s'est attachée aux œuvres de Hans Kinnow, un peintre hongrois qui exerçait son art à la fin des années 1930 ?

Ayant acquis une belle réputation, Kinnow se voit confier la réalisation du portrait de l'épouse d'un industriel prospère. À peine l'a-t-il achevé que son modèle succombe à une crise cardiaque. Son client suivant est un banquier de Budapest, lequel meurt à son tour quelques jours après l'achèvement du tableau. Six mois après, lorsque la fille d'un médecin rend l'âme sans raison après avoir posé pour lui, Kinnow jure de ne plus toucher à ses pinceaux.

Beaucoup plus tard, tombé éperdument amoureux, le peintre succombe à la tentation de portraiturer sa fiancée. Mal lui en prend : la belle décède d'une pneumonie foudroyante, alors que la toile n'a pas eu le temps de sécher.

Déprimé, rongé par la culpabilité, l'artiste abandonne la peinture une nouvelle fois, vivote de petits métiers, et disparaît de la circulation.

En 1938, la police retrouve son corps sans vie dans la chambre d'une pension sordide. Et découvre à ses côtés, gisant sur le sol, un dessin exécuté au fusain : un autoportrait !

Irrésistible humour anglais

Comme vous l'avez sans doute constaté au fil de ces histoires, j'accorde une tendresse particulière à nos amis anglais, dont le sens de l'humour allège souvent le poids du quotidien. Ainsi apprend-on que le 999, le numéro des urgences en Grande-Bretagne, reçoit en moyenne 2 000 appels par jour, et que la teneur de nombre d'entre eux aurait autrefois enchanté les poètes surréalistes.

En voilà un florilège. Une femme compose le 999 pour que la police vienne délivrer un porc-épic dont le museau est resté coincé dans une boîte de conserve. Une autre téléphone pour se plaindre que son mari tarde à rentrer, après être allé lui acheter un paquet de cigarettes. Une troisième parce qu'elle s'est cassé un ongle en réglant sa note de restaurant. Un homme, apeuré à l'idée de manquer la retransmission d'un match de football, alerte, lui aussi, les services d'urgence pour qu'on vienne l'aider à régler son téléviseur…

Mais les plus hautes instances du pays ne donnent-elles pas le ton ? Ne parvenant pas à enregistrer son message d'accueil sur sa ligne de téléphone directe, la reine Elizabeth demande l'aide de ses petits-enfants, William et Harry. Voilà le message que les princiers garnements lui ont concocté : « Salut mon pote ! C'est Liz. Désolée d'avoir dû m'absenter du trône. Pour joindre Philip, faites le 1, pour Charles faites le 2, et pour les corgis (les chiens favoris de la reine) faites le 3. » S'apercevant de la supercherie, Sa Gracieuse Majesté a, paraît-il, trouvé la blague très drôle. *God save the queen !*

Du même auteur
aux Éditions Albin Michel :

INSTINCT MORTEL
70 histoires vraies

LES GÉNIES DE L'ARNAQUE
80 chefs-d'œuvre de l'escroquerie

INSTANT CRUCIAL
Les stupéfiants rendez-vous du hasard

TRAGÉDIES À LA UNE
La Belle Époque des assassins, par Alain Monestier

POSSESSION
L'étrange destin des choses

ISSUE FATALE
75 histoires inexorables

LE CARREFOUR DES ANGOISSES
Les Aventuriers du XXe siècle, t. 1
60 récits où la vie ne tient qu'à un fil

ILS ONT VU L'AU-DELÀ
Les Aventuriers du XXe siècle, t. 2
60 histoires vraies et pourtant incroyables

JOURNÉES D'ENFER
Les Aventuriers du XXe siècle, t. 3
60 récits des tréfonds de l'horreur au sommet du sacrifice

L'ENFANT CRIMINEL

LES AMANTS DIABOLIQUES

L'EMPREINTE DE LA BÊTE
50 histoires où l'animal a le premier rôle

JE ME VENGERAI
40 rancunes mortelles

SURVIVRONT-ILS ?
45 suspenses où la vie se joue à pile ou face

SANS LAISSER D'ADRESSE
Enquêtes sur des disparitions et des réapparitions extraordinaires

DESTINS SUR ORDONNANCE
40 histoires où la médecine va du meilleur au pire

CRIMES DANS LA SOIE
30 histoires de milliardaires assassins

ILS ONT OSÉ
40 exploits incroyables

COMPLOTS
Quand ils s'entendent pour tuer

MORT OU VIF
Les chasses à l'homme les plus extraordinaires

26 DOSSIERS QUI DÉFIENT LA RAISON

LA TERRIBLE VÉRITÉ
26 grandes énigmes de l'histoire enfin résolues

SUR LE FIL DU RASOIR
Quand la science traque le crime

KIDNAPPINGS
25 rendez-vous avec l'angoisse

www.pierre-bellemare.com

Pierre Bellemare dans Le Livre de Poche

LES DERNIERS TITRES PARUS

Sans laisser d'adresse n° 30003
(avec G. Frank)

Un homme prétendu mort refait surface, le corps meurtri, pour accuser celle qui l'a trompé… Un détenu voit apparaître dans sa prison celui qu'il a tué… Une femme se fait passer pour morte pour pouvoir épouser sous une autre identité l'homme qu'elle aime… Lorsque resurgit quelqu'un qui avait disparu « sans laisser d'adresse », nos vies basculent. Car un « revenant » apporte parfois l'apaisement, souvent le drame, mais toujours l'inattendu. Avait-il choisi de disparaître ? Pourquoi ? Qu'a-t-il fait, dans son « ailleurs » ? Que revient-il faire sur terre ? Qui est-il vraiment ? Quelqu'un a-t-il profité de son absence ? Dans ces récits fascinants, la vie et la mort, le fantastique et le réel, le faux et le vrai se mêlent pour nous dévoiler de terribles secrets.

Destins sur ordonnance n° 30241
(avec J.-F. Nahmias)

Ils ont entre leurs mains la vie et la mort de leurs semblables. Sauveurs de l'humanité ou criminels insoupçonnables, ils peuvent commettre le meilleur comme le pire… Dans toutes ces histoires, peuplées de savants et de fous, il n'est question que de vie, la vôtre, la nôtre, d'hommes et de femmes qui souffrent et qui guérissent, d'enfants qui meurent et de parents qui espèrent, tous spectateurs ou témoins des fantastiques progrès accomplis par la médecine. Passionnants, émouvants, instructifs, ces destins sur ordonnance en disent long sur la nature humaine.

Crimes dans la soie n° 30476
(avec J.-F. Nahmias)

Ils sont rois ou reines, princes ou princesses, grands de ce monde, milliardaires, ils ont la puissance, la fortune et la gloire, lorsque soudain, par intérêt, par jalousie, par haine ou pour toute autre raison, ils tuent. Et on ne s'étonnera pas si, par la suite, une justice complaisante ou aux ordres leur permet, pas toujours il est vrai, d'échapper au châtiment. Voici trente histoires réunissant des criminels hors série.

Ils ont osé ! n° 30801
(avec J.-F. Nahmias)

Ils sont célèbres ou inconnus, ils appartiennent à toutes les époques, à tous les milieux, mais ils ont un point commun. Un jour, dans des circonstances extraordinaires ou banales, par idéal, pour sauver leur vie ou pour toute autre raison, ils ont fait ce dont on ne les aurait crus capables, ils ont accompli l'impensable, l'inimaginable : ils ont osé ! Tous ne sont pas sortis indemnes de leur aventure. Quelquefois, c'est la mort qui les attend à la fin de ces récits haletants, mais ils ont été au bout de leurs forces ou de leur idée, et ils méritent à jamais notre admiration.

Complots n° 30936
(avec J. Equer)

Dans l'espoir de déclencher une troisième guerre mondiale, des extrémistes de la CIA sabotent un avion espion. Avec la complicité de sa fille, une femme accuse son mari de la mort de son amant. Un gouvernement et les Nations unies s'allient pour assassiner un chef d'État. Douze amis s'associent pour aider l'un des leurs à abréger ses souffrances. Un jeune homme tue ses parents pour se venger de sa sœur. Afin d'éviter le châtiment, des officiers maquillent un massacre en accident. Les enfants d'un orphelinat testent sans le savoir des médicaments mortels. Assassinats de Trotski et de Gandhi, attentat contre de Gaulle, stratagèmes pervers d'Hitler, manœuvres diaboliques du KGB et de la CIA, secrets de famille et agissements mafieux de firmes sans scrupules, les complots sous toutes leurs formes empoisonnent l'âme humaine.

Mort ou vif n° 31241
(avec J.-F. Nahmias)

Leurs noms suscitent la peur, parfois la terreur. Ils s'appellent Eichmann, Baader, Al Capone, Mesrine, Carlos. Des criminels, des terroristes ou tout simplement des monstres. Certains n'ont pas accédé à la célébrité mais n'en ont pas moins, en leur temps, semé la panique autour d'eux. Comme ces deux fous échappés de l'asile de Vannes, un jour de 1949, comme le tueur des enfants noirs d'Atlanta, ou cet habitant de l'Alaska qui enlevait des femmes pour les chasser comme du gibier. Alors, contre eux, la traque s'organise. Ils sont devenus les ennemis publics n°1, les hommes à abattre. La police se mobilise pour les retrouver, parfois avec l'aide de la population. Rebondissements et coups de théâtre abondent dans ces récits haletants où le suspense est toujours au rendez-vous, jusqu'à ce que le coupable finisse par être pris, mort ou vif.

Par tous les moyens n° 31517
(avec G. Frank et M. Suchet)

À l'origine, il y a plus de quarante ans, un pari fou, celui d'un certain monsieur D. : porter assistance à toute personne qui se trouverait en panne, égarée, malade ou blessée, en danger de mort parfois. Où que ce soit, à toute heure du jour ou de la nuit, apporter immédiatement sur place la solution, quels que soient les obstacles de frontière ou de langue. Impossible… Et pourtant, cela existe aujourd'hui. Cela se nomme Europ Assistance. Parmi des milliers de dossiers, les auteurs ont trouvé des récits incroyables, tragiques ou tendres, rocambolesques, drôles parfois. Une dame perdue en nuisette sur une route d'Espagne en pleine nuit, les flammes qui dévorent une plate-forme pétrolière au large de l'Afrique, ou un envoûtement par un sorcier vaudou… Ces aventures ont été vécues, ces sauvetages nous ont passionnés. Ils vous captiveront.

26 dossiers qui défient la raison n° 31658
(avec G. Frank)

Un homme abattu à distance par la seule force d'une pensée malveillante… Une formule qui décime des troupeaux et fait écrouler une montagne si elle est lue à haute voix… Deux personnes qui ne se connaissent pas, séparées par des milliers de kilomètres, et qui commettent le même assassinat. Vous comprenez pourquoi nous avons longtemps hésité à publier ces dossiers… Nous ne croyons pas plus au paranormal qu'au diable. Un jour, la logique scientifique expliquera sûrement ces phénomènes. Mais, jusqu'à aujourd'hui, reconnaissons-le, elle ne l'a pas fait, permettant à certains de continuer à penser qu'ils ont reçu un coup de main… venu d'ailleurs. Ces histoires défient la raison, c'est en ça qu'elles sont si stupéfiantes.

La Terrible Vérité n° 31936
(avec J.-F. Nahmias)

Des explications à vingt-six mythes modernes ou contemporains sont proposées : la survie de la grande duchesse Anastasia, la disparition de Marylin Monroe, la mort au Temple de Louis XVII, le triangle des Bermudes, le Masque de fer, la vengeance de Toutankhamon sur ceux qui ont découvert sa momie, le monstre du loch Ness, le chevalier d'Eon, le trésor des Templiers, etc.

Sur le fil du rasoir n° 32064
(avec J. Equer)

Un pick-up explose sur un parking, tuant le conducteur et mutilant son passager. De minuscules fragments de plastique, récupérés parmi les débris, permettront-ils à un expert de trouver d'où provient la bombe et de retrouver l'auteur de l'attentat ? La police découvre les restes putréfiés d'une famille, massacrée dans un chalet de montagne. Le seul moyen de démasquer le suspect est de déterminer avec précision la date de leur mort. Un entomologiste, spécialiste des insectes nécrophages, tente de résoudre ce casse-tête... Autopsies, recherches d'empreintes digitales et d'ADN, études balistiques, reconstitutions faciales... La police scientifique dispose aujourd'hui d'outils incroyablement sophistiqués pour confondre les meurtriers. À travers une vingtaine d'histoires palpitantes et inédites, découvrez comment la science traque le crime.

Kidnappings n° 32415
(avec J.-F. Nahmias)

Les rapts existent depuis la nuit des temps et n'ont jamais cessé. Plus que l'amour, la cupidité en est souvent la cause. Souvenons-nous du petit Eric Peugeot, libéré au bout de 48 heures en échange de 50 millions de francs, de la femme de Marcel Dassault, ou du malheureux Brooke Hart, assassiné par ses ravisseurs en 1993 avant même le versement de la rançon. Mais l'enlèvement le plus révoltant est celui qui ne sert qu'à satisfaire les abominables pulsions de monstres qui s'en prennent aux innocents, comme un Émile Louis, de sinistre mémoire, dans l'affaire des disparues de l'Yonne. Amoureux, scandaleux, crapuleux, politiques – des otages du Liban à « l'affaire Ben Barka » qui fit trembler la présidence du général de Gaulle –, les enlèvements que relate ce livre appartiennent à tous les genres. De grands moments de suspense et d'angoisse.

Le Livre de Poche s'engage pour l'environnement en réduisant l'empreinte carbone de ses livres. Celle de cet exemplaire est de :
450 g éq. CO_2
Rendez-vous sur www.livredepoche-durable.fr

Composition réalisée par NORD COMPO

Achevé d'imprimer en août 2012 en France par
CPI BRODARD ET TAUPIN
La Flèche (Sarthe)
N° d'impression : 69690
Dépôt légal 1re publication : août 1972
LIBRAIRIE GÉNÉRALE FRANÇAISE
31, rue de Fleurus – 75278 Paris Cedex 06